#시험대비
#핵심정복

7일 끝
중간고사
기말고사

Chunjae
Makes
Chunjae

▼

[7일 끝] 중학 국어 박영목 3-2

개발총괄   김덕유
편집개발   정인구, 이명진, 이동주
조판   대진문화인쇄(구민범, 장진희, 최진영, 강성희, 임수정)
제작   황성진, 조규영

발행일   2021년 6월 15일 초판   2021년 6월 15일 1쇄
발행인   (주)천재교육
주소   서울시 금천구 가산로9길 54
신고번호   제2001-000018호
고객센터   1577-0902
교재 내용문의   (02)3282-1788

내 안의 국어 DNA를 깨우자!

국어 공부력을 기르는
DNA 깨우기

중학에서 다지는 국어 공부력

비문학 독해, 문법, 어휘, 문학 등
어느 것 하나 놓칠 수 없는
중학 국어 공부의 확실한 해법!

알찬 구성, 친절한 안내

개념·원리 이해부터 문제 적용까지
학습 계획표를 따라 공부하면
어느새 실력이 쑥쑥!

교과 연계로 학습 효율 UP

교과와 연계하여 내용을 선정함으로써
배경지식을 쌓으며 내신도 챙길 수 있는
일석이조의 효율적인 학습 시스템!

비문학 독해 DNA깨우기 (3권)

1. 독해원리 / 2. 독해유형 / 3. 기출유형

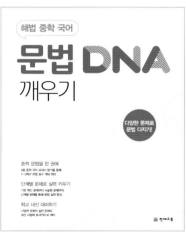

문법 DNA깨우기 (1권)

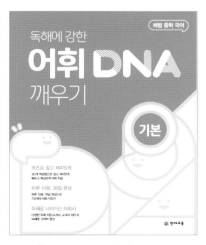

어휘 DNA깨우기 (2권) 기본 / 실력

COMING SOON ── **문학 DNA 깨우기** (3권) 2021년 하반기 출간 예정

book.chunjae.co.kr

교재 내용 문의	··················	교재 홈페이지 ▶ 중등 ▶ 교재상담
교재 내용 외 문의	··················	교재 홈페이지 ▶ 고객센터 ▶ 1:1문의
발간 후 발견되는 오류	··············	교재 홈페이지 ▶ 중등 ▶ 학습지원 ▶ 학습자료실

박영목 교과서

7일 끝으로 끝내자!

중학 국어 3-2

BOOK 1

7일 끝 중학 국어

구성과 활용

시험 공부 시작

생각 열기

공부할 내용을 만화로 가볍게 살펴보며 학습을 준비해 보세요.

❶ 생각 열기 질문의 답을 생각하며 학습 목표를 떠올려 보세요.

❷ 공부할 내용을 살피며 핵심 학습 요소를 확인해 보세요.

본격 공부 중

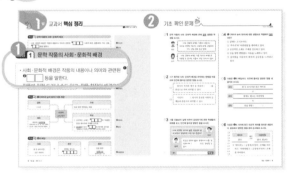

교과서 **핵심 정리** + 기초 확인 문제

꼭 알아야 할 교과서 핵심 내용을 익히고 기초 확인 문제를 풀며 제대로 이해했는지 확인해 보세요.

❶ 빈칸 문제를 채우며 교과서 핵심 내용을 다시 한 번 체크해 보세요.

❷ 교과서 핵심과 관련된 기초 확인 문제를 풀며 공부한 내용을 확인해 보세요.

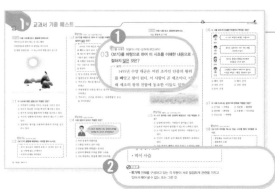

교과서 **기출 베스트**

다양한 유형의 문제를 풀어 보며 공부한 내용을 점검해 보세요.

❶ 빈출 유형 문제를 풀며 시험에 자주 나오는 문제를 확인해 보세요.

❷ 도움말을 보며 시험에 잘 나오는 용어를 익히거나 문제 해결의 힌트를 얻어 보세요.

누구나 100점 테스트
앞에서 공부한 내용을 바탕
으로 기초 이해력을 점검해
보세요.

창의·융합·코딩 서술형 테스트
서술형 문제를 집중적으로
풀며 서술형 문제 적응력을
높여 보세요.

중간·기말고사 기본 테스트
시험 문제에 가까운 예상
문제를 풀며 실전에 대비해
보세요.

틈틈이·짬짬이 공부하기

단원별 필수 어휘를 담은 필수 어휘 모아 보
기를 보며 어휘력을 길러 보세요.

핵심 정리 총집합 카드를 휴대하며 이동하
는 중이나 시험 직전에 활용해 보세요.

7일 끝 중학 국어
차례

1일

관련 대단원 1. 문학과 삶

1-(1) 까마귀 눈비 맞아/들판이 적막하다

내일 2학기 첫 수업이다. 1교시가 국어네.
뭘 배울지 미리 살펴보자.

까마귀 눈비 맞아
희는 듯 검노매라

이 시조의 내용은 이해하기가
조금 어렵네.
무엇을 말하는 작품인 걸까?

다음 날

작품이 창작된
사회·문화적 배경을
알면 문학 작품을 더 잘
이해할 수 있어요.

아, 그럼 시조가 창작된
사회·문화적 배경을
알면 내용을 이해하는 데
도움이 되겠구나.
배경이 뭘까?

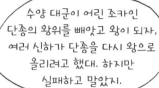

수양 대군이 어린 조카인 단종의 왕위를 빼앗고 왕이 되자, 여러 신하가 단종을 다시 왕으로 올리려고 했대. 하지만 실패하고 말았지.

이 시조를 쓴 시인도 단종을 다시 왕으로 올리려던 신하였어. 그는 두 임금을 섬길 수 없다고 맞서다가 결국 옥에서 죽음을 맞이했대.

그렇구나. 사회·문화적 배경을 알고 나니 작품의 내용을 잘 알겠어.

그럼 시인이 이 시조에서 말하고자 하는 바는 이거겠네?

다른 시가 창작된 사회·문화적 배경이 무엇인지도 궁금하다. 빨리 살펴봐야지.

1일 교과서 핵심 정리

교과서 14~25쪽

핵심 1 문학 작품의 사회·문화적 배경

- 사회·문화적 배경은 작품의 내용이나 의미와 관련된 ❶[____]·사회적 배경, 공동체의 가치, 신념, ❷[__] 등을 말한다.
- 작품에 직접 드러날 수도 있고, 작품 창작의 배경으로 작용할 수도 있다.

❶ 역사적

❷ 문화

핵심 2 시가 창작된 사회·문화적 배경을 파악하는 방법

- 화자의 처지와 생각 등 작품의 내용을 중심으로 하여 파악한다.
- 시인의 삶, 당시의 중요한 ❸[____] 문제들과 관련지어 파악한다.

❸ 사회적

핵심 3 시를 오늘날의 삶에 비추어 감상하기

시에 반영된 ❹[__]의 삶을 오늘날 우리의 삶과 관련지어 생각하며 감상함.

➡ 시를 ❺[___]으로 감상할 수 있음.

❹ 과거

❺ 주체적

핵심 4 ㉮ 〈까마귀 눈비 맞아〉 작품 개관

갈래
고시조

주제
임을 향한 변함없는 마음

까마귀 눈비 맞아

제재
까마귀, 야광명월
밤에 밝게 빛나는 달. 또는 밤에도 빛나는 구슬인 야광주와 명월주.

특징
① 상징적인 소재인 '❻[___]'와 '야광명월'을 대비하여 주제를 강조함.
② 설의법을 써서 ❼[__]의 의지를 강조함. 의문문으로 전달하고자 하는 바를 강조하는 표현법.

❻ 까마귀

❼ 화자

핵심 5 ㉮의 짜임

초장		중장		종장
흰 듯 보이지만 검은 까마귀	➡	밤에도 빛나는 ❽[____]	➡	임을 향한 일편단심 변하지 않는 마음.

❽ 야광명월

정답과 해설 **4쪽**

01 문학 작품의 사회·문화적 배경에 관해 <u>잘못</u> 설명한 학생을 쓰시오.

지민 › 사회·문화적 배경은 작품의 내용이나 의미와 관련된 역사적·사회적 배경, 공동체의 가치, 신념, 문화 등을 말해.

소미 › 사회·문화적 배경은 작품 창작의 배경으로 작용할 수 있지만, 작품에 직접 드러나지 않아.

02 시가 창작된 사회·문화적 배경을 파악하는 방법을 떠올리며 빈칸에 들어갈 알맞은 말을 쓰시오.

(1) 화자의 처지와 생각 등 작품의 (   )을 중심으로 하여 파악할 수 있다.

(2) 시인의 (   ), 당시의 중요한 사회적 문제들과 관련지어 파악할 수 있다.

03 시를 오늘날의 삶에 비추어 감상하기에 관한 학생들의 대화를 보고, 빈칸에 들어갈 알맞은 말을 쓰시오.

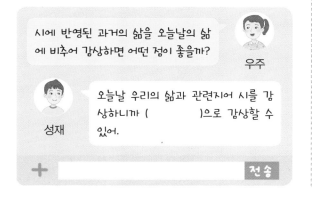

04 ㉮ 〈까마귀 눈비 맞아〉에 대한 설명으로 적절하지 <u>않은</u> 것은?

① 갈래는 고시조이다.
② '까마귀'와 '야광명월'을 대비하고 있다.
③ 상징적인 소재로 주제를 강조하고 있다.
④ 임을 향한 변함없는 마음을 노래하고 있다.
⑤ 설의법을 사용하여 화자의 궁금증을 드러내고 있다.

05 다음은 ㉮의 짜임이다. 빈칸에 들어갈 알맞은 말을 네 글자로 쓰시오.

초장	흰 듯 보이지만 검은 까마귀
	↓
중장	밤에도 빛나는 야광명월
	↓
종장	임을 향한 ( )

06 다음은 ㉮의 시어에 담긴 대조적 의미를 정리한 내용이다. 괄호에서 알맞은 말을 골라 순서대로 쓰시오.

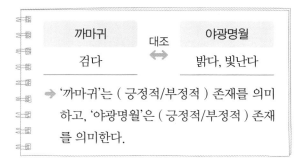

'까마귀'는 (긍정적/부정적) 존재를 의미하고, '야광명월'은 (긍정적/부정적) 존재를 의미한다.

핵심 6 ❰가❱ 창작된 사회·문화적 배경

- 1455년 ❶ ☐☐☐☐ 이 단종의 왕위를 빼앗고 왕이 됨.
- 두 임금을 섬길 수 없다는 신념으로 박팽년, 성삼문, 이개 등이 ❷ ☐☐ 복위 운동을 펼침.
  페위되었던 왕이 다시 그 자리에 오름.

➡️

주제

단종을 향한 변함없는 충성심

❶ 수양 대군

❷ 단종

핵심 7 ❰나❱ 〈들판이 적막하다〉 작품 개관

갈래

현대시

제재

들판, ❸ ☐☐☐

들판이 적막하다
고요하고 쓸쓸하다.

주제

적막한 ❹ ☐☐ 에서 깨달은 생태계의 위기

특징

① 가을 들판의 풍요로움과 적막함을 대비하여 주제를 강조함.
② 쉼표, 줄표, 느낌표, 말줄임표 등을 사용하여 화자의 ❺ ☐☐ 를 효과적으로 드러냄.

❸ 메뚜기
❹ 들판
❺ 정서

핵심 8 ❰나❱의 짜임

1연

들판의 눈부심과 ❻ ☐☐☐

➡️

2연

생명의 황금 고리가 끊어진 들판

❻ 적막함

핵심 9 ❰나❱가 창작된 사회·문화적 배경

- 벼의 수확량을 늘리려고 사용한 ❼ ☐☐ 때문에 들판에서 메뚜기가 사라짐.
- 생태계의 조화를 생각하지 않고 인간의 이익을 위해 환경을 파괴하고 있음.

➡️

주제

적막한 들판에서 깨달은 ❽ ☐☐☐ 의 위기

❼ 농약

❽ 생태계

기초 확인 문제

정답과 해설 4쪽

07 다음은 ㉮가 창작된 사회·문화적 배경을 정리한 내용이다. 빈칸에 공통으로 들어갈 알맞은 말을 쓰시오.

> • 1455년 수양 대군이 조카인 (   )의 왕위를 빼앗고 왕(세조)이 됨.
> • 박팽년은 두 임금을 섬길 수 없다는 신념으로 성삼문 등과 함께 (   ) 복위 운동을 펼침.
> • 박팽년은 (   ) 복위 운동이 발각된 후에도 뜻을 굽히지 않고 맞서다가 옥에서 죽음.

🧭 **도움말**
박팽년은 ㉮를 쓴 조선 시대의 문신으로, 사육신 가운데 한 사람이에요.

08 ㉮의 사회·문화적 배경을 고려하여 시어의 의미를 바르게 연결하시오.

(1)
까마귀

• ㉠ 단종 복위 운동을 펼친 이들

(2)
야광명월

• ㉡ 세조의 왕위 찬탈을 도운 이들

🧭 **도움말**
• **찬탈** 왕위나 나라, 권력 등을 억지로 빼앗음.

09 ㉯ 〈들판이 적막하다〉를 **잘못** 이해한 학생을 쓰시오.

> 진우: 이 시에는 여름 들판의 풍경이 나타나 있어.
>
> 현아: 이 시는 들판의 풍요로움과 적막함을 대비하고 있어.

10 다음은 ㉯의 짜임이다. 빈칸에 들어갈 알맞은 시어를 2어절로 쓰시오.

1연	들판의 눈부심과 적막함
↓	
2연	생명의 ( )가 끊어진 들판

11 ㉯가 창작된 사회·문화적 배경을 떠올리며 빈칸에 들어갈 알맞은 말을 쓰시오.

> (1) 벼의 수확량을 늘리려고 사용한 농약 때문에 들판에서 (   )가 사라지는 상황을 배경으로 하고 있다.

> (2) 생태계의 조화를 생각하지 않고 인간의 이익을 위해 (   )을 파괴하는 상황을 배경으로 하고 있다.

12 다음은 ㉯의 상황을 정리한 내용이다. 괄호에서 알맞은 말을 골라 순서대로 쓰시오.

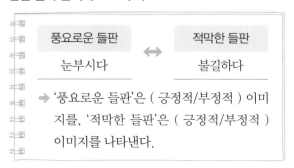

> 풍요로운 들판 ⟷ 적막한 들판
> 눈부시다   불길하다
>
> ➡ '풍요로운 들판'은 (긍정적/부정적) 이미지를, '적막한 들판'은 (긍정적/부정적) 이미지를 나타낸다.

01~04 다음 시조를 읽고, 물음에 답하시오.

까마귀 눈비 맞아 희는 듯 검노매라
야광명월(夜光明月)이 밤인들 어두우랴
임 향한 일편단심(一片丹心)이야 변할 줄이 있으랴

01 이 시조에 대한 설명으로 적절한 것은?

① 자연물이 조화를 이루는 모습을 그리고 있다.
② 의미가 비슷한 시어를 짝지어 제시하고 있다.
③ 청각적 심상을 활용하여 주제를 강조하고 있다.
④ 자신의 상황에 만족하는 화자의 태도가 드러나 있다.
⑤ 질문하는 형식을 사용하여 화자의 의지를 강조하고 있다.

빈출 유형 | 시어의 의미 파악

02 〈보기〉의 설명에 해당하는 시어를 찾아 쓰시오.

┌─ 보기 ┐
• 잠시 겉모습이 하얗게 보일 수 있지만 결국 검을 수밖에 없는 존재이다.
• 부정적 존재를 의미한다.

빈출 유형 | 작품의 사회·문화적 배경 파악

03 〈보기〉를 바탕으로 하여 이 시조를 이해한 내용으로 적절하지 않은 것은?

┌─ 보기 ┐
　　1455년 수양 대군은 어린 조카인 단종의 왕위를 빼앗고 왕이 된다. 이 사람이 곧 세조이다. 이때 세조의 왕위 찬탈에 동조한 이들도 있었지만 그렇지 않은 사람들도 있었는데, 박팽년은 후자에 속했던 인물이다. 그는 두 임금을 섬길 수 없다는 신념으로 성삼문 등과 함께 단종 복위 운동을 펼친다.

① '임'은 단종을 의미하겠군.
② '일편단심'은 세조를 향한 마음을 의미하겠군.
③ '까마귀'는 세조를 왕으로 섬기는 신하들을 의미하겠군.
④ '야광명월'은 단종을 왕으로 섬기는 신하들을 의미하겠군.
⑤ '까마귀'는 간신을 의미하고, '야광명월'은 충신을 의미하겠군.

빈출 유형 | 작품의 주제 파악

04 다음 질문의 답으로 적절한 것은?

 이 시조가 창작된 사회·문화적 배경을 고려할 때, 주제가 무엇일까요?

① 자연 풍경의 아름다움
② 고통을 피하고 싶은 마음
③ 단종을 향한 변함없는 충성심
④ 임과의 행복한 추억을 향한 그리움
⑤ 서로 대립하는 현실에 대한 안타까움

05~08 다음 시를 읽고, 물음에 답하시오.

가을 햇볕에 공기에

익는 벼에

눈부신 것 천지인데,

그런데,

아, 들판이 적막하다—

메뚜기가 없다!

오 이 불길한 고요—

생명의 황금 고리가 끊어졌느니……

빈출 유형 작품의 사회·문화적 배경 파악

05 이 시가 창작된 사회·문화적 배경으로 가장 적절한 것은?

① 농업에 종사하는 사람들이 줄어들고 있다.

② 농촌과 어촌이 발전할 수 있도록 노력하고 있다.

③ 도시를 떠나서 시골에 정착하는 사람들이 늘고 있다.

④ 인간이 사용한 농약 때문에 생태계가 파괴되고 있다.

⑤ 기술 발전의 혜택을 받지 못하고 소외되는 사람들이 생기고 있다.

• **종사하다** 어떤 일을 일삼아서 하다.

06 이 시를 바르게 이해한 학생끼리 짝지은 것은?

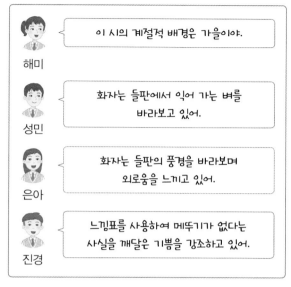

해미: 이 시의 계절적 배경은 가을이야.

성민: 화자는 들판에서 익어 가는 벼를 바라보고 있어.

은아: 화자는 들판의 풍경을 바라보며 외로움을 느끼고 있어.

진경: 느낌표를 사용하여 메뚜기가 없다는 사실을 깨달은 기쁨을 강조하고 있어.

① 해미, 성민　　② 해미, 은아

③ 성민, 은아　　④ 성민, 진경

⑤ 은아, 진경

07 이 시에 드러나는 분위기의 변화로 적절한 것은?

① 무거움 → 가벼움　　② 차분함 → 활발함

③ 불안함 → 편안함　　④ 조용함 → 시끄러움

⑤ 풍요로움 → 적막함

빈출 유형 시어의 의미 파악

08 〈보기〉의 의미를 지니고 있는 시구를 찾아 3어절로 쓰시오.

보기

• 생명체들 사이의 유기적인 연결

• 생태계의 조화

• 먹이 사슬

• 유기적 전체를 구성하고 있는 각 부분이 서로 밀접하게 관련을 가지고 있어서 떼어 낼 수 없는. 또는 그런 것.

2일 **1-(2) 꺼삐딴 리**

생각 열기 작품에 반영된 사회·문화적 배경은 어떻게 파악할 수 있을까?

그렇구나. 그럼 이 소설을
한번 꼼꼼히 읽어 봐야겠다.
그럼 파악할 수 있겠지.

아무리 꼼꼼히 읽어도 사회·문화적 배경을
파악할 수 없어. 어떻게 해야 하지?

그래, 은수가 알려 준 걸 참고해서
소설을 읽어 봐야겠다.

"아직 해방의 감격이 온 누리를
뒤덮어 소용돌이칠 때였다."라…….
일제의 지배에서 벗어나
많은 사람이 기뻐했겠군.

집 안에서도
일체 일본 말만을
써 왔다.…

이인국의 가족은 일본어만 썼구나.
일제 강점기 때 일제에 적극 협조한
사람들이 있었나 봐.

네가 알려 준 대로
소설을 읽으니까 내용이
더 잘 이해됐어. 고마워.

하하

그래서 나 주는 거야?

받아 줘...

고마워...

은수 덕분에 소설을 잘 읽었어.
주인공이 되게 인상적이었어. 친구들은
이 주인공에 대해 어떻게 생각할까?

📖 교과서 26~65쪽

핵심 1 소설의 사회·문화적 배경을 고려하여 감상하기

- 시간적·❶□□□ 배경이 무엇인지 확인한다.
- 사회·문화적 배경과 관련된 소재를 찾고, 그에 담긴 의미를 파악한다.
- 인물들의 대화와 행동 등을 살펴보고, 상황에 대한 인물의 대응 방식, ❷□□□ 등을 파악한다.

❶ 공간적

❷ 가치관

핵심 2 소설을 오늘날의 삶에 비추어 감상하기

- 오늘날의 삶에 비추어 소설을 감상하는 방법

- 삶에 대한 인물의 태도와 가치관 등을 파악하고 자신과 비교한다.
- 오늘날의 관점에서 ❸□□의 행동과 태도를 비판적으로 평가한다.

❸ 인물

- 오늘날의 삶에 비추어 소설을 감상하면 좋은 점

- 소설의 내용을 깊이 있게 이해하며 ❹□□□으로 감상할 수 있다.
- 오늘날에도 변하지 않는 가치나 오늘날의 관점에서 새롭게 평가할 수 있는 가치를 발견함으로써 삶의 ❺□□□과 특수성에 대한 이해를 넓힐 수 있다.
- 자신의 삶과 관련지어 감상하며 삶의 ❻□□와 의미를 찾는 태도를 기를 수 있다.

❹ 주체적

❺ 보편성

❻ 가치

핵심 3 〈꺼삐딴 리〉 작품 개관

갈래
현대 소설

주제
시대와 상황에 따라 빠르게 변신하는 ❼□□□□□의 삶을 비판

❼ 기회주의자

제재
이인국의 삶

꺼삐딴 리

특징
① 일제 강점기, 소련군 주둔 시기, 6·25   군대가 일정한 곳에 집단적으로 얼마 동안 머무르는 일.   전쟁 이후 1950년대를 배경으로 함.   ② 급변하는 시대에 대응하는 인물의 모습   상황이나 상태가 갑자기 달라지다.   이 잘 나타남.   ③ 기회주의자의 삶을 풍자함.   일관되지 못하고 그때그때 이로운 쪽으로 행동하는 사람.   ④ 현재와 ❽□□를 오가는 구성이 나   타남.

배경
• 시간: 일제 강점기에서 1950년대까지   • 공간: 한반도의 북쪽과 남쪽

❽ 과거

기초 확인 문제

01 다음은 사회·문화적 배경을 고려하여 소설을 감상하는 방법이다. ㉠과 ㉡에 들어갈 알맞은 말을 쓰시오.

> **사회·문화적 배경을 고려하여 소설 감상하기**
>
> • 시간적·공간적 배경을 확인하기
> • 사회·문화적 배경과 관련된 (㉠)를 찾고 그에 담긴 의미를 파악하기
> • 인물들의 (㉡)와 행동 등을 살펴보고, 상황에 대한 인물의 대응 방식, 가치관 등을 파악하기

02 〈보기〉에 나타난 사회·문화적 배경을 바르게 파악한 학생을 쓰시오.

> ┤ 보기 ├
>
> 1945년 팔월 하순.
> 아직 해방의 감격이 온 누리를 뒤덮어 소용돌이칠 때였다.
> 말복도 지난 날씨언만 여전히 무더웠다. 이인국 박사는 이 며칠 동안 불안과 초조에 휘몰려 잠도 제대로 자지 못했다. 무엇인가 닥쳐올 사태를 오돌오돌 떨면서 대기하는 상태였다.

지민 | 〈보기〉에 나타난 사회·문화적 배경은 일제 강점기야.

진우 | 〈보기〉에 나타난 사회·문화적 배경은 해방 직후야.

준서 | 〈보기〉에 나타난 사회·문화적 배경은 6·25 전쟁 이후야.

03 오늘날의 삶에 비추어 소설을 감상하는 방법으로 적절하지 않은 것은?

① 삶에 대한 인물의 태도를 자신과 비교한다.
② 오늘날의 관점에서 인물의 태도를 평가한다.
③ 인물의 가치관을 파악하고 자신과 비교한다.
④ 과거의 가치는 오늘날의 삶과 관련 없음을 확인한다.
⑤ 오늘날의 관점에서 인물의 행동을 비판적으로 평가한다.

04 〈꺼삐딴 리〉의 제재 개관을 떠올리며 빈칸에 들어갈 알맞은 말을 쓰시오.

> (1) 이 소설은 ( )인 이인국의 삶을 제재로 하고 있다.

> (2) 이 소설에는 ( )와 과거를 오가는 구성이 나타나 있다.

> (3) 급변하는 시대에 대응하는 인물의 모습이 잘 나타나 있는데, 이를 ( )하며 비판하고 있다.

05 이 소설의 배경을 잘못 설명한 학생을 쓰시오.

소미 | 일제 강점기부터 6·25 전쟁 이후 1950년대까지를 시간적 배경으로 하고 있어.

강하 | 공간적 배경은 한반도의 남쪽으로, 남쪽에서 발생한 사건만을 다루고 있어.

핵심 4) 글의 짜임

발단	일제 강점기가 끝나고 이인국은 광복을 맞이함.
전개 1	광복 후에 ❶◻◻◻이 들어오고, 이인국은 자신의 ❷◻◻ 행적 때문에 초조해함.
전개 2	이인국이 치안대에 잡혀가 문초를 당함. 해방 직후 삼팔선 이북에서 치안 유지를 위해 조직된 공산주의 계열의 단체.
위기	감방에 전염병 환자가 생기자 이인국이 응급 치료실에서 일하게 됨.
절정	스텐코프의 ❸◻을 제거한 이인국이 처벌을 받지 않고 풀려남.
결말	6·25 전쟁 후 이인국이 브라운의 도움으로 미국행을 준비함.

❶소련군

❷친일

❸혹

핵심 5) 등장인물 소개

이인국	• 일제 강점기에 제국 대학을 졸업한 외과 ❹◻◻로 현재는 종합 병원의 원장. • 상황에 따라 일본, 소련, 미국을 따르며 부와 권력을 좇아 살아감.
아내	• 이인국의 사별한 부인. 죽어서 이별하다. • 1·4 후퇴 때 남한으로 온 뒤 거제도 수용소에서 죽음.
원식	• 이인국의 아들로, 소련군 주둔 시기에 ❺◻◻으로 유학을 떠남. • 6·25 전쟁이 일어난 뒤 소식이 끊겨서 생사를 모름.
나미	• 이인국의 딸로, 6·25 전쟁이 끝난 뒤 ❻◻◻으로 유학을 떠남. • 지도 교수인 미국인과 결혼하려 함.
혜숙	• 이인국이 북쪽에 있을 때 함께 일했던 간호사. • 남한에서 우연히 이인국을 다시 만나 결혼하여 둘 사이에 어린 아들이 있음.
춘석	• 일제 강점기 말에 이인국의 병원에서 입원을 거부당한 사상범. • 광복 후 치안대에 끌려온 이인국을 문초함. 현 사회 체제에 반대하는 사상을 가지고 개혁을 죄나 잘못을 따져 묻거나 심문하다. 꾀하는 범죄를 지은 사람.
스텐코프	• 이인국이 ❼◻◻◻에 끌려갔을 때 만난 소련군 장교. • 이인국이 자신의 혹을 제거하는 수술에 성공하자 그를 믿고 도와줌.
브라운	• 미국 대사관에서 일하는 사람. • 이인국의 ❽◻◻◻을 도와줌.

❹의사

❺소련

❻미국

❼치안대

❽미국행

기초 확인 문제

06 다음은 〈꺼삐딴 리〉의 중심 사건이다. 잘 보고, 물음에 답하시오.

⊙ 친일을 한 잘못으로 치안대에 끌려 간다.

⊙ 스텐코프의 혹을 제거하는 수술을 성공적으로 끝내고 그의 신임을 얻는다.

⊙ 소련군이 들어오는 상황에서 불안감과 막연한 기대감을 동시에 갖는다.

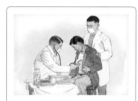

⊙ 감방에 전염병이 돌자 임시로 응급 치료실에서 전염병 환자들을 치료한다.

⊙ 가족 모두가 일본 말만을 쓰는 등 황국 신민으로 지낸다.

⊙ 미국 대사관의 브라운에게 청자 화병을 주며 부탁한 일의 결과를 확인한다.

도움말
- **신임** 믿고 일을 맡김. 또는 그 믿음.
- **황국 신민** 일본 천황이 다스리는 나라의 신하 된 백성.

(1) ⊙~⊙을 사건이 일어난 시간 순서대로 배열하시오.

⊙ ➡ (　　) ➡ (　　) ➡ ⊙ ➡ (　　) ➡ ⊙

(2) 〈보기〉의 사건이 일어난 시기로 적절한 것은?

┌─ 보기 ────────────────────┐
1·4 후퇴 때 이인국이 아내와 딸과 함께 남한으로 내려온다.
└───────────────────────────┘

① ⊙과 ⊙ 사이　　② ⊙과 ⊙ 사이
③ ⊙과 ⊙ 사이　　④ ⊙과 ⊙ 사이
⑤ ⊙과 ⊙ 사이

07 주인공 '이인국'에 관해 <u>잘못</u> 설명한 학생을 쓰시오.

선호

이인국의 직업은 의사로, 부와 권력을 좇아 살아간 인물이야.

우주

이인국은 계속 소련과 가깝게 지내고 미국과는 거리를 두었어.

08 다음 설명에 해당하는 인물을 〈보기〉에서 고르시오.

┌─ 보기 ────────────────────┐
춘석, 브라운, 스텐코프
└───────────────────────────┘

(1) 일제 강점기 말에 이인국의 병원에 입원하려 하였으나 거부당한 사상범으로, 치안대에 끌려온 이인국을 문초한다. (　　　　)

(2) 이인국이 치안대에 끌려갔을 때 만난 소련군 장교로, 이인국이 혹 제거 수술에 성공하자 그를 믿고 도와준다. (　　　　)

(3) 미국 대사관에서 일하는 사람으로, 이인국이 미국으로 가는 것을 도와준다. (　　　　)

01~03 다음 글을 읽고, 물음에 답하시오.

가 1945년 팔월 하순.

아직 해방의 감격이 온 누리를 뒤덮어 소용돌이칠 때였다.

말복도 지난 날씨언만 여전히 무더웠다. 이인국 박사는 이 며칠 동안 불안과 초조에 휘몰려 잠도 제대로 자지 못했다. 무엇인가 닥쳐올 사태를 오돌오돌 떨면서 대기하는 상태였다.

그렇게 붐비던 환자도 하나 얼씬하지 않고 쉴 사이 없던 전화도 뜸하여졌다. 입원실은 최후의 복막염 환자였던 도청의 일본인 과장이 끌려간 후 텅 비었다.

조수와 약제사는 궁금증이 나서 고향에 다녀오겠다고 떠나갔고 서울 태생인 간호원 혜숙이만이 남아 빈집 같은 병원을 지키고 있었다.
'간호사'의 전 용어.

이 층 십 조 다다미방에 훈도시와 유카다 바람에 뒹굴고 있던 이인국 박사는 견디다 못해 부채를 내던지고 일어났다.
다다미의 수를 세는 일본어.   일본 남성들이 입었던 속옷.
직사각형 모양의 일본식 돗자리를 깐 방.   일본 전통 의상의 한 종류.

나 굳게 닫혀 있는 은행 철문에 붙은 벽보가 한길을 건너 하얀 윤곽만이 두드러져 보인다.
사람이나 차가 많이 다니는 넓은 길.

아니 그곳에 씌어 있는 구절.

'친일파, 민족 반역자를 타도하자.'
어떤 대상이나 세력을 쳐서 거꾸러뜨리다.

옆에 붉은 동그라미를 두 겹으로 친 글자가 그대로 눈앞에 선명하게 보이는 것만 같다.

어제 저물녘에 그것을 처음 보았을 때의 전율이 되살아왔다. [중략]
몹시 무섭거나 두려워 몸이 벌벌 떨림.

그러나 벽보를 들여다보고 있을 때 자기와 눈이 마주치는 순간, 일그러지는 얼굴에 경멸인지 통쾌인지 모를 웃음을 비죽거리면서 아래위로 훑어보던 그 춘석이 녀석의 모습이 자꾸만 머릿속으로 엄습하여 어두운 밤에 거미줄을 뒤집어 쓴 것처럼 꺼림텁텁하기만 했다.
깔보아 업신여김.
(비웃을 때 등) 소리 없이 입을 내밀고 실룩거리다.
감정, 생각, 감각 따위가 갑작스럽게 들이닥치거나 덮치다.
마음이나 배 속이 언짢고 시원하지 않다.

01 이 글에 대한 설명으로 적절하지 않은 것은?

① 한 인물의 삶을 소재로 하고 있다.
② 역사적 사실을 배경으로 하고 있다.
③ 인물의 심리가 직접적으로 드러나 있다.
④ 주인공이 다른 인물을 관찰하여 서술하고 있다.
⑤ 사회·문화적 배경을 짐작할 수 있는 표현이 있다.

02 이 글을 읽은 독자의 반응으로 적절한 것은?

하늘 이인국은 입원실이 있는 병원을 운영하고 있군. ··············①

은하 이인국은 해방을 맞이하면서 의사 일을 시작하였군. ··············②

혜성 이인국은 해방되었다는 기쁨을 마음껏 누리고 있군. ··············③

북두 이인국은 일본식 생활 방식에 거부감을 느끼고 있군. ··············④

칠성 이인국은 병원에 환자가 너무 많아 피로를 느끼고 있군. ··············⑤

빈출 유형 사회·문화적 배경 파악

03 다음 설명에 해당하는 구절을 (나)에서 찾아 쓰시오.

벽보의 내용으로, 친일한 사람을 찾아 벌을 주고자 한 당시의 상황이 드러나 있다.

04~05 **다음 글을 읽고, 물음에 답하시오.**

가 일본인 간부급들이 자기 집처럼 들락날락하는 이 병원에 이런 사상범을 입원시킨다는 것은 관선 시의원이라는 체면에서도 떳떳지 못할뿐더러, 자타가 공인하는 모범적인 황국신민(皇國臣民)의 공든 탑이 하루아침에 무너지는 결과를 가져오는 것이라는 생각이 들었다.

순간 그는 이런 경우의 가부 결정에 일도양단하는 자기식으로 찰나적인 단안을 내렸다.
_{어떤 일을 머뭇거리지 아니하고 선뜻 결정하다.}
_{어떤 사항에 대한 생각을 딱 잘라 결정함. 또는 그렇게 결정된 생각.}

그는 응급 치료만 하여 주고 입원실이 없다는 가장 떳떳하고도 정당한 구실로 애걸하는 환자를 돌려보냈다.

나 무엇을 생각했던지 그는 움찔 자리에서 일어났다. 그리고는 벽장문을 열었다. 안쪽에 손을 뻗쳐 액자 틀을 끄집어내었다.

'국어(國語) 상용(常用)의 가(家)'
_{'일본어'를 가리킴. 일상적으로 씀.}

해방되던 날 떼어서 집어넣어 둔 것을 그동안 깜박 잊고 있었다. / 그는 액자 틀 뒤를 열어 음식점 면허장 같은 두터운 모조지를 빼내어 글자 한 자도 제대로 남지 않게 손끝에 힘을 주어 꼼꼼히 찢었다.

이 종잇장 하나만 해도 일본인과의 교제에 있어서 얼마나 떳떳한 구실을 할 수 있었던 것인가. [중략] 해방 뒤 부득이 써

오는 제 나라 말이 오히려 의사 표현에 어색함을 느낄 만큼 그에게는 거리가 먼 것이었다.

빈출 유형 인물의 대응 방식 파악
04 **다음 질문의 답으로 적절하지 않은 것은?**

일제 강점기에 이인국은 어떻게 살았을까?

① 일본인들과 가깝게 지냈을 것이다.
② 일제의 정책을 적극적으로 따랐을 것이다.
③ 직급이 높은 일본인들을 진료하였을 것이다.
④ 사상범이 병원에 오면 입원을 꺼렸을 것이다.
⑤ 입원 치료는 하지 않고 응급 치료만 하였을 것이다.

05 **다음은 이 글을 읽은 학생들의 대화이다. 빈칸에 들어갈 알맞은 말을 두 글자로 쓰시오.**

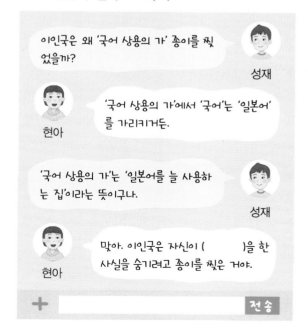

이인국은 왜 '국어 상용의 가' 종이를 찢었을까?
성재

'국어 상용의 가'에서 '국어'는 '일본어'를 가리키거든.
현아

'국어 상용의 가'는 '일본어를 늘 사용하는 집'이라는 뜻이구나.
성재

맞아. 이인국은 자신이 (　　　)을 한 사실을 숨기려고 종이를 찢은 거야.
현아

＋ _____ 전송

06~07 다음 글을 읽고, 물음에 답하시오.

가 박수와 환호성, 만세 소리가 그칠 줄 모르는 양안(兩岸)
〔강이나 하천 따위의 양쪽 기슭.〕
을 끼고 탱크는 물밀듯 서서히 흘러간다. 위 뚜껑을 열고 반
〔온몸의 절반.〕
신을 내민 중대가리의 병정은 간간이 "우라아." 하면서 손을
〔우라. '만세, 만세 소리'를 뜻하는 러시아어.〕
내흔들고 있다.

이인국 박사는 자기와는 아무 관련도 없는 이방 부대라는
〔인정, 풍속 따위가 전혀 다른 남의 나라. 이국.〕
환각을 느끼면서 박수도 환성도 안 나가는 멋쩍은 속에서 멍
하니 쳐다보고만 있다. 그는 자기의 거동을 주시하지나 않나
해서 주위를 두리번거렸다.

나 밤이 이슥해서야 중학교와 국민학교를 다니는 아들딸이
굉장한 구경이나 한 것처럼 탱크와 로스케의 이야기를 늘어
〔러시아 사람을 낮잡아 이르는 말.〕
놓으며 돌아왔다. [중략]

이인국 박사는 슬그머니 일어나 이 층으로 올라와 다다미
방에서 혼자 뒹굴었다. / 앞일은 대체 어떻게 전개될 것인지
뛰어넘을 수가 없는 큰 바다가 가로놓인 것만 같았다. 풀어
낼 수 있는 실마리가 전연 더듬어지지 않는 뒤헝클어진 상념
〔전혀.〕 〔마음속에 품고 있는 여러 가지 생각.〕
속에서 그래도 이인국 박사는 꺼지려는 짚불을 불어 일으키
〔볏짚을 태운 불.〕
는 심정으로 막연한 한 가닥의 기대만을 끝내 포기하지 않은
채 천장을 멍청히 쳐다보고만 있었다.

㉠지난 일에 대한 뉘우침이나 가책 같은 건 아예 있을 수
없었다.

06 〈보기〉를 바탕으로 하여 (가)를 이해한 내용으로 적절한
것은?

┌─ 보기 ┐

　　1945년부터 1948년까지 한반도의 삼팔선을
경계로 미국과 소련이 남과 북을 각각 통치했던
기간이 있는데, 이를 '미소 군정기'라고 한다. 소
련은 동북아시아 지역에서 영향력을 확대하고자
하였고, 미국은 소련의 영향력 확대를 견제할 수
있는 뚜렷한 선이 필요하였다. 이런 상황에서 한
반도에 삼팔선이 설정되어 남에는 미군이, 북에
는 소련군이 파견되어 주둔하였다.

└──────────────────────┘

① 이인국은 소련군을 싫어하였다.
② 이인국이 있는 곳은 삼팔선 남쪽이다.
③ 이인국이 있는 곳은 삼팔선 북쪽이다.
④ 이인국은 미군이 들어오지 않아 실망하였다.
⑤ 이인국이 있는 곳에 미군과 소련군이 함께 들어
　왔다.

07 ㉠에 담긴 이인국의 심리로 가장 적절한 것은?

　지난 일에 대한
뉘우침이나 가책 같은 것은
아예 없소.

① 조국 해방에 도움이 되지 못해 아쉽다.
② 일제 강점기에 친일한 것을 반성할 생각이 없다.
③ 해방 후 빈부의 격차가 심해져서 상실감이 느껴
　진다.
④ 일제 강점기에 더 많은 돈을 벌지 못한 것이 후
　회된다.
⑤ 만약 일제 강점기로 돌아간다면 일제와 가깝게
　지내지 않을 것이다.

08~10 다음 글을 읽고, 물음에 답하시오.

가 북한 소련 유학생 서독으로 탈출
　　　　　독일 서부 지역에 있던 연방 공화국.

　바둑돌 같은 굵은 활자의 제목. 왼편 전단을 차지한 외신
기사. 손바닥만 한 사진까지 곁들여 있다. [중략]　　外信 외국으로부터 온 통신.

　그의 시각은 활자 속을 헤치고 머릿속에는 아들의 환상이
뒤엉켜 들이차 왔다. 아들을 모스크바로 유학시킨 것은 자기
의 억지에서였던 것만 같았다.

나 ㉠"얘, 너 그 노어(露語) 공부를 열심히 해라."
　　　　　　　노서아. '러시아'를 뜻함.

　"왜요?"

　아들은 갑자기 뛰어나오는 아버지의 말에 의아를 느끼면
서 반문했다.

　"야 원식아, 별수 없다. 왜정 때는 그래도 일본 말이 출세
　　　　　　　　　　　　　　일본이 침략하여 강점하고 다스리던 정치.
를 하게 했고 이제는 노어가 또 판을 치지 않니. 고기가 물
을 떠나서 살 수 없는 바에야 그 물속에서 살 방도를 궁리
해야지. 아무튼 그 노서아 말 꾸준히 해라."

다 "괜한 소리, 쟤가 소련 바람을 쏘이구 와야 내게 허튼소
리 하는 놈들도 찍소리를 못 할 거요. 어디 보란 듯이 다시
한번 살아 봅시다."

　아들의 출발을 앞두고, 걱정하는 마누라를 우격다짐으로
　　　　　　　　　　　　　　　　　억지로 우겨서 남을 굴복시킴. 또는 그런 행위.
무마하고 그는 아들 유학을 관철하였다.
　　　　　　　　　　　어려움을 뚫고 나아가 목적을 기어이 이루다.
　'흥, 혁명 유가족두 가기 힘든 구멍을 친일파 이인국의 아
들이 뚫었으니 어디 두구 보자……'

　그는 만장의 기염을 토하며 혼자 중얼거리고는 희망에 찬
　　　　　　만장기염. 아주 굉장한 기세.
미소를 풍겼다.

　그 다음 해에 사변이 터졌다.
　　　　　　여기서는 6·25 전쟁을 의미함.
　잘 있노라는 서신이 계속하여 왔지만 동란 후 후퇴할 때까
　　　　　　　　　　　　　　　전쟁 등으로 사회가 질서를 잃고 소란해지는 일.
지 소식은 두절된 대로였다.

08 (가)~(다)를 통해 알 수 있는 이 글의 특징으로 적절한
것은?

① 서술자가 계속 바뀌고 있다.

② 공간의 이동이 나타나지 않고 있다.

③ 비현실적인 공간을 배경으로 하고 있다.

④ 현재와 과거를 오가는 구성이 나타나 있다.

⑤ 사건이 일어난 시간 순서에 따라 서술하고 있다.

09 이 글의 내용을 잘못 이해한 학생을 쓰시오.

해미: 이인국은 권력을 따르며 살아야 성공할 수 있다고 생각하고 있어.

진경: 이인국의 아내는 아들의 소련 유학에 찬성하지 않았어.

은아: 아들이 소련으로 유학을 떠난 다음 해에 6·25 전쟁이 일어났어.

성민: 아들은 무사히 소련에서 유학을 마치고 집으로 돌아왔어.

빈출 유형 인물의 대응 방식 파악

10 ㉠에 담긴 이인국의 심리로 가장 적절한 것은?

① 외국어 하나쯤은 취미로 공부해야 한다.

② 노어를 배워야 일본어를 잊어버릴 수 있다.

③ 노어는 일본어와 비슷해서 빨리 배울 수 있다.

④ 지금은 노어를 배우는 것이 출세에 도움이 된다.

⑤ 노어를 공부하면 다른 외국어도 쉽게 배울 수 있을 것이다.

3일 1-(2) 꺼삐딴 리

생각 열기 소설에 나타난 인물의 삶을 어떻게 평가할 수 있을까?

작가는 왜 이인국을 주인공으로 삼았을까? 일제 강점기에는 친일파, 소련군이 오자 친소파, 나중에 남한에 가서는 친미파가 되잖아.

맞아, 이인국은 카멜레온처럼 그때그때 상황에 따라 변신하는 인물이야.

이인국은 시대와 상황에 따라 빠르게 변신하는 기회주의자인 것 같아.

그런 사람을 기회주의자라고 하는구나.
그럼 왜 기회주의자를 주인공으로 했을까?

이인국을 통해 그 당시 기회주의자였던 사람들을 비판하려고 했던 것 같아. 나도 그런 태도는 비판받을 만하다고 생각해.

공부할 내용

❶ 소설에 반영된 사회·문화적 배경 파악하기
❷ 인물의 삶의 태도 파악하기
❸ 작가의 소설 창작 의도 파악하기

그런데 나는 어떤 순간에도 살아남으려고 노력하는 태도는 훌륭하다고 봐. 이인국이 이런 태도로 좀 더 가치 있는 일을 했다면 참 좋았겠지만.

음, 은수는 재영이와 생각이 다르구나.
그런데 요즘에도 이인국 같은 사람이 있을까?

없다고는 못하지. 자신의 이익을 위해 말이나 생각을 쉽게 바꾸면서 이기적으로 사는 사람들이 있거든.

그렇구나. 과거 이야기인 줄만 알았는데 지금에도 해당되는 이야기였네.

그래도 이렇게 작품에 대해 이야기를 나누니까 좋은 걸? 앞으로 자주 이렇게 하자.

나도 좋아. 친구들의 생각을 들으니 작품이 더 잘 이해되는 것 같아.

3일 교과서 핵심 정리

📖 교과서 26~65쪽

핵심 1 〈꺼삐딴 리〉에 반영된 사회·문화적 배경

구절	사회·문화적 배경	
• 모범적인 황국 신민(皇國臣民)의 공든 탑 • '국어(國語) 상용(常用)의 가(家)'	일제 강점기에 ❶◻◻을 하며 부와 권력을 누리는 사람들이 있었음.	❶ 친일
• 아직 해방의 감격이 온 누리를 뒤덮어 소용돌이칠 때였다. • '친일파, 민족 반역자를 타도하자.'	• 일제 강점기가 끝나고 해방을 맞이함. • 친일파, 민족 반역자를 찾아 벌을 주려 함.	
• 몇몇 친구들도 소련군 입성이 보도된 이후부터는 거의 나타나질 않는다. • "쟤가 소련 바람을 쏘이구 와야 … 살아 봅시다."	해방 이후 삼팔선을 기준으로 하여 북쪽에는 ❷◻◻◻이 들어왔으며, 소련에 잘 보이고자 노력하는 사람이 있었음.	❷ 소련군
• 맞은편 책상 위에는 작은 금동 불상(金銅佛像) 곁에 몇 개의 골동품이 … 세월의 때 묻은 백자기다. _{백자.} • 대학을 갓 나와 … 미국에만 갔다 오면 별이라도 딴 듯이 날치는 꼴이 눈꼴사나웠다. _{자기 세상인 것처럼 날뛰며 기세를 올리다.}	• 우리 문화재를 외국인에게 선물하여 ❸◻◻가 국외로 유출되는 일이 생김. • 6·25 전쟁 후 남쪽에서는 사회적으로 ❹◻◻의 영향력이 커졌음.	❸ 문화재 ❹ 미국

핵심 2 사회·문화적 배경의 변화와 그에 따른 이인국의 대응

시기	이인국의 대응	공간	
일제 강점기	적극적으로 ❺◻◻에 협조하며 부와 권력을 누림.		❺ 일제/일본
해방 직후	친일 행적을 들킬까 봐 초조해하면서 상황을 지켜봄. _{나쁜 행실로 남긴 흔적.}		
소련군 주둔 시기	• 치안대에 끌려가 문초를 받지만, 전염병 환자 발생을 기회로 삼아 스텐 _{해방 직후 삼팔선 이북에서 치안 유지를 위해 조직된 공산주의 계열의 단체.} 코프의 혹을 제거하여 처벌받지 않고 풀려남. • 소련군과 친분을 쌓고 아들을 ❻◻◻에 유학 보내는 등 소련에 우호적인 태도를 보이며 부와 권력을 얻으려 노력함. _{개인끼리나 나라끼리 서로 사이가 좋은 것.}	❼◻◻	❻ 소련 ❼ 북쪽
6·25 전쟁 시기	1·4 후퇴 때 아내와 딸을 데리고 남쪽으로 옴.	북쪽 → 남쪽	
6·25 전쟁 이후	미국에 우호적인 태도를 보이며 부와 권력을 유지함.	❽◻◻	❽ 남쪽

기초 확인 문제

01 다음 구절을 통해 알 수 있는 사회·문화적 배경을 <u>잘못</u> 설명한 학생을 쓰시오.

> '국어(國語) 상용(常用)의 가(家)'

진경 > 일제는 일본어를 쓰지 않고 우리말을 쓰는 가정에 상을 주었어.

성민 > 일제 강점기에 일제에 적극 협조하며 부와 권력을 누리려는 사람들이 있었어.

02 〈보기〉에 나타난 사회·문화적 배경을 다음과 같이 정리할 때, 초성 글자를 참고하여 알맞은 말을 쓰시오.

> ┌ 보기 ┐
> '친일파, 민족 반역자를 타도하자.'

> 해방 후에 일제의 정책을 적극적으로 지지하고 옹호한 (ㅊㅇㅍ)를 찾아서 처벌하려는 사회적 분위기가 형성되었다.

03 〈보기〉에 나타난 사회·문화적 배경을 고려하여 빈칸에 공통으로 들어갈 알맞은 말을 쓰시오.

> ┌ 보기 ┐
> "괜한 소리, 재가 소련 바람을 쏘이구 와야 내게 허튼소리 하는 놈들도 찍소리를 못 할 거요. 어디 보란 듯이 다시 한번 살아 봅시다."

> 해방 후 삼팔선 북쪽에는 (　　　)의 군대가 들어왔는데, 사람들 중에 (　　　)에 잘 보이고자 노력하는 경우가 있었어.

04 〈보기〉에 나타난 사회·문화적 배경에 대한 설명으로 적절한 것은?

> ┌ 보기 ┐
> 　맞은편 책상 위에는 작은 금동 불상(金銅佛像) 곁에 몇 개의 골동품이 진열되어 있다. 십이 폭예서(隷書) 병풍 앞 탁자 위에 놓인 재떨이도 세월의 때 묻은 백자기다.
> 　저것들도 다 누군가가 가져다준 것이 아닐까 하는 데 생각이 미치자 이인국 박사는 얼굴이 화끈해졌다.

① 6·25 전쟁 후 남한에서 소련의 영향력이 커졌다.
② 6·25 전쟁 후 문화재를 공부하는 사람이 많았다.
③ 6·25 전쟁 후 문화재를 보호하는 법안이 생겼다.
④ 6·25 전쟁 후 일제에 맞선 사람들에게 선물로 고마움을 표현하였다.
⑤ 자신의 이익을 위해 문화재를 외국인에게 선물하여 문화재가 유출되는 일이 있었다.

05 사회·문화적 배경의 변화에 따른 이인국의 대응을 <u>잘못</u> 정리한 학생을 쓰시오.

> **우주의 메모**
> 　일제 강점기에는 일제에 적극 협조하면서 부와 권력을 누림.

> **현아의 메모**
> 　소련군 주둔 시기에 모든 가족과 함께 남쪽으로 이동함.

> **은아의 메모**
> 　6·25 전쟁 이후 미국에 우호적인 태도를 보이며 부와 권력을 누림.

핵심 3 이인국의 삶의 태도

- 일제 강점기에는 모범적인 **❶**`□□ □□`으로 살며 친일 행적을 보임.
- 소련군 주둔 시기에는 감방에서 노어를 공부하고, 아들을 소련으로 유학 보내는 등 친소 행적을 보임.
- 6·25 전쟁이 끝난 후에는 **❷**`□□`를 공부하고, 딸을 미국으로 유학을 보내는 등 친미 행적을 보임.

➡

- 자신의 이익과 생존만을 위해 행동함.
- 옳고 그름과는 상관없이 상황에 따라 변신하는 기회주의자의 태도를 보임.

❶ 황국 신민

❷ 영어

핵심 4 작가의 창작 의도

이인국은 일제 강점기에는 **❸**`□□□`, 소련군 주둔 시기에는 친소파, 6·25 전쟁 후에는 **❹**`□□□`가 되어 부와 권력을 추구함.

➡

- 도덕이나 인의와 관계없이 자신에게 이로운 쪽으로만 행동하는 사람에 대한 비판
  <small>어질과 의로움.</small>
- 기회주의자의 삶에 대한 풍자
- 부와 권력만 좇는 부패한 기득권에 대한 비판

❸ 친일파

❹ 친미파

핵심 5 제목의 의미

꺼삐딴 리

➡

- '꺼삐딴'은 '까삐딴'이 와전된 표기. 영어 '캡틴(captain)'에 해당하는 러시아어로 해방 직후 북한에서 '우두머리'나 '최고'라는 뜻으로 쓰임.
- 주인공인 '**❺**`□□□`'을 가리킴.

➡

'최고'라고 표현하여 이인국의 **❻**`□□□□`적 태도를 풍자함.

❺ 이인국

❻ 기회주의

핵심 6 소설을 오늘날의 삶에 비추어 감상하기

- 이 소설을 오늘날의 삶에 비추어 감상할 때 할 수 있는 질문

- 이인국과 동시대를 살아간 한국인들은 그의 삶의 **❼**`□□`를 어떻게 평가했을까?
- 이인국의 삶의 태도를 어떻게 생각하는가?
- 이인국의 삶에서 어떤 **❽**`□□□`을 얻을 수 있는가?
- 오늘날에도 이인국과 같은 삶의 태도를 지닌 사람이 있을까?

❼ 태도

❽ 깨달음

기초 확인 문제

06 〈보기〉는 이인국의 삶을 정리한 것이다. 각 시기에 해당하는 삶을 고르시오.

┌ 보기 ┐
ㄱ 영어를 공부함.
ㄴ 감방에서 노어를 공부함.
ㄷ 딸을 미국으로 유학 보냄.
ㄹ 모범적인 황국 신민으로 삶.
ㅁ 아들을 소련으로 유학 보냄.
└────────┘

(1) 일제 강점기 → ( )
(2) 소련군 주둔 시기 → ( )
(3) 6·25 전쟁 이후 → ( )

07 이인국이 다음 사회·문화적 배경에서 보인 삶의 태도를 바르게 연결하시오.

(1) 일제 강점기 · · ㄱ 친미파로 삶.

(2) 소련군 주둔 시기 · · ㄴ 친일파로 삶.

(3) 6·25 전쟁 이후 · · ㄷ 친소파로 삶.

08 이인국의 삶에 태도에 대한 설명으로 적절하지 <u>않은</u> 것은?
① 자신의 이익을 가장 우선적으로 생각한다.
② 권력을 가진 세력을 파악하여 그들을 따른다.
③ 무엇이 윤리적으로 옳고 그른지 따지지 않는다.
④ 어떤 상황에 처하든지 살아남기 위해 행동한다.
⑤ 사람들의 눈에 띄지 않는 평범한 삶을 추구한다.

09 다음은 이 소설을 쓴 작가의 창작 의도를 설명한 내용이다. 괄호에서 알맞은 말을 고르시오.

작가는 도덕이나 인의와 관계없이 시대에 따라 자신에게 이로운 쪽으로 행동하는 이인국의 모습을 통해 (기회주의자/이상주의자)의 삶을 풍자하고 부와 권력만 좇는 부패한 기득권을 비판하고자 했다.

10 〈보기〉의 설명에 해당하는 단어를 쓰시오.

┌ 보기 ┐
• 영어 '캡틴(captain)'에 해당하는 러시아어로 '까삐딴'이 와전된 표기.
• 해방 직후에 북한에서 '우두머리', '최고'라는 뜻으로 쓰임.
• 주인공 '이인국'을 풍자적으로 가리키는 말.
└────────┘

11 이 소설을 오늘날의 삶에 비추어 감상할 때 할 수 있는 질문으로 적절하지 <u>않은</u> 것은?
① 이인국의 삶에서 어떤 깨달음을 얻을 수 있을까?
② 요즘에도 이인국과 같은 삶의 태도를 가진 사람이 있을까?
③ 이 소설을 읽은 다른 독자는 이인국의 삶의 태도를 어떻게 생각할까?
④ 이인국이 독립운동가에서 친일파로 삶의 태도를 바꾼 까닭이 무엇일까?
⑤ 이인국과 동시대를 살아간 한국인들은 그의 삶의 태도를 어떻게 평가했을까?

3일 교과서 기출 베스트

01~03 다음 글을 읽고, 물음에 답하시오.

가 이인국 박사는 치안대에 연행되었다.
　　　　　　　　　　　강제로 이끌려 가다.

시멘트 바닥에 무릎을 꿇고 앉은 그는 입술이 파랗게 질려 있었다. 하반신이 저려 오고 옆구리가 쑤신다. 이것만으로도 자기의 생애를 통한 가장 큰 고역이라고 그는 생각하고 있다.
　　　몹시 힘들고 고되어 견디기 어려운 일.

나 때도 묻지 않은 일본 병사 군복에 완장을 찬 젊은이가 쏘
　　　　　　　　　신분이나 지위를 나타내기 위해 팔에 두르는 띠.
아보고 있다. 춘석이다.

이인국 박사는 다시 쳐다볼 힘도 없었다. [중략]

구둣발은 앞뒤를 가리지 않고 전신을 내지른다.

등골 척수에 다급한 충격을 받자 이인국 박사는 비명을 지
　척추의 뼈 속에 있는, 신경 세포가 모인 부분.
르고 꼬꾸라졌다.

그는 현기증을 일으켰다. 어깻죽지를 끌어 바로 앉혀도 몸을 가누지 못하고 한쪽으로 쓰러졌다.

"민족과 조국을 팔아먹은 이 개돼지 같은 놈아, 너는 총살이야, 총살……."

다 시간이 얼마나 흘렀을까, 자기 앞자락에서 부스럭거리는 감촉과 금속성의 부닥거리는 소리를 듣고 어렴풋이 정신을 차렸다. / ㉠노란 털이 엉성한 손목이 시곗줄을 끄르고 있다. 그는 반사적으로 앞자락의 시계 주머니를 부둥켜 쥐면서 손의 임자를 힐끔 쳐다보았다. [중략] 병사는 됫박만 한 손으
　　　　　　　　　　　　　곡식, 액체, 가루 등의 양을 잴 때 쓰는 네모난 나무 그릇.
로 이인국 박사의 손을 뿌리치면서 시계를 채어 냈다.

01 이 글의 내용과 일치하지 <u>않는</u> 것은?

① 이인국은 문초를 받고 정신을 잃었다.

② 이인국은 치안대로 끌려와 문초를 받았다.

③ 이인국은 자신을 문초한 사람이 누구인지 알고 있다.

④ 이인국은 치안대에서 빠져나가기 위해 자신의 시계를 뇌물로 바쳤다.

⑤ 춘석은 이인국이 민족과 조국을 팔아먹은 죄인이라고 생각하고 있다.

> **도움말**
> 이인국은 일제 강점기에 춘석이 자신의 병원에 왔을 때 그가 사상범이라는 이유로 입원실이 없다는 핑계를 대고 입원을 거절했어요.

빈출 유형 사회·문화적 배경 파악
02 다음 질문의 답으로 가장 적절한 것은?

(가)~(다)의 사회·문화적 배경을 짐작할 수 있는 단어는 무엇일까?

① 치안대　　　　② 시멘트 바닥

③ 구둣발　　　　④ 현기증

⑤ 시곗줄

빈출 유형 사회·문화적 배경 파악
03 (가)~(다)의 사회·문화적 배경을 고려하여 ㉠의 정체를 2어절로 쓰시오.

04~06 다음 글을 읽고, 물음에 답하시오.

가 이 판국에 병만 나면 열의 아홉은 죽는 길밖에 없다고 생각한 이인국 박사는 새로운 위협에 사로잡히기 시작했다.

저녁 후 이인국 박사는 고문관실로 불려 나갔다.
_{의견을 말하거나 도움을 주는 직책.}
"동무는 당분간 환자의 응급 치료실에서 일하시오."

이게 무슨 청천벽력 같은 기적일까, 그는 통역의 말을 의
_{맑은 하늘에서 갑자기 치는 벼락. 뜻밖에 일어난 사건이나 사고.}
심했다. / 소련 장교와 통역관을 번갈아 쳐다보는 그의 눈동자는 생기를 띠어 갔다.

"알겠소, 엥……?" / "네."

다짐에 따라 이인국 박사는 기쁨을 억지로 감추며 평범한 어조로 대답했다.

㉠'글쎄 하늘이 무너져도 솟아날 구멍은 있다니까.'

나 그는 환자의 치료를 하면서도 늘 스텐코프의 왼쪽 뺨에 붙은 오리알만 한 혹을 생각하고 있었다. / 불구라면 불구로 볼 수 있는 그 혹을 가지고 고급 장교에까지 승진했다는 것은, 소위 말하는 당성(黨性)이 강하거나 그렇지 않으면 전공
_{당의 이익을 위하여 거의 무조건 가지는 충실한 마음과 행동. / 전투에서 세운 공로.}
(戰功)이 특별했음에 틀림없다는 생각이 들었다. [중략]

이인국 박사의 뜨내기 노어도 가끔 순시하는 스텐코프와
_{돌아다니며 사정을 보살피다.}
인사말을 주고받을 수 있을 정도로 진전되었다.

이 안에서의 모든 독서는 금지되었지만 노어 교본과 당사
_{정당의 역사. 여기서는 소련 공산당의 역사를 의미함.}
(黨史)만은 허용되었다.

㉡이인국 박사는 마치 생명의 열쇠나 되는 듯이 초보 노어 책을 거의 암송하다시피 했다.

다 수일 전 소군 장교 한 사람이 급성 맹장염이 터져 복막염으로 번졌다. / 그 환자의 실을 뽑는 옆에 온 스텐코프에게 이인국 박사는 말 절반 손짓 절반으로 혹을 수술하겠다는 의사를 표명했다.
_{생각이나 태도를 분명하게 드러내다.}
스텐코프는 '하라쇼'를 연발했다.
_{'좋소, 좋습니다'를 뜻하는 러시아어.}

04 ㉠에 대한 설명으로 적절하지 <u>않은</u> 것은?

① 속담을 활용한 표현이다.

② 위기에서 벗어나게 된 이인국의 기쁨이 담겨 있다.

③ 어려운 경우에도 살 수 있는 방법이 생긴다는 말이다.

④ '하늘이 무너져도'는 일제에게 억압받는 고통을 뜻한다.

⑤ '솟아날 구멍'은 응급 치료실에서 일하는 것을 뜻한다.

05 ㉡을 통해 짐작할 수 있는 이인국의 심리로 가장 적절한 것은?

① '외국어 공부는 정말 재미있구나.'

② '할 수 있는 것이 없으니 싫어도 해야지.'

③ '노어를 공부하면 괴로움을 잊을 수 있어.'

④ '의료 공부를 하려면 노어를 알아야겠구나.'

⑤ '소련군과 노어로 대화할 실력을 기를 테다.'

빈출 유형 인물의 대응 방식 파악

06 다음은 이 글을 읽은 학생들의 대화이다. 빈칸에 들어갈 알맞은 말을 2어절로 쓰시오.

소미: 이인국이 감방에서 벗어나 자유의 몸이 되고자 생각해 낸 방법이 무엇일까?

강하: 이인국은 (　　　　　)을 수술하겠다고 생각했어.

소미: 고급 장교를 치료해 주면 풀려날 수 있겠다고 생각한 것이구나.

전송

07~08 다음 글을 읽고, 물음에 답하시오.

가 완치되어 퇴원하는 날 스텐코프는 이인국 박사의 손을 부서져라 쥐면서 외쳤다.

"꺼삐딴 리, 스바씨보."
'고맙습니다'를 뜻하는 러시아어.
이인국 박사는 입을 헤벌리고 웃기만 했다. 마음의 감옥에
어울리지 아니하게 넓게 벌리다.
서 해방된 것만 같았다.

"아진, 아진……. 오첸 하라쇼."
'1'을 뜻하는 러시아어. '매우, 몹시, 대단히'를 뜻하는 러시아어.
스텐코프는 엄지손가락을 높이 들면서 네가 첫째라는 듯
이 이인국 박사의 어깨를 치며 찬양했다.

나 다음 날 스텐코프는 이인국 박사를 자기 방으로 불렀다.

그가 이인국 박사에게 스스로 손을 내밀어 예절적인 악수
를 청한 것은 이것이 처음이었다.

'적과 적이 맞부딪치면서 이렇게 백팔십도로 전환될 수가
있을까, 노랑 대가리도 역시 본심에서는 하나의 인간임에
스텐코프
는 틀림없는 것이 아닌가.'

"내일부터는 집에서 통근해도 좋소."
집에서 직장에 일하러 다니다.

다 이번에는 이인국 박사가 스텐코프의 손을 잡았다.

"스바씨보, 스바씨보."

"혹 나한테 무슨 부탁이 없소?"

이인국 박사는 문득 시계가 머리에 떠올랐다.

그러면서도 곧이어 이 마당에 ㉠그런 이야기를 꺼낸다는

것은 오히려 꾀죄죄하게 보이지 않을까 하는 생각이 뒤따랐
다. 그러나 아무래도 그 미련이 가져지지 않았다.

이인국 박사는 비록 찾지 못하는 경우가 있더라도 솔직히
심중을 털어놓으리라고 마음먹었다.

---

07 이 글의 내용을 바르게 이해한 독자끼리 짝지은 것은?

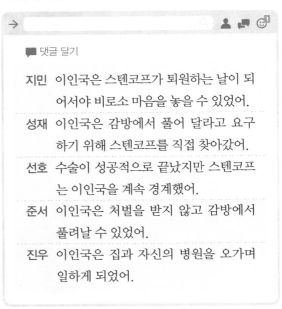

> 💬 댓글 달기
>
> **지민** 이인국은 스텐코프가 퇴원하는 날이 되
> 어서야 비로소 마음을 놓을 수 있었어.
>
> **성재** 이인국은 감방에서 풀어 달라고 요구
> 하기 위해 스텐코프를 직접 찾아갔어.
>
> **선호** 수술이 성공적으로 끝났지만 스텐코프
> 는 이인국을 계속 경계했어.
>
> **준서** 이인국은 처벌을 받지 않고 감방에서
> 풀려날 수 있었어.
>
> **진우** 이인국은 집과 자신의 병원을 오가며
> 일하게 되었어.

① 지민, 성재 ② 지민, 준서
③ 성재, 선호 ④ 성재, 진우
⑤ 준서, 진우

08 ㉠의 의미로 적절한 것은?

① 문초한 사람에게 사과받고 싶다.
② 지금까지 일한 만큼 돈을 받고 싶다.
③ 병사에게 빼앗긴 시계를 되찾고 싶다.
④ 사실은 수술에 성공할지 확신이 없었다.
⑤ 스텐코프와 앞으로 가깝게 지내고 싶다.

09~11 다음 글을 읽고, 물음에 답하시오.

가 차가 브라운 씨의 관사 앞에 닿았다. [중략]

응접실에 안내된 이인국 박사는 <u>주인</u>이 나오기를 기다리
 브라운
면서 방 안을 둘러보았다. 대사관으로는 여러 번 찾아갔지만
집으로 찾아온 것은 이번이 처음이다.

삼 년 전 딸이 미국으로 갈 때부터 신세 진 사람이다.

나 벽 쪽 책꽂이에는 《이조실록(李朝實錄)》, 《대동야승(大
 조선왕조실록
東野乘)》 등 한적(漢籍)이 빼곡히 차 있고 한쪽에는 고서(古
 한문으로 쓴 책.
書)의 질책(帙冊)이 가지런히 쌓여 있다. / 맞은편 책상 위에
 여러 권으로 한 벌을 이루는 책.
는 작은 금동 불상(金銅佛像) 곁에 몇 개의 골동품이 진열되
어 있다. 십이 폭 예서(隷書) 병풍 앞 탁자 위에 놓인 재떨이
 붓글씨체의 한 종류.
도 세월의 때 묻은 백자다.

저것들도 다 누군가가 가져다준 것이 아닐까 하는 데 생각
이 미치자 이인국 박사는 얼굴이 화끈해졌다.

그는 자기가 들고 온 상감 진사(象嵌辰砂) 고려청자 화병
에 눈길을 돌렸다. 사실 그것을 내놓는 데는 얼마간의 아쉬
움이 없지 않았다. 국외로 내보낸다는 자책감 같은 것은 아
예 생각해 본 일이 없는 그였다.

다 '흥, 그 사마귀 같은 일본 놈들 틈에서도 살았고, 닥싸귀
 '도꼬마리'의 함경도 방언. 열매에 갈고리 같은 가시가 있음.
같은 로스케 속에서 살아났는데, 양키라고 다를까……. 혁
 러시아 사람을 낮잡아 이르는 말. 미국 사람을 낮잡아 이르는 말.
명이 일겠으면 일구, 나라가 바뀌겠으면 바뀌구, 아직 이
이인국의 살 구멍은 막히지 않았다. 나보다 얼마든지 날뛰
던 놈들도 있는데, 나쯤이야…….'

빈출 유형 사회·문화적 배경 파악
09 (가)~(나)에 나타난 사회·문화적 배경에 대한 설명으로
적절하지 <u>않은</u> 것은?

① 우리나라의 문화재가 외국으로 유출되었다.

② 6·25 전쟁 때 북한으로 사람들이 이동하였다.

③ 6·25 전쟁 후 남한에서 미국의 영향력이 커졌다.

④ 6·25 전쟁 후 남한에는 미국에 잘 보이려는 사
람들이 있었다.

⑤ 자신의 이익을 위해 외국인에게 문화재를 선물
하는 사람들이 있었다.

빈출 유형 인물의 대응 방식 파악
10 (다)를 통해 알 수 있는 이인국의 삶의 태도를 정리할 때,
초성 글자를 참고하여 알맞은 말을 쓰시오.

일제 강점기에는 일본을, 소련군 주둔 시기에는 소
련을, 6·25 전쟁 이후에는 미국을 따름.

  └ 이인국은 (ㄱㅎㅈㅇㅈ)의 삶을 살아감.

빈출 유형 오늘날의 삶에 비춘 감상
11 이 글을 오늘날의 삶에 비추어 감상한 내용으로 적절하
지 <u>않은</u> 것은?

① 잘못을 반성하지 않는 이인국의 태도는 비판받
아야 한다.

② 나라에 힘이 없으면 이인국처럼 경제적으로 어
려운 사람들이 고생하게 된다.

③ 자신의 이익에 따라 집단을 바꾸는 현대인의 모
습과 이인국의 모습이 비슷하게 느껴진다.

④ 이인국은 상황을 파악하는 능력이 뛰어난데, 이
를 가치 있는 일에 사용하지 못한 점이 아쉽다.

⑤ 많은 사람이 이익을 추구하지만 이인국처럼 윤
리적 판단 없이 이익을 추구하는 것은 잘못이다.

4일 2-(1) 논증 방법 파악하며 읽기

생각 열기

어떤 방법을 사용해서 생일 선물을 결정했을까?

역시 시는 아름다워. 어? 웬 쪽지?

매점으로 혼자 오라고? 무슨 일일까?

다음 주 월요일이 은수 생일이잖아. 생일 선물로 뭐가 좋을까?

은수는 소설책을 좋아해. 시집도 좋아하고.

다음 주가 은수 생일이구나. 은수가 뭘 좋아하더라……

나한테는 만화책을 좋아한다고 말한 적이 있어.

저번에 은수한테 주말에 뭐하냐고 물어보니까, 주로 집에서 간식 먹으면서 만화책을 읽는다고 말했었지.

은수는 소설책을 좋아하고, 시집을 좋아하고, 또 만화책을 좋아하는구나. 그렇다면 은수는 책을 좋아하는 것 같아. 생일 선물로 책 어때?

정말 좋은 생각이야! 지혜 똑똑한걸.

다음 주

내가 책 좋아하는 거 어떻게 알았어? 고마워. 잘 읽을게.

성공! 은수가 기뻐하는 모습을 보니까 나도 기분이 좋네.

핵심 1 논증

- 개념

주장과 근거 사이의 관계 또는 하나 이상의 ❶[ ][ ]를 근거로 들어서 주장을 펼치는 것을 ❷[ ][ ]이라고 한다.

❶ 명제

❷ 논증

핵심 2 논증 방법

귀납	개별적인 특수한 사실이나 원리로부터 ❸[ ][ ][ ]이고 보편적인 명제나 법칙을 이끌어 내는 논증 방법. 여럿 중에서 하나씩 따로 나뉘어 있는 것. / 모든 것에 두루 미치거나 통하는 것. 예 알렉산더도 죽었다. 셰익스피어도 죽었다. 아인슈타인도 죽었다. 알렉산더, 셰익스피어, 아인슈타인은 모두 사람이다. 그러므로 사람은 모두 죽는다.
연역	일반적인 사실이나 원리로부터 ❹[ ][ ][ ]인 사실이나 좀 더 특수한 다른 원리를 이끌어 내는 논증 방법. 예 모든 생물은 영양을 섭취해야 살 수 있다. 사람은 생물이다. 그러므로 사람은 영양을 섭취해야 살 수 있다.
유추	두 대상이 여러 면에서 비슷하다는 것을 ❺[ ][ ]로 하여 다른 속성도 유사할 것이라고 추론하는 논증 방법. 서로 비슷하다. 어떠한 판단을 근거로 삼아 다른 판단을 이끌어 내다. 예 일란성 쌍둥이는 동일한 유전자를 가지지만 외모와 성격이 똑같지는 않다. 복제 인간은 복제 대상과 동일한 유전자를 가진다. 그러므로 복제 인간과 복제 대상은 외모와 성격이 똑같지 않을 것이다.

❸ 일반적

❹ 개별적

❺ 근거

핵심 3 〈왜 속도를 고민해야 하는가?〉 제재 개관

갈래
주장하는 글

왜 속도를 고민해야 하는가?

주제
속도를 지나치게 중요시하지는 않았는지 반성하고, 작은 불편은 받아들일 줄 아는 ❻[ ][ ][ ]가 되자.

❻ 소비자

제재
택배 기사의 열악한 노동 환경

특징
① 제목을 ❼[ ][ ][ ]으로 제시하여 독자의 호기심을 유발함. ② 귀납과 ❽[ ][ ]을 사용함. ③ 통계 자료를 활용하여 주장의 타당성을 높임.

❼ 의문문

❽ 연역

기초 확인 문제

01 빈칸에 공통으로 들어갈 알맞은 말을 쓰시오.

> 주장과 근거 사이의 관계 또는 하나 이상의 명제를 근거로 들어서 주장을 펼치는 것을 (   )이라고 한다.
>
> 주장하는 글을 쓸 때 글쓴이는 자신의 주장을 드러내기 위해 이러한 (   )을 사용하기도 한다.

02 다음에서 설명하는 논증 방법이 무엇인지 〈보기〉에서 고르시오.

┌─ 보기 ├─
귀납, 연역, 유추

(1) 개별적인 특수한 사실이나 원리로부터 일반적이고 보편적인 명제나 법칙을 이끌어 내는 논증 방법이야.

(   )

(2) 두 대상이 여러 면에서 비슷하다는 것을 근거로 하여 다른 속성도 유사할 것이라고 추론하는 논증 방법이야.

(   )

(3) 일반적인 사실이나 원리로부터 개별적인 사실이나 좀 더 특수한 다른 원리를 이끌어 내는 논증 방법이야.

(   )

03 다음에서 어떤 논증 방법에 따라 결론을 이끌어 내고 있는지 쓰시오.

(1) 모든 동물은 죽는다. 사람은 동물이다. 그러므로 사람은 죽는다.

(   )

(2) 사자는 새끼를 낳는다. 원숭이도 새끼를 낳는다. 사자와 원숭이는 포유류이다. 그러므로 모든 포유류는 새끼를 낳는다.

(   )

(3) 태국은 강수량과 일조량이 많아 벼농사가 잘된다. 베트남도 강수량과 일조량이 많다. 그러므로 베트남도 벼농사가 잘될 것이다.

(   )

04 〈왜 속도를 고민해야 하는가?〉의 특징을 <u>잘못</u> 설명한 학생을 쓰시오.

우주 이 글은 주장하는 글로, 택배 기사의 열악한 노동 환경을 다루고 있어.

현아 귀납과 유추를 사용하였고, 통계 자료를 활용하여 주장의 타당성을 높이고 있어.

소미 제목을 의문문으로 제시하여 독자의 호기심을 유발하고 있어.

핵심 4 글의 짜임

서론	배달 속도는 무조건 빠른 것이 당연하다고 여기는 <u>세태</u>에 문제를 제기함. 세상의 상태나 형편.	
본론 1	빠른 속도를 강요하는 배달 구조 때문에 ❶[　　　　]가 많이 발생함.	❶교통사고
본론 2	정해진 배송 시간을 지키려고 택배 기사들이 <u>과도한</u> 노동을 하고 있음. 정도가 지나치다.	
본론 3	택배 시장의 규모는 커졌지만 택배 기사들의 ❷[　　]은 달라지지 않음.	❷수입
본론 4	택배 기사들이 <u>열악한</u> 노동 환경에 처해 있음. 품질이나 능력, 시설 따위가 매우 떨어지고 나쁘다.	
결론	속도를 지나치게 중요시하지는 않았는지 반성하고, 작은 불편은 받아들일 줄 아는 ❸[　　　]가 되기를 당부함.	❸소비자

핵심 5 '본론'에 사용된 논증 방법

- **본론 1**: 빠른 속도를 강요하는 배달 구조 때문에 교통사고가 많이 발생한다.
- **본론 2**: 정해진 배송 시간을 지키려고 택배 기사들이 과도한 ❹[　　]을 하고 있다.
- **본론 3**: 택배 시장의 규모는 커졌지만 택배 기사들의 수입은 달라지지 않았다.

↓

본론 4: 택배 기사들이 열악한 노동 ❺[　　]에 처해 있다.

'본론'에 사용된
논증 방법: ❻[　　]

❹노동

❺환경

❻귀납

핵심 6 '결론'에 사용된 논증 방법

- 모든 노동자는 바람직한 환경에서 일할 ❼[　　]가 있다.
- 택배 기사들은 택배 산업에서 핵심이 되는 노동자들이다.

↓

택배 기사들 역시 바람직한 환경에서 일할 권리를 보장받아야 한다.

'결론'에 사용된
논증 방법: ❽[　　]

❼권리

❽연역

05 이 글의 내용을 떠올리며 빈칸에 들어갈 알맞은 말을 쓰시오.

(1) 이 글은 '(　　　)–본론–결론'으로 구성되어 있다.

(2) 글쓴이는 (　　　)는 빠른 것이 당연하다고 여기는 세태에 문제를 제기하였다.

(3) 글쓴이는 속도를 지나치게 중요시하지 않았는지 반성하고, (　　　)들이 바람직한 노동 환경에서 일할 수 있도록 작은 불편은 받아들일 줄 아는 소비자가 되기를 당부하였다.

06 이 글에 사용된 논증 방법을 〈보기〉에서 고르시오.

(정답 2개)

┌ 보기 ┐
귀납, 연역, 유추
└──────┘

07 '본론'에 사용된 논증 방법의 특징을 바르게 설명한 학생을 쓰시오.

진경
> 개별적인 특수한 사실에서 일반적인 명제를 이끌어 내고 있어.

해미
> 두 대상이 여러 면에서 비슷하다는 것을 근거로 하여 다른 속성도 유사할 것이라고 추론하고 있어.

08 다음은 '본론'에 나타난 논증을 정리한 것이다. ㉠~㉢에 들어갈 알맞은 말을 〈보기〉에서 고르시오.

문제점 ①: (　㉠　)가 빠른 속도를 강요하는 구조이기 때문에 교통사고가 많이 발생함.

문제점 ②: 정해진 (　㉡　)을 지키려고 택배 기사들이 과도한 노동을 하고 있음.

문제점 ③: 택배 시장의 규모는 커졌지만 택배 기사들의 수입은 달라지지 않음.

↓

택배 기사들이 열악한 (　㉢　)에 처해 있음.

┌ 보기 ┐
노동 환경, 배달 구조, 배송 시간
└────────────────┘

09 다음은 '결론'에 나타난 논증을 정리한 것이다. 이를 참고하여 괄호에서 알맞은 말을 고르시오.

모든 노동자는 바람직한 환경에서 일할 권리가 있다.

택배 기사들은 택배 산업에서 핵심이 되는 노동자들이다.

↓

따라서 택배 기사들 역시 바람직한 환경에서 일할 권리를 보장받아야 한다.

> 모든 노동자는 바람직한 환경에서 일할 권리가 있다는 일반적이고 보편적인 사실에서 택배 기사들 역시 바람직한 환경에서 일할 권리를 보장받아야 한다는 개별적인 사실을 이끌어 내고 있으므로, (귀납/연역)이 사용되었어.

01~03 다음 글을 읽고, 물음에 답하시오.

가 일부 택배 기사들은 빨리 배달하려고 과속을 하거나 신호를 어겨 교통사고를 내기도 한다. 2012년 안전보건공단의 조사에 따르면 택배 업종에서 발생한 산업 재해 가운데 도로 교통사고가 절반 이상을 차지하였다. 이런 교통사고의 가장 큰 원인은 빠른 속도를 강요하는 배달 구조이다.

나 쉬는 날도 거의 없어서 한 달 평균 25.3일을 근무했고, 일요일과 공휴일을 제외한 한 달 평균 <u>휴무일</u>은 0.152일에 불
맡은 일을 하지 않고 쉬는 날.
과하였다. [중략] 장시간 노동에 시달리느라 여가 생활은 물론이고 휴식조차 없는 삶이 계속 이어지면서 택배 기사의 건강도 위협받고 있다. 이처럼 우리나라 택배 기사들은 배송 시간을 지키려고 과도한 노동을 하고 있는 것이다.

다 규모가 커지면 해당 업종에 종사하는 사람들의 수입이 느는 게 당연하지만, 택배 기사들은 그렇지 못하다. 택배 시장이 <u>과열되면서</u>, 더 저렴한 가격에 배달하려는 가격 경쟁이
지나치게 심해지거나 활발해지다.
심해졌기 때문에 택배 기사 개인의 수입은 거의 달라지지 않았다.

라 빠른 속도를 강조하는 사회에서 이렇듯 택배 기사들은 열악한 노동 환경에 처해 있다. 속도 경쟁, 소비자를 최대한 많이 확보하려는 경쟁의 부담을 기업도 소비자도 아닌 택배 기사들이 떠안고 있는 것이다.

01 글쓴이가 문제 삼고 있는 상황으로 가장 적절한 것은?

① 택배 기사의 수가 줄어드는 상황
② 배달 속도가 점차 느려지는 상황
③ 택배 산업의 규모가 줄어드는 상황
④ 택배 기사들의 노동 환경이 열악한 상황
⑤ 소비자가 부담하는 배달 비용이 늘어나는 상황

빈출 유형 논증 방법 및 특징 파악

02 (가)~(라)에 사용된 논증 방법에 대한 설명으로 적절한 것은?

① 일반적인 사실에서 개별적인 사실을 이끌어 내고 있다.
② 개별적인 사실로부터 보편적인 명제를 이끌어 내고 있다.
③ 특수한 사실을 통해 두 대상의 차이점을 이끌어 내고 있다.
④ 두 대상의 유사점을 바탕으로 하여 결론을 이끌어 내고 있다.
⑤ 일반적인 법칙으로부터 다른 일반적인 법칙을 이끌어 내고 있다.

03 글쓴이가 주장의 타당성을 높이기 위해 사용한 방법을 고려하여 괄호에서 알맞은 말을 고르시오.

글쓴이는 주장의 타당성을 높이기 위해 (통계 자료 / 전문가와의 면담 자료)를 활용하여 객관적인 근거를 제시하고 있어.

04~06 다음 글을 읽고, 물음에 답하시오.

가 모든 노동자는 바람직한 환경에서 일할 권리가 있다. 택배 기사들은 택배 산업에서 핵심이 되는 노동자들이다. 따라서 택배 기사들 역시 바람직한 환경에서 일할 권리를 보장받아야 한다. [중략] 우리 모두 속도를 지나치게 중요시하지는 않았는지 반성하고, 택배 기사들의 권리가 지켜질 수 있도록 작은 불편은 받아들일 줄 아는 소비자가 되자.

나 행랑채가 퇴락하여 지탱할 수 없게끔 된 것이 세 칸이었
_{대문간 곁에 있는 집채.}
_{건물 등이 낡아서 무너지고 떨어지다.}
다. 나는 마지못하여 이를 모두 수리하였다. 그런데 그중의 두 칸은 비가 샌 지 오래되었으나, 나는 그것을 알면서도 이럴까 저럴까 망설이다가 손을 대지 않았던 것이고, 나머지 한 칸은 처음 비가 샐 때 서둘러 기와를 갈았던 것이다. 이번에 수리하려고 보니 비가 샌 지 오래된 것은 그 서까래, 추
_{네모지고 끝이 번쩍 들린, 처마의 네 모서리에 있는 큰 서까래.}
녀, 기둥, 들보가 모두 썩어서 못 쓰게 된 까닭으로 수리비가 엄청나게 들었고, 한 번밖에 비가 새지 않았던 한 칸의 재목들은 온전하여 다시 쓸 수 있었기 때문에 그 비용이 많이 들지 않았다.

나는 이에 느낀 것이 있었다. 사람의 경우도 마찬가지라는 사실이다. 잘못을 알고서도 바로 고치지 않으면 곧 그 자신이 나쁘게 되는 것이 마치 나무가 썩어서 못 쓰게 되는 것과 같다. 잘못을 알고 고치기를 꺼리지 않으면 해(害)를 받지 않고 다시 착한 사람이 될 수 있으니, 저 집의 재목처럼 말끔하게 다시 쓸 수 있는 것이다.

– 이규보, 〈이옥설〉에서

---

04 (가)와 동일한 논증 방법이 사용된 것은?

① 펭귄과 타조는 알을 낳는다. 펭귄과 타조는 조류이다. 따라서 조류는 알을 낳는다.
② 정수는 사과를 좋아한다. 정수는 수박도 좋아한다. 따라서 정수는 과일을 좋아한다.
③ 모든 인간은 존중받아야 한다. 장애인은 인간이다. 따라서 장애인은 존중받아야 한다.
④ 공자는 죽었다. 간디도 죽었다. 공자, 간디는 모두 사람이다. 따라서 사람은 모두 죽는다.
⑤ 참새는 날개가 있고 하늘을 난다. 꾀꼬리도 날개가 있다. 따라서 꾀꼬리도 하늘을 날 것이다.

05 다음은 (나)의 내용을 정리한 메모이다. 빈칸에 공통으로 들어갈 알맞은 말을 쓰시오.

> • 집의 경우 : 비가 샌 지 오래된 두 칸의 재목은 바로 고치지 않아 못 쓰게 되었지만, 비가 샐 때 바로 고친 한 칸의 재목은 다시 쓸 수 있었음.
> • 사람의 경우 : 사람이 (　　　)을 바로 고치지 않으면 나쁘게 되지만, (　　　)을 알고 바로 고치면 착한 사람이 될 수 있음.

06 (나)에 사용된 논증 방법에 대한 설명으로 적절한 것은?

① 보편적 원리에서 개별적 사실을 이끌어 낸다.
② 구체적 사실에서 보편적 원리를 이끌어 낸다.
③ 개별적 사실에서 개별적 사실을 이끌어 낸다.
④ 일반적 사실에서 일반적 사실을 이끌어 낸다.
⑤ 두 대상의 유사성을 근거로 결론을 이끌어 낸다.

2-(2) 설득 전략 비판적으로 분석하며 듣기

생각 열기 청중을 설득하기 위해 어떤 전략을 사용하고 있을까?

인간 사회에 있는 교환 학생들이 모여 '멸종 위기 동물에 관심을 갖자'라는 행사를 열었다.

달달 선배님은 권위 있는 기관의 통계 자료를 근거로 제시하고 있어.

루미 선배님은 지금 이 문제가 동물들만의 문제가 아니라고 하며 청중이 불안감을 느끼게 하고 있군.

맞아, 인간이라고 안전하지는 않지. 멸종 위기 동물에 관심을 가져야 해.

좋아!

청중을 설득할 수 있을 것 같아.
이제 내가 잘 마무리해야지.

내가 직접 겪은 경험을 성실하고
진지한 자세로 이야기해야지.

지나친 개발로
제가 사는 숲도 파괴되고,
레서판다의 수도 점점
줄어들고 있습니다.

레서가 직접 말하니까
더 확 와닿는 것 같아.

사람들이 오늘 행사를 통해
멸종 위기 동물에 관심을 가졌으면 좋겠다.

핵심 **1** 연설

· **개념**

여러 사람 앞에서 주장이나 생각을 말하는 것으로, 대중 앞에서 이루어지는 ❶ ☐☐☐ 인 말하기

❶ 공식적

· **특징**

· 한 명의 화자가 다수의 청자를 대상으로 한다.
· 주로 화자가 청자의 신념, 태도, 행동을 변화시키는 것을 목적으로 한다.
· 내용과 함께 ❷ ☐☐ 의 인물됨과 태도가 청자에게 미치는 영향이 크다.

❷ 화자

핵심 **2** 설득 전략

❸ ☐☐적 설득 전략	· 화자의 품성이나 인격, 그가 전하는 메시지의 신뢰성을 바탕으로 하여 청중을 설득하는 전략. · 화자가 말할 주제와 관련하여 충분한 경험과 전문성을 갖추고 성실하고 진지한 자세로 이야기할 때 청중의 신뢰를 얻을 수 있음.
이성적 설득 전략	· 화자가 논리적이고 이성적인 방법으로 자신의 주장을 뒷받침하는 전략. · 적절한 ❹ ☐☐☐☐ 을 사용하거나 통계 자료, 전문가의 의견, 역사적 사실 등을 근거로 들어 설득함.
❺ ☐☐적 설득 전략	· 청중의 감정에 호소하여 청중의 마음을 움직이는 설득 전략. · 슬픔, 분노, 동정심, 행복감, 욕망, 질투심, 자긍심, 죄책감 등 청중의 ❻ ☐☐ 에 스스로를 떳떳하고 자랑스럽게 여기는 마음. 호소함.

❸ 인성

❹ 논증 방법

❺ 감성

❻ 감정

핵심 **3** 설득 전략을 비판적으로 분석하며 듣기

· 화자의 말하기 ❼ ☐☐ 을 파악하며 듣는다.
· 화자가 사용한 ❽ ☐☐☐☐ 이 무엇인지 파악하고, 그 타당성을 판단하며 듣는다.

❼ 목적

❽ 설득 전략

기초 확인 문제

01 빈칸에 들어갈 알맞은 말을 쓰시오.

> 여러 사람 앞에서 주장이나 생각을 말하는 것으로, 대중 앞에서 이루어지는 공식적인 말하기를 (   )이라고 한다.

02 다음 중 연설의 특징을 <u>잘못</u> 설명한 학생을 쓰시오.

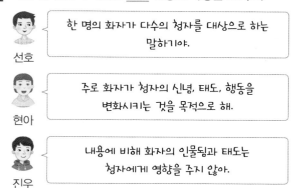

선호 — 한 명의 화자가 다수의 청자를 대상으로 하는 말하기야.

현아 — 주로 화자가 청자의 신념, 태도, 행동을 변화시키는 것을 목적으로 해.

진우 — 내용에 비해 화자의 인물됨과 태도는 청자에게 영향을 주지 않아.

03 다음 설명에 해당하는 설득 전략을 〈보기〉에서 고르시오.

> ┌ 보기 ┐
> 이성적, 인성적, 감성적

(1) 청중의 감정에 호소하여 청중의 마음을 움직이는 설득 전략 ➡ (   ) 설득 전략

(2) 화자가 논리적이고 이성적인 방법으로 자신의 주장을 뒷받침하는 전략 ➡ (   ) 설득 전략

(3) 화자의 품성이나 인격, 그가 전하는 메시지의 신뢰성을 바탕으로 하여 청중을 설득하는 전략 ➡ (   ) 설득 전략

04 다음은 연설의 일부이다. 사용된 설득 전략이 무엇인지 쓰시오.

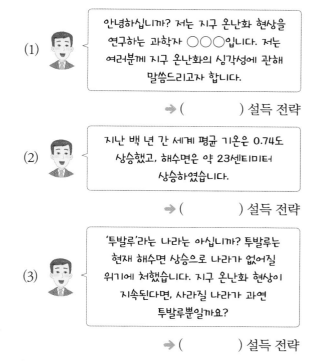

(1) 안녕하십니까? 저는 지구 온난화 현상을 연구하는 과학자 ○○○입니다. 저는 여러분께 지구 온난화의 심각성에 관해 말씀드리고자 합니다.

➡ (   ) 설득 전략

(2) 지난 백 년 간 세계 평균 기온은 0.74도 상승했고, 해수면은 약 23센티미터 상승하였습니다.

➡ (   ) 설득 전략

(3) '투발루'라는 나라는 아십니까? 투발루는 현재 해수면 상승으로 나라가 없어질 위기에 처했습니다. 지구 온난화 현상이 지속된다면, 사라질 나라가 과연 투발루뿐일까요?

➡ (   ) 설득 전략

🧭 도움말
• 투발루 서남태평양 가운데 9개의 산호섬으로 이루어진 독립국.

05 다음은 설득 전략을 비판적으로 분석하며 듣는 방법을 정리한 내용이다. 빈칸에 들어갈 알맞은 말을 쓰시오.

> **설득 전략을 비판적으로 분석하며 듣는 방법**
> • 화자의 말하기 목적을 파악하며 듣기
> • 화자가 사용한 설득 전략이 무엇인지 파악하기
> • 설득 전략의 (   )을 판단하기

5일 교과서 **핵심 정리**

📖 교과서 91~105쪽

핵심 4 〈나에게는 꿈이 있습니다〉 제재 개관

갈래
❶ [ ][ ]

제재
흑인을 향한 인종 차별 반대

나에게는 꿈이 있습니다

주제

인종과 상관없이 모두가 ❷[ ][ ]하게 살아 갈 수 있도록 다 함께 노력하자.

특징

① 〈노예 ❸[ ][ ] 선언〉이나 '건국 신조'와 같은
굳게 믿어 지키고 있는 생각.
역사적 사실을 근거로 들어 설득함.
② 흑인이 차별받고 있는 사례를 구체적으로 제시
하여 청자의 공감을 이끌어 냄.
③ 비유적 표현을 사용하여 자신의 생각을 효과적
으로 드러냄.

❶ 연설

❷ 평등

❸ 해방

핵심 5 이 연설의 배경과 목적

배경	흑인을 향한 ❹[ ][ ][ ][ ]이 심했던 상황
화자와 청자	• 화자: 마틴 루서 킹 • 청자: 워싱턴 광장에 모인 사람들
목적	인종 차별 없이 모두가 평등하게 살아가는 사회를 만들자고 설득하려 함.

❹ 인종 차별

핵심 6 이 연설에 사용된 설득 전략

인성적 설득 전략	비폭력 정신을 바탕으로 하여 흑인 인권 운동을 지속적으로 이끌어 온 화자의 경험과 전문성이 주장의 설득력과 ❺[ ][ ][ ]을 높임.
이성적 설득 전략	• 링컨 대통령의 〈노예 해방 선언〉, 미국의 '건국 신조'와 같은 ❻[ ][ ][ ] 사실을 근 거로 들어 설득함. • 논증 방법(❼[ ][ ])을 사용하여 흑인도 평등하게 태어났음을 설득함.
감성적 설득 전략	• 차별받는 ❽[ ][ ]의 상황에 슬픔과 분노를 느끼게 함. • 흑인을 차별하는 사람들의 불안감을 자극함. • 이상적인 미래 상황을 묘사하여 청자에게 감동을 줌.

❺ 신뢰성

❻ 역사적

❼ 연역

❽ 흑인

06 〈나에게는 꿈이 있습니다〉의 배경과 목적을 떠올리며 빈칸에 들어갈 알맞은 말을 쓰시오.

(1)	화자는 마틴 루서 킹이고 ( )는 워싱턴 광장에 모인 사람들이다.
(2)	흑인을 향한 ( )이 심했던 미국의 상황을 배경으로 하고 있다.
(3)	화자의 말하기 목적은 ( )으로, 인종과 상관없이 모두가 평등하게 살아갈 수 있도록 노력하자고 말하고 있다.

07 다음은 이 연설의 화자에 관한 설명이다. 이러한 정보가 청자에게 주는 영향을 바르게 파악한 학생을 쓰시오.

마틴 루서 킹은 어떤 인물인가?

마틴 루서 킹은 인종에 따라 버스 안 좌석을 구분해서 앉게 하는 정책에 반대하며 1955년 5만여 명의 시민들과 함께 '몽고메리 버스 타기 거부 운동'을 벌였다. 이 운동을 통해 흑인 인권 운동의 지도자로 이름을 알린 마틴 루서 킹은 이후 비폭력 정신을 바탕으로 한 흑인 인권 운동을 이끌었다.

 소미 : 흑인 인권 운동을 이끈 화자의 경험이 주장의 설득력을 높이고 있어.

 우주 : 전문성은 부족하지만 화자의 진지한 태도가 청자에게 신뢰감을 주고 있어.

08 다음 문장에 사용된 설득 전략이 무엇인지 쓰시오.

 (1) 백 년이 지났지만 흑인은 여전히 인종 분리 정책이라는 족쇄와 인종 차별이라는 쇠사슬에 묶인 채 절뚝거리며 비참하게 살고 있습니다.

➡ (   ) 설득 전략

 (2) 언젠가 이 나라가 "모든 인간은 평등하게 태어난다는 사실을 우리는 자명(自明)한 진리로 받아들인다."라는 이 나라 건국 신조의 참뜻을 되새기며 살아가리라는 꿈입니다.

➡ (   ) 설득 전략

🔗 도움말
• 자명하다 설명하거나 증명하지 아니하여도 저절로 알 만큼 명백하다.

09 다음은 이 연설을 듣고 주요 내용을 메모한 것이다. 초성 글자를 참고하여 ㉠, ㉡에 들어갈 알맞은 말을 쓰시오.

• 백 년 전에 《(㉠ ㄴ ㅇ ㅎ ㅂ ㅅ ㅇ))이 선포되었으나 여전히 흑인들은 차별을 받고 있음.
• 흑인 인권 운동은 폭력을 쓰지 않고 정당한 방법으로 진행해야 함.
• 흑인들이 받는 차별이 없어질 때까지 (㉡ ㅎ ㅇ ㅇ ㄱ ㅇ ㄷ)을 계속해야 함.
• 인종과 상관없이 모두가 평등하게 대우받는 평화로운 세상이 오기를 희망함.

🔗 도움말
• 선포되다 세상에 널리 알려지다.

01~03 다음 글을 읽고, 물음에 답하시오.

가 백 년 전, 한 위대한 미국인이 〈노예 해방 선언〉에 서명
<u>링컨 대통령</u>
하였습니다. 지금 우리는 그를 상징하는 자리에 서 있습니
다. 그 중대한 선언은 부당함이라는 불길에 몸을 데며 시들
어 간 수백만 흑인 노예들에게 희망의 등불이었습니다. 그
선언은 노예 생활의 기나긴 밤을 걷어 내는 환희의 새벽이었
습니다.

나 그러나 그로부터 백 년이 지났지만 흑인은 여전히 자유
롭지 못합니다. 백 년이 지났지만 흑인은 여전히 인종 분리
정책이라는 족쇄와 인종 차별이라는 쇠사슬에 묶인 채 절뚝
거리며 비참하게 살고 있습니다. 백 년이 지났지만 흑인은
이 거대한 물질적 풍요의 바다 한가운데 가난이라는 섬에 고
립되어 살고 있습니다.

다 흑인에겐 울분을 토할 곳이 필요했는데 이제 소원을 풀
<u>답답하고 분함. 또는 그런 마음.</u>
었으니 그것으로 만족하고 말 것이라 생각한 사람들은 이 나
라가 다시 일상으로 돌아갔을 때 달갑지 않은 사실을 깨닫게
<u>거리낌이나 불만이 없어 마음이 흡족하다.</u>
될 것입니다. 흑인에게 시민으로서 누려야 할 권리가 보장될
때까지 미국에는 안정도, 평온도 없을 것입니다. 정의의 새
벽이 밝아 오기 전까지 <u>저항의 소용돌이</u>는 계속해서 미국의
<u>흑인 인권 운동</u>
기반을 뒤흔들 것입니다.

라 우리는 정당한 자리를 되찾는 과정에서 그릇되게 행동하
는 죄를 범하지 말아야 합니다. 자유를 향한 갈증을 비탄과
<u>몹시 슬퍼하면서 탄식함.</u>
증오가 가득한 술잔으로 채우며 달래지 맙시다. 우리는 언제
까지나 고상한 위엄과 원칙을 지키며 투쟁해 나가야 합니다.
<u>존경할 만한 지위나 권세가 있어 엄숙한 태도나 분위기.</u>
우리의 창조적인 항의 운동을 물리적 폭력으로 더럽혀서는
안 됩니다. 몇 번이 되었든, 우리는 물리적 힘이 영혼의 힘과
하나가 되는 그 장엄한 위치에 올라서야 합니다.

01 이 연설에 대한 설명으로 적절하지 <u>않은</u> 것은?

① 청중을 설득하기 위한 말하기이다.
② 통계 자료를 활용하여 주장을 뒷받침하고 있다.
③ 비유적 표현을 사용하여 생각을 드러내고 있다.
④ 흑인이 차별받고 있는 시대 상황을 배경으로 하
고 있다.
⑤ 상황을 개선하기 위한 화자의 의지가 강하게 드
러나 있다.

빈출 유형 사용된 설득 전략 파악
02 다음 질문의 답으로 적절하지 <u>않은</u> 것은?

댓글 ▽

평화 화자가 청중을 설득하기 위해 활용한 방법은
무엇인가요?

① 이성적 설득 전략을 사용하고 있습니다.
② 감성적 설득 전략을 사용하고 있습니다.
③ 흑인에게 현재에 만족할 것을 요구하고 있습니다.
④ 〈노예 해방 선언〉이라는 역사적 사실을 제시하
고 있습니다.
⑤ 흑인 인권 운동을 반대하는 사람들의 불안감을
자극하고 있습니다.

빈출 유형 화자의 주장 파악
03 다음은 (라)에서 화자가 강조하고 있는 바를 정리하여
발표한 내용이다. 괄호에서 알맞은 말을 고르시오.

화자는 흑인 인권 운동이
(폭력 / 비폭력) 정신을 바탕으로 하여
이루어져야 한다고 말하고 있어.

04~06 다음 글을 읽고, 물음에 답하시오.

가 흑인 사회를 휩쓴 이 새롭고 놀라운 투쟁 정신이 백인의 <u>불신</u>을 받는 일은 없어야 합니다. 오늘 이 자리에 함께한 백
밀지 아니함. 또는 밀지 못함.
인 형제들이 보여 주듯 백인은 자신의 운명이 흑인의 운명과 한데 묶여 있다는 사실을 잘 알고 있습니다. 또한 백인은 자신들의 자유가 우리 흑인의 자유와 단단히 얽혀 있다는 사실 역시 잘 알고 있습니다.

나 흑인 인권 운동을 열렬히 지지하는 이들은 간혹 이런 질문을 받습니다. "언제쯤이면 만족하겠습니까?" 차마 입에 담을 수 없는 경찰의 <u>만행</u>에 흑인이 계속해서 희생되는 한, 우
야만스러운 행위.
리는 결코 만족할 수 없습니다. 여행하다 지쳐 무거워진 우리의 몸을 고속도로 근처 모텔이나 도심 속 호텔에 누일 수 없는 한 우리는 결코 만족할 수 없습니다. 흑인이 이사할 수 있는 곳이 작은 빈민가에서 큰 빈민가 정도밖에 되지 않는
가난한 사람들이 모여 사는 거리.
한, 우리는 만족할 수 없습니다. 우리의 자녀가 '백인 전용'이라는 표지판 앞에서 자존심을 짓밟히고 존엄성을 <u>박탈당하</u>
재물이나 권리, 자격 따위를 빼앗기다.
<u>는</u> 한 우리는 결코 만족할 수 없습니다. 미시시피에 사는 흑인이 투표를 할 수 없고 뉴욕에 사는 흑인이 투표해야 할 이유를 찾지 못하는 한 우리는 만족할 수 없습니다. 아니, 안 됩니다. 우리는 만족하지 않습니다. '정의가 강물처럼 흘러내리고 공정함이 힘찬 흐름이 될' 때까지 우리는 결코 만족하지 않을 것입니다.

04 화자가 말한 내용과 일치하지 **않는** 것은?

① 흑인 인권 운동은 계속되어야 한다.
② 흑인은 현재 주거 지역을 차별받고 있다.
③ 흑인의 투표권은 온전히 보장받지 못하고 있다.
④ 흑인 인권 운동에 백인 시민들의 의견은 중요하지 않다.
⑤ 흑인의 인권과 백인의 인권은 밀접하게 연관되어 있다.

05 (나)에서 화자가 사용한 설득 전략에 대한 설명으로 적절한 것은?

① 청중의 전문성을 강조하고 있다.
② 다른 전문가의 의견을 인용하고 있다.
③ 청중의 잘못을 단호하게 비판하고 있다.
④ 자신의 품성에 대한 청중의 칭찬을 받아들이고 있다.
⑤ 청중이 흑인이 처해 있는 상황에 안타까운 마음을 갖게 하고 있다.

06 다음은 이 연설을 들은 학생들의 대화이다. 빈칸에 들어갈 알맞은 말을 (나)에서 찾아 쓰시오.

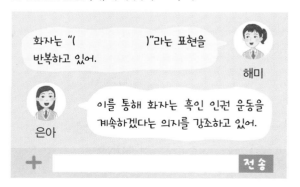

화자는 "(   )"라는 표현을 반복하고 있어. — 해미

이를 통해 화자는 흑인 인권 운동을 계속하겠다는 의지를 강조하고 있어. — 은아

07~09 다음 글을 읽고, 물음에 답하시오.

가 여러분 중에는 크나큰 시련과 역경을 겪고 이곳을 찾은
　　　　　　　　　　일이 순조롭지 않아 매우 어렵게 된 처지나 환경.
사람도 있다는 사실을 저도 모르지 않습니다. [중략] 자유를

추구하면 박해를 당하고 경찰의 만행에 시달려 만신창이가
　　　　못살게 굴어서 해롭게 함.
되는 지역에서 온 사람도 있을 것입니다. 여러분은 온갖 어

려움을 겪은 '베테랑'이십니다. 이유 없이 고통을 받더라도

언젠가 ㉠구원을 얻으리라는 믿음으로 계속 나아가십시오.

미시시피로 돌아가십시오. 앨라배마로, 사우스캐롤라이나로

돌아가십시오. 조지아로, 루이지애나로 돌아가십시오. 북부

도시의 빈민가로, 흑인 거주지로 돌아가십시오. 돌아가더라

도 이 상황은 언젠가 변할 수 있으며 반드시 변할 것이라는

사실을 명심하십시오.

나 비록 우리는 지금 ⓐ고난을 마주하고 있지만 나에게는

꿈이 있습니다. 그 꿈은 아메리칸드림에 깊이 뿌리를 내리고
　　　　　　　　미국인적 이상 사회를 이룩하려는 꿈. 무계급, 경제적 번영, 자유로운 정치 체제 등.
있습니다.

나에게는 꿈이 있습니다. 언젠가 이 나라가 "모든 인간은

평등하게 태어난다는 사실을 우리는 자명(自明)한 진리로

받아들인다."라는 이 나라 건국 신조의 참뜻을 되새기며 살

아가리라는 꿈입니다.

나에게는 꿈이 있습니다. 언젠가 조지아주의 붉은 언덕에

서 ⓑ노예의 후손과 노예 주인의 후손이 형제애라는 식탁

앞에 나란히 앉을 수 있는 날이 오리라는 꿈입니다.

나에게는 꿈이 있습니다. ⓒ부당함과 억압의 뜨거운 열기

로 신음하는 미시시피주도 언젠가 ⓓ자유와 정의가 샘솟는

오아시스가 되리라는 꿈입니다.

빈출 유형 화자의 주장 파악

07 화자가 꿈꾸는 세상으로 가장 적절한 것은?

① 흑인끼리만 모여 사는 세상

② 질병의 위험이 없는 안전한 세상

③ 경제적인 풍요로움을 누리는 세상

④ 자연과 인간이 조화롭게 사는 세상

⑤ 흑인과 백인이 평등하게 사는 세상

08 (가)의 ㉠과 의미가 통하는 표현을 (나)의 ⓐ~ⓓ에서 바
르게 찾아 짝지은 것은?

① ⓐ, ⓑ　　　② ⓐ, ⓓ　　　③ ⓑ, ⓒ

④ ⓑ, ⓓ　　　⑤ ⓒ, ⓓ

빈출 유형 사용된 설득 전략 파악

09 (나)에서 사용된 이성적 설득 전략을 다음과 같이 정리
할 때, 초성 글자를 참고하여 알맞은 말을 쓰시오.

〈(나)에 사용된 이성적 설득 전략〉

• '모든 인간은 평등하게 태어난다.'라는 보편적 진리를
제시하여 흑인도 평등하게 태어났음을 이끌어 냄.
➡ 논증 방법 가운데 연역을 사용함.

• 미국의 건국 신조를 제시함. ➡ (ㅇㅅㅈ ㅅㅅ)을 근거
로 제시함.

10~12 다음 글을 읽고, 물음에 답하시오.

가 자크 로게 국제 올림픽 위원회 위원장님과 위원 여러분, 안녕하십니까? [중략] 그동안 저는 오늘을 위해 선수 때보다 더 열심히 준비하였습니다. 그렇지만 로잔에서 그랬던 것처럼 오늘도 조금 떨립니다. 무엇보다도 동계 올림픽 개최지 선정 과정에 참여하게 된 것이 제 또래에게는 과분한 일이라 그렇습니다.
_{스위스에 있는 관광·휴양 도시}

나 십 년 전 평창이 동계 올림픽 유치의 꿈을 꾸기 시작하였을 때, 저는 서울의 어느 빙상 경기장에서 올림픽 출전의 꿈을 꾸기 시작한 어린 소녀였습니다. 여러분도 아시다시피 한국의 많은 동계 종목 선수가 올림픽 출전의 꿈을 이루고자 훈련하러 가는 데에만 지구를 반 바퀴 돌아가야 합니다. 다행히도 그 당시 저는 한국에 좋은 훈련 시설과 코치들이 갖추어져 있는 동계 종목을 선택할 수 있었습니다. 그리고 이제 저의 꿈은 제가 누렸던 기회들을 다른 나라 선수들과 나누는 것입니다. 2018년 평창 올림픽이 그 꿈을 실현하는 데 도움이 될 수 있을 것입니다.

'꿈을 펼쳐라(Dive the dream)'는 한국 정부가 동계 스포츠 선수들에게 시설과 훈련을 재정적으로 지원하는 프로젝트입니다. 이 덕분에 한국은 밴쿠버 올림픽에서 저의 메달을 포함하여 총 14개의 메달을 획득하였고, 82개국 중 7위의 성적을 거두었습니다. 앞으로 더 좋은 성적을 내기 위해서는, 2018년 평창 올림픽을 치를 새로운 경기장들이 필요합니다.

다 마지막으로 저의 개인적인 인사도 드리고 싶습니다. 올림픽 선수가 모든 위원님이 모인 자리에서 고맙다는 인사를 드릴 기회를 얻는 것은 드문 일입니다. 저 같은 사람이 꿈을 이루고 또 다른 사람들에게 영감을 줄 수 있는 기회를 갖게 해 주신 것에 모든 위원님께 감사드립니다.
　　　　　　　　　　　－ 김연아, 〈평창 동계 올림픽 유치 연설〉에서

10 이 연설의 내용과 일치하지 <u>않는</u> 것은?
① 화자는 동계 스포츠 선수이다.
② 화자는 올림픽에 출전한 경험이 있다.
③ 한국에는 동계 종목을 훈련할 수 있는 시설이 없다.
④ 한국은 밴쿠버 동계 올림픽에서 14개의 메달을 획득하였다.
⑤ 국제 올림픽 위원회 위원장과 위원들을 청중으로 하는 연설이다.

빈출 유형 화자의 주장 파악
11 화자가 연설을 통해 궁극적으로 전달하고자 하는 바를 한 문장으로 서술하시오.

＿＿＿＿＿＿＿＿＿＿＿＿＿＿＿＿＿＿＿＿＿

도움말
동계 올림픽 유치를 위한 연설이라는 점을 고려하여 화자가 전달하고자 하는 바가 무엇인지 파악해 보세요.

빈출 유형 사용된 설득 전략 파악
12 다음은 이 연설에 사용된 설득 전략에 관한 대화이다. 어떤 설득 전략에 관해 이야기하고 있는지 쓰시오.

이 연설의 화자는 동계 올림픽 피겨 스케이팅 종목에서 금메달을 딴 선수야.

동계 올림픽에 대한 경험과 전문성이 충분하기 때문에 청중에게 신뢰를 주고 있어.

01~03 다음 시를 읽고, 물음에 답하시오.

가 까마귀 눈비 맞아 희는 듯 검노매라

야광명월(夜光明月)이 밤인들 어두우랴

임 향한 일편단심(一片丹心)이야 변할 줄이 있으랴

나 가을 햇볕에 공기에

익는 벼에

눈부신 것 천지인데,

그런데,

아, 들판이 적막하다—

메뚜기가 없다!

오 이 불길한 고요—

생명의 황금 고리가 끊어졌느니……

01 (가)가 창작된 사회·문화적 배경을 고려하여 작품을 이해한 내용으로 적절하지 <u>않은</u> 것은?

① 두 임금을 모시는 신하의 어려움을 노래하고 있는 시조이다.

② '까마귀'는 부정적인 존재로, 세조의 왕위 찬탈을 도운 간신을 의미한다.

③ '야광명월'은 긍정적인 존재로, 단종 복위 운동을 펼친 충신을 의미한다.

④ '일편단심'은 변하지 않는 충성심을 의미한다.

⑤ '임'은 단종을 의미한다.

02 (나)에 나타난 분위기의 변화를 다음과 같이 정리할 때, ㉠에 들어갈 시어를 찾아 쓰시오.

풍요로운 가을 들판	(㉠)	메뚜기가 없는 적막한 들판
눈부시다		불길하다

03 (가)와 (나)를 오늘날의 삶에 비추어 감상한 내용으로 거리가 <u>먼</u> 것은?

① (가): 배신을 쉽게 생각하는 사람들은 자신을 성찰할 수 있어.

② (가): 상황에 따라 신념을 바꾸는 화자의 태도는 비판받아야 해.

③ (가): 오늘날 우리 사회에 왕은 없지만, 믿음과 의리는 여전히 중요한 가치야.

④ (나): 생태계의 위기를 경고하고 있는데 여전히 이와 비슷한 문제를 겪고 있어.

⑤ (나): 자연과 공존할 수 있는 방법을 찾아서 노력해야 해.

04~06 다음 글을 읽고, 물음에 답하시오.

가 아직 해방의 감격이 온 누리를 뒤덮어 소용돌이칠 때였다.

말복도 지난 날씨언만 여전히 무더웠다. 이인국 박사는 이 며칠 동안 불안과 초조에 휘몰려 잠도 제대로 자지 못했다. 무엇인가 닥쳐올 사태를 오돌오돌 떨면서 대기하는 상태였다.

그렇게 붐비던 환자도 하나 얼씬하지 않고 쉴 사이 없던 전화도 뜸하여졌다. 입원실은 최후의 복막염 환자였던 도청의 일본인 과장이 끌려간 후 텅 비었다.

나 무엇을 생각했던지 그는 움찔 자리에서 일어났다. 그러고는 벽장문을 열었다. 안쪽에 손을 뻗쳐 액자 틀을 끄집어내었다.

'국어(國語) 상용(常用)의 가(家)'

해방되던 날 떼어서 집어넣어 둔 것을 그동안 깜박 잊고 있었다.

ⓐ그는 액자 틀 뒤를 열어 음식점 면허장 같은 두터운 모조지를 빼내어 글자 한 자도 제대로 남지 않게 손끝에 힘을 주어 꼼꼼히 찢었다.

다 이인국 박사는 그때나 지금이나 ⓑ자기의 처세 방법에 대하여 절대적인 자신을 가지고 있다.

"얘, 너 그 노어(露語) 공부를 열심히 해라."

"왜요?"

아들은 갑자기 튀어나오는 아버지의 말에 의아를 느끼면서 반문했다.

"야 원식아, 별수 없다. 왜정 때는 그래도 일본 말이 출세를 하게 했고 이제는 노어가 또 판을 치지 않니. 고기가 물을 떠나서 살 수 없는 바에야 그 물속에서 살 방도를 궁리해야지. 아무튼 그 노서아 말 꾸준히 해라."

04 (가)에 나타난 이인국의 심리로 가장 적절한 것은?

① 해방을 맞이하여 정말 기쁘다.

② 병원에 환자가 없어서 여유롭다.

③ 끌려간 일본인 환자의 건강이 걱정된다.

④ 무더운 날씨 때문에 아무것도 하고 싶지 않다.

⑤ 앞으로 사회 상황이 어떻게 변화할지 알 수 없어 불안하다.

05 〈보기〉를 참고하여 ⓐ의 이유를 파악한 것으로 가장 적절한 것은?

> ┌ 보기 ┐
> '국어 상용의 가'는 '국어를 늘 사용하는 집'이 라는 뜻이다. 일제 강점기에 '국어'는 일본어를 가리키는 말이었다.

① 일제가 망한 것이 통쾌해서

② 자신의 행동에 부끄러움을 느껴서

③ 사실 한국어보다 일본어가 서툴러서

④ 자신이 친일한 사실을 들킬까 두려워서

⑤ 해방의 기쁨을 적극적으로 표현하고 싶어서

06 다음은 ⓑ의 의미에 대한 대화이다. 초성 글자를 참고하여 빈칸에 들어갈 말을 순서대로 쓰시오.

이인국은 일제 강점기에는 일본어가 출세에 도움이 되었듯이, 소련군 영향 밑에서는 노어가 도움이 된다고 생각하고 있어.

(ㅅㅎ)에 순응하여 (ㄱㄹ)을 따르며 사는 것이 이인국의 처세 방법이야.

07~08 다음 글을 읽고, 물음에 답하시오.

가 날이 갈수록 환자는 늘기만 했다.

이 판국에 병만 나면 열의 아홉은 죽는 길밖에 없다고 생각한 이인국 박사는 새로운 위협에 사로잡히기 시작했다.

저녁 후 이인국 박사는 고문관실로 불려 나갔다.

㉠"동무는 당분간 환자의 응급 치료실에서 일하시오."

이게 무슨 청천벽력 같은 기적일까, 그는 통역의 말을 의심했다.

나 이인국 박사는 일본인 시장의 혹을 수술하던 일을 회상하면서 자신 있는 설복을 했다.
알아듣도록 말하여 수긍하게 함.

'동경 경응 대학 병원에서도 못 하겠다는 것을 내가 거뜬히 해치우지 않았던가.'

그는 혼자 머릿속에서 자문자답하면서 이번 일에 도박 같은 심정으로 생명을 걸었다. [중략]

수술은 예상 이상의 단시간으로 끝났다.

위생복을 벗은 이인국 박사의 전신은 땀으로 흠뻑 젖었다.

다 완치되어 퇴원하는 날 스텐코프는 이인국 박사의 손을 부서져라 쥐면서 외쳤다. / "꺼삐딴 리, 스바씨보."

이인국 박사는 입을 헤벌리고 웃기만 했다. 마음의 감옥에서 해방된 것만 같았다. [중략]

스텐코프는 엄지손가락을 높이 들면서 네가 첫째라는 듯이 이인국 박사의 어깨를 치며 찬양했다.

07 ㉠을 들은 이인국의 심리로 가장 적절한 것은?

㉠을 들었을 때, 이인국은 어떤 생각을 했을까?

① '너무 큰일을 맡게 되어 부담스럽군.'
② '죄수들을 치료해 주기 싫은데 곤란하군.'
③ '기회를 잘 이용하면 풀려날 수도 있겠군.'
④ '환자를 치료한 지 오래되어서 걱정되는군.'
⑤ '통역이 하는 말을 알아들을 수 없어 힘들군.'

08 〈보기〉는 (가)~(다)에 나타난 사건들이다. 사건을 일어난 시간 순서대로 배열하시오.

보기

ⓐ 감방에 전염병이 돌아 이인국이 임시로 응급 치료실에서 일하게 됨.

ⓑ 스텐코프가 자신을 수술한 이인국에게 고마움을 표현함.

ⓒ 수술이 성공적으로 끝나 스텐코프가 완치되어 퇴원함.

ⓓ 이인국이 스텐코프의 혹을 제거하는 수술을 함.

(   ) ➡ (   ) ➡ (   ) ➡ (   )

09~10 다음 글을 읽고, 물음에 답하시오.

가 대학을 갓 나와 임상 경험도 신통치 않은 것들이 미국에
_{환자를 진료하거나 의학을 연구하기 위해 환자를 보는 일.}
만 갔다 오면 별이라도 딴 듯이 날치는 꼴이 눈꼴사나웠다.

'어디 나두 댕겨오구 나면 보자!'

문득 딸 나미와 아들 원식의 얼굴이 한꺼번에 망막으로 휘
몰아 왔다. 그는 두 주먹을 불끈 쥐며 얼굴에 경련을 일으키
듯 긴장을 띠다가 어색한 미소를 흘려보냈다.

'흥, 그 사마귀 같은 일본 놈들 틈에서도 살았고, 닥싸귀 같
은 로스케 속에서 살아났는데, 양키라고 다를까…… 혁명
이 일겠으면 일구, 나라가 바뀌겠으면 바뀌구, 아직 이 이
인국의 살 구멍은 막히지 않았다. 나보다 얼마든지 날뛰던
놈들도 있는데, 나쯤이야……'

그는 허공을 향하여 마음껏 소리치고 싶었다.

'그러면 우선 비행기 회사에 들러 형편이나 알아볼까……'

이인국 박사는 캘리포니아 특산 시가를 비스듬히 문 채 지
_{담뱃잎을 썰지 아니하고 통째로 돌돌 말아서 만든 담배.}
나가는 택시를 불러 세웠다.

그는 스프링이 튈 듯이 복스에 털썩 주저앉았다.
_{손질하여 부드럽게 만든 송아지 가죽.}
"반도 호텔로……"

차창을 거쳐 보이는 맑은 가을 하늘이 이인국 박사에게는
더욱 푸르고 드높게만 느껴졌다.

나 S# 129. 파르한의 집(낮)

아버지 란초, 그 녀석이 또 네 마음을 흔든 거냐?

파르한 전 공학이 싫어요. 공학자가 되어도 형편없을 거예
요. 란초의 생각은 간단해요. 원하는 일을 해라, 그
러면 일이 즐거워질 것이라고요.

아버지 정글에 처박혀 무슨 돈을 벌어!

파르한 보수는 적어도 많은 것을 배울 거예요.

아버지 한 오 년 뒤에 좋은 차를 갖고 큰 집에 사는 친구들
을 보면 너 자신을 원망할 거다.

– 〈세 얼간이〉에서

---

09 (가)를 영상으로 만들기 위해 작성한 메모에서 내용이
적절하지 <u>않은</u> 것끼리 짝지은 것은?

영상 촬영을 위한 메모

• 이인국이 바라보는 공간에 나미와 원식의 얼
굴이 나타나도록 장면을 편집한다. ·············· ㉠

• '어디 나두 댕겨오구 나면 보자!'에서 이인국의
표정에 강한 의지가 드러나게 연기하도록 지
시한다. ································· ㉡

• 이인국이 허공을 바라보며 힘껏 소리치는 모
습을 촬영한다. ····························· ㉢

• "반도 호텔로……"라는 대사는 근심에 찬 목
소리로 연기하도록 지시한다. ·············· ㉣

• 장면의 마지막에는 차 안에서 바라보는 맑은
가을 하늘을 비춘다. ······················· ㉤

① ㉠, ㉢   ② ㉠, ㉣   ③ ㉡, ㉣
④ ㉡, ㉤   ⑤ ㉢, ㉣

10 (나)를 감상한 내용으로 적절하지 <u>않은</u> 것은?

① 파르한과 아버지는 진로를 두고 갈등하고 있다.

② 아버지는 파르한이 공학을 공부해 공학자가 되
기를 바라고 있다.

③ 아버지는 돈을 많이 버는 직업이 좋은 직업이라
고 생각하고 있다.

④ 파르한이 원하는 직업은 공학자보다 돈을 많이
벌 수 있는 직업이다.

⑤ 오늘날의 삶에 비추어 볼 때, 진로를 정할 때 무
엇을 중요시해야 하는지 생각해 볼 수 있다.

01~03 다음 글을 읽고, 물음에 답하시오.

가 배달 산업이 커지면서 속도는 경쟁력이 되었다. 전국 어디서나 며칠 이내에 물건을 받을 수 있다. 심지어 오전에 주문하면 오후에 받는 당일 배달도 가능하다. 그래서인지 우리는 배달은 무조건 빠른 것이 당연하다고 생각한다. 그러나 이러한 생각이 과연 옳은 것일까?

나 소비자로서는 세상이 편해졌다고 좋아할 수도 있겠지만, 그 이면에는 그림자가 있다. 일부 택배 기사들은 빨리 배달하려고 과속을 하거나 신호를 어겨 교통사고를 내기도 한다.
겉으로 나타나거나 눈에 보이지 않는 부분.
2012년 안전보건공단의 조사에 따르면 택배 업종에서 발생한 산업 재해 가운데 도로 교통사고가 절반 이상을 차지하였다. 이런 교통사고의 가장 큰 원인은 빠른 속도를 강요하는 배달 구조이다.

다 규모가 커지면 해당 업종에 종사하는 사람들의 수입이 느는 게 당연하지만, 택배 기사들은 그렇지 못하다. 택배 시장이 과열되면서, 더 저렴한 가격에 배달하려는 가격 경쟁이 심해졌기 때문에 택배 기사 개인의 수입은 거의 달라지지 않았다.

라 모든 노동자는 바람직한 환경에서 일할 권리가 있다. 택배 기사들은 택배 산업에서 핵심이 되는 노동자들이다. 따라서 택배 기사들 역시 바람직한 환경에서 일할 권리를 보장받아야 한다. 우리가 누리는 편리가 누군가의 희생을 바탕으로 하는 것이라면, 그것을 포기할 수도 있어야 한다. 우리 모두 속도를 지나치게 중요시하지는 않았는지 반성하고, 택배 기사들의 권리가 지켜질 수 있도록 작은 불편은 받아들일 줄 아는 소비자가 되자.

01 이 글을 구성 단계에 따라 바르게 나눈 것은?

① (가), (나) / (다) / (라)
② (가) / (나), (다) / (라)
③ (가) / (나) / (다), (라)
④ (가), (나) / (다), (라)
⑤ (가), (나), (다) / (라)

02 (나)~(다)의 내용을 바탕으로 하여 이끌어 낼 수 있는 사실을 〈조건〉에 맞게 서술하시오.

조건
• 귀납을 사용하고 한 문장으로 쓸 것

03 다음은 (라)에 나타난 논증을 정리한 것이다. 사용된 논증 방법에 대한 설명으로 적절한 것은?

• 모든 노동자는 바람직한 환경에서 일한 권리가 있다.
• 택배 기사들은 택배 산업에서 핵심이 되는 노동자들이다.

↓

따라서 택배 기사들 역시 바람직한 환경에서 일할 권리를 보장받아야 한다.

① 일반적 사실에서 개별적 사실을 이끌어 낸다.
② 개별적 사실에서 개별적 사실을 이끌어 낸다.
③ 특수한 사실에서 보편적 사실을 이끌어 낸다.
④ 보편적 명제를 통해 대상의 차이점을 이끌어 낸다.
⑤ 두 대상이 여러 면에서 유사함을 근거로 하여 다른 속성도 유사하다고 추론한다.

`04~06` 다음 글을 읽고, 물음에 답하시오.

(가) 백 년 전, 한 위대한 미국인이 〈노예 해방 선언〉에 서명하였습니다. 지금 우리는 그를 상징하는 자리에 서 있습니다. 그 중대한 선언은 부당함이라는 불길에 몸을 데며 시들어 간 수백만 흑인 노예들에게 희망의 등불이었습니다. 그 선언은 노예 생활의 기나긴 밤을 걷어 내는 환희의 새벽이었습니다.

(나) 그러나 그로부터 백 년이 지났지만 흑인은 여전히 자유롭지 못합니다. 백 년이 지났지만 흑인은 여전히 인종 분리 정책이라는 족쇄와 인종 차별이라는 쇠사슬에 묶인 채 절뚝거리며 비참하게 살고 있습니다. 백 년이 지났지만 흑인은 이 거대한 물질적 풍요의 바다 한가운데 가난이라는 섬에 고립되어 살고 있습니다. 백 년이 지났지만 흑인은 여전히 미국 사회의 <u>후미진</u> 곳으로 내몰려, 자신의 땅에서 추방당해
_{아주 구석지고 으슥하다.}
살고 있습니다.

(다) 흑인 인권 운동을 열렬히 지지하는 이들은 간혹 이런 질문을 받습니다. "언제쯤이면 만족하겠습니까?" 차마 입에 담을 수 없는 경찰의 만행에 흑인이 계속해서 희생되는 한, 우리는 결코 만족할 수 없습니다. 여행하다 지쳐 무거워진 우리의 몸을 고속도로 근처 모텔이나 도심 속 호텔에 누일 수 없는 한 우리는 결코 만족할 수 없습니다. 흑인이 이사할 수 있는 곳이 작은 빈민가에서 큰 빈민가 정도밖에 되지 않는 한, 우리는 만족할 수 없습니다.

04 이 연설을 듣고 남긴 감상으로 적절하지 <u>않은</u> 것은?

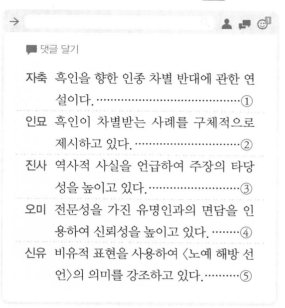

💬 댓글 달기

자축 흑인을 향한 인종 차별 반대에 관한 연설이다. ·····················①

인묘 흑인이 차별받는 사례를 구체적으로 제시하고 있다. ·····················②

진사 역사적 사실을 언급하여 주장의 타당성을 높이고 있다. ·····················③

오미 전문성을 가진 유명인과의 면담을 인용하여 신뢰성을 높이고 있다. ········④

신유 비유적 표현을 사용하여 〈노예 해방 선언〉의 의미를 강조하고 있다. ··········⑤

05 (가)~(다)에 사용된 설득 전략에 대한 설명으로 적절하지 <u>않은</u> 것은?

① (가): 역사적 사실을 근거로 들고 있다.
② (가): 이성적 설득 전략을 사용하였다.
③ (나): 흑인의 비참한 상황을 드러내어 슬픔과 분노를 유발하고 있다.
④ (나): 감성적 설득 전략을 사용하였다.
⑤ (다): 흑인이 겪고 있는 어려움을 조사한 통계 자료를 제시하고 있다.

06 〈보기〉의 밑줄 친 부분에 해당하는 구절을 (나)에서 찾아 3어절로 쓰시오.

┌ 보기 ┐
　<u>같은 표현을 반복</u>하여 흑인을 향한 인종 차별이 사라지지 않았음을 강조하고 있다.
└────────┘

07~08 다음 글을 읽고, 물음에 답하시오.

가 아침에 분류한 물건을 그날 안에 배달해야 하는 택배 기사들은 밤늦게까지 일을 멈출 수 없다. 시간은 한정되어 있고, 배달해야 할 물건은 많기 때문이다. 2017년 서울노동권익센터가 서울 지역 택배 기사 500명을 대상으로 하여 실시한 조사에 따르면 이들의 주당 평균 노동 시간은 74시간이다. 일 년이면 3,848 시간으로 2017년 기준 경제 협력 개발 기구(OECD) 1인당 연간 노동 시간 1,759시간의 두 배가 넘는다. 게다가 경제 협력 개발 기구(OECD)에서  세 번째로 장시간 노동을 하는 우리나라의 평균 노동 시간 2,024시간보다도 1,824시간이나 많다. [중략] 장시간 노동에 시달리느라 여가 생활은 물론이고 휴식조차 없는 삶이 계속 이어지면서 택배 기사의 건강도 위협받고 있다. 이처럼 우리나라 택배 기사들은 배송 시간을 지키려고 과도한 노동을 하고 있는 것이다.

나 여기서 정의의 궁전에 이르는 문턱에 서 있는 여러분께 꼭 해야 할 말이 있습니다. 우리는 정당한 자리를 되찾는 과정에서 그릇되게 행동하는 죄를 범하지 말아야 합니다. 자유를 향한 갈증을 비탄과 증오가 가득한 술잔으로 채우며 달래지 맙시다. 우리는 언제까지나 고상한 위엄과 원칙을 지키며 투쟁해 나가야 합니다. 우리의 창조적인 항의 운동을 물리적 폭력으로 더럽혀서는 안 됩니다. 몇 번이 되었든, 우리는 물리적 힘이 영혼의 힘과 하나가 되는 그 장엄한 위치에 올라서야 합니다.

07 다음은 (가)를 읽은 학생들의 대화이다. 내용을 바르게 이해한 학생끼리 짝지은 것은?

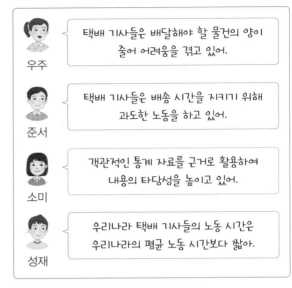

우주: 택배 기사들은 배달해야 할 물건의 양이 줄어 어려움을 겪고 있어.

준서: 택배 기사들은 배송 시간을 지키기 위해 과도한 노동을 하고 있어.

소미: 객관적인 통계 자료를 근거로 활용하여 내용의 타당성을 높이고 있어.

성재: 우리나라 택배 기사들의 노동 시간은 우리나라의 평균 노동 시간보다 짧아.

① 우주, 준서
② 우주, 소미
③ 준서, 소미
④ 준서, 성재
⑤ 소미, 성재

08 (나)에서 화자가 당부하고 있는 바로 가장 적절한 것은?

 화자는 청중에게 무엇을 당부하고 있는 것일까?

① 흑인 인권 운동의 원칙을 창조해야 한다.
② 흑인 인권 운동은 비폭력적으로 진행해야 한다.
③ 흑인 인권 운동을 반대하는 세력을 이해하고 배려해야 한다.
④ 흑인의 인권을 되찾는 데에는 물리적 폭력이 가장 효과가 있다.
⑤ 흑인의 인권을 되찾기 위해서는 수단과 방법을 가리지 말아야 한다.

09~10 다음을 보고, 물음에 답하시오.

가 행랑채가 퇴락하여 지탱할 수 없게끔 된 것이 세 칸이었다. [중략] 그중의 두 칸은 비가 샌 지 오래되었으나, 나는 그것을 알면서도 이럴까 저럴까 망설이다가 손을 대지 않았던 것이고, 나머지 한 칸은 처음 비가 샐 때 서둘러 기와를 갈았던 것이다. 이번에 수리하려고 보니 비가 샌 지 오래된 것은 그 서까래, 추녀, 기둥, 들보가 모두 썩어서 못 쓰게 된 까닭으로 수리비가 엄청나게 들었고, 한 번밖에 비가 새지 않았던 한 칸의 재목들은 온전하여 다시 쓸 수 있었기 때문에 그 비용이 많이 들지 않았다. [중략] 나라의 정치도 이와 같다.
_{몹시 곤궁하여 고통스러운 지경을 이르는 말.}
백성을 좀먹는 무리들을 내버려 두었다가는 백성들이 도탄
_{어떤 사물에 드러나지 않게 조금씩 조금씩 자꾸 해를 입히다.}
에 빠지고 나라가 위태롭게 된다. 그런 뒤에 급히 바로잡으려 해도 이미 썩어 버린 재목처럼 때는 늦은 것이다.

– 이규보, 〈이옥설〉에서

나

자막
매년 해양 쓰레기 발생량 14만 5천 톤 16톤 트럭 9천 대
음성
아무렇지도 않게 바다에 버려지는 쓰레기로

자막
2014~2018년 해양 쓰레기 처리에 4,000억 사용
음성
우리의 바다는 병들고 있습니다.

자막, 음성
자녀들에게 물려줘야 할 소중한 재산

자막, 음성
우리의 바다를 지켜 주세요.

– 해양환경공단, 〈바다를 지켜 주세요〉에서

09 (가)의 내용을 다음과 같이 정리할 때, ㉠과 ㉡에 들어갈 알맞은 말을 쓰시오.

> [집의 경우]
> • 비가 샌 지 오래된 두 칸의 재목은 바로 고치지 않아 못 쓰게 됨.
> • 비가 샐 때 바로 고친 한 칸의 재목은 다시 쓸 수 있었음.
>
> 유사함
>
> [(㉠)의 경우]
> • 백성을 좀먹는 무리들을 내버려 두면 백성들이 도탄에 빠지고 나라가 위태롭게 됨.
> • 백성을 좀먹는 무리들의 잘못을 즉시 고쳐야 나라가 바로 서게 됨.
>
> → 사용된 논증 방법: (㉡)

10 (나)에 대한 설명으로 적절하지 않은 것은?

① 해양 쓰레기를 줄여야 한다는 메시지를 전달하고 있다.

② 자막과 음성, 시각 이미지를 활용해 주장을 전달하고 있다.

③ 사람들의 공포심을 자극하는 시각 이미지를 제시하고 있다.

④ 구체적인 수치를 제시하여 해양 오염의 심각성을 드러내고 있다.

⑤ 이성적 설득 전략만을 사용하여 주장을 효과적으로 전달하고 있다.

01~03 다음 시를 읽고, 물음에 답하시오.

가 까마귀 눈비 맞아 희는 듯 검노매라
　　야광명월(夜光明月)이 밤인들 어두우랴
　　임 향한 일편단심(一片丹心)이야 변할 줄이 있으랴

나 가을 햇볕에 공기에
　　익는 벼에
　　눈부신 것 천지인데,
　　그런데,
　　아, 들판이 적막하다―
　　메뚜기가 없다!

　　오 이 불길한 고요―
　　㉠생명의 황금 고리가 끊어졌느니……

창의

01 〈보기〉는 (가)를 쓴 시인의 삶이다. 이를 참고하여 (가)에 나타난 화자의 삶의 태도를 서술하시오.

> **보기**
> 박팽년은 조선 시대의 문신이다. 1455년 수양대군이 어린 조카인 단종의 왕위를 빼앗자 죽음을 각오하고 성삼문 등과 함께 단종 복위 운동을 펼쳤다. 그러나 이것이 발각되어 심한 고문을 받게 되고, 끝까지 자신의 뜻을 굽히지 않고 맞서다가 옥에서 죽음을 맞이한다.

> **조건**
> 1. 왕을 섬기는 태도와 관련하여 쓸 것
> 2. 한 문장으로 쓸 것

창의

02 〈보기〉는 (나)에서 들판이 적막한 까닭을 설명한 내용이다. 이를 참고하여 ㉠의 의미를 서술하시오.

> **보기**
> 들판이 고요한 것은 메뚜기가 없기 때문이다. 메뚜기가 없으면 메뚜기를 잡아먹는 새가 줄어들고, 또 그 새를 먹이로 하는 동물이 줄어들 것이다. 이처럼 한 생명체의 문제는 다른 생명체들에게도 영향을 미친다.

> **조건**
> • 완결된 한 문장으로 쓸 것

창의 **융합**

03 다음은 (나)의 모방시이다. 모방시에 반영된 사회·문화적 배경을 서술하시오.

> 햇볕을 즐기는 사람에
> 시원한 물놀이에
> 행복한 것 천지인데,
> 그런데,
> 아, 해변이 화려하다―
> 쓰레기가 천지이다!
>
> 오 사람들은 행복을 누렸는데―
> 해변도 행복을 누렸을지……

> **조건**
> • 문제로 삼고 있는 상황을 한 문장으로 쓸 것

04~05 다음 글을 읽고, 물음에 답하시오.

가 환자도 일본 말 모르는 축은 거의 오는 일이 없었지만 대외 관계는 물론 집 안에서도 일체 일본 말만을 써 왔다. 해방 뒤 부득이 써 오는 제 나라 말이 오히려 의사 표현에 어색함을 느낄 만큼 그에게는 거리가 먼 것이었다.

마누라의 솔선수범하는 내조지공도 컸지만 애들까지도 곧
<small>아내가 집안일을 잘 다스려 남편을 돕는 일.</small>
잘 지켜 주었기에 이 종잇장을 탄 것이 아니던가. 그것을 탄 날은 온 집안이 무슨 경사나 난 것처럼 기뻐들 했었다.

"잠꼬대까지 국어로 할 정도가 아니면 이 영예로운 기회야 얻을 수 있겠소." 하던 국민 총력 연맹 지부장의 웃음 띤 치
<small>국민 총력 조선 연맹. 조선 총독부 차원에서 조직된 친일 단체.</small>
하 소리가 떠올랐다.
<small>고마움이나 칭찬의 뜻을 곁으로 드러냄.</small>

나 "야 원식아, 별수 없다. 왜정 때는 그래도 일본 말이 출세를 하게 했고 이제는 노어가 또 판을 치지 않니. 고기가 물을 떠나서 살 수 없는 바에야 그 물속에서 살 방도를 궁리해야지. 아무튼 그 노서아 말 꾸준히 해라."

아들은 아버지의 말에 새삼스러이 자극을 받는 것 같진 않았다.

"내 나이로도 인제 이만큼 뜨내기 회화쯤은 할 수 있는데,
<small>어쩌다가 간혹 하는 일.</small>
새파란 너희 낫세로야 그걸 못 하겠니."
<small>나쎄. 그만한 나이를 속되게 이르는 말.</small>

다 브라운 씨의 영어 반 한국말 반으로 섞어 하는 이야기를 들으면서 이인국 박사는 흐뭇한 기분에 젖었다.

"닥터 리는 영어를 어디서 배웠습니까?"

"일제 시대에 일본말식으로 배웠지요, 예를 들면 '잣도 이
<small>'That is a cat.'의 일본식 발음.</small>
즈 아 캣도' 식으로요."

"그런데 지금 발음은 좋은데요. 문법이 아주 정확한 스탠더드 잉글리시입니다." [중략]

"얼마 전부터 개인 교수를 받고 있습니다."

"아, 그렇습니까."

04 (가)~(다)의 사회·문화적 배경을 다음과 같이 정리할 때, 빈칸에 들어갈 알맞은 내용을 쓰시오.

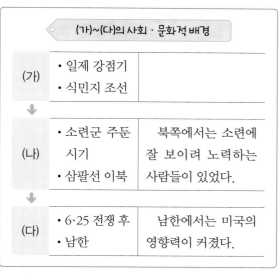

(가)~(다)의 사회·문화적 배경

(가)	• 일제 강점기 • 식민지 조선	
↓		
(나)	• 소련군 주둔 시기 • 삼팔선 이북	북쪽에서는 소련에 잘 보이려 노력하는 사람들이 있었다.
↓		
(다)	• 6·25 전쟁 후 • 남한	남한에서는 미국의 영향력이 커졌다.

┌─ 조건 ────────────
• (가)의 사회·문화적 배경을 한 문장으로 쓸 것

창의 융합

05 다음은 이인국과 나눈 가상 인터뷰이다. 빈칸에 들어갈 알맞은 말을 쓰시오.

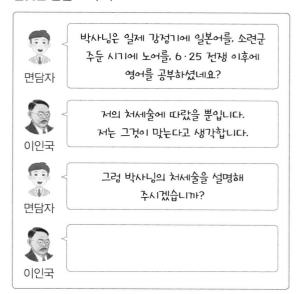

면담자: 박사님은 일제 강점기에 일본어를, 소련군 주둔 시기에 노어를, 6·25 전쟁 이후에 영어를 공부하셨네요?

이인국: 저의 처세술에 따랐을 뿐입니다. 저는 그것이 맞는다고 생각합니다.

면담자: 그럼 박사님의 처세술을 설명해 주시겠습니까?

이인국:

창의 **융합**

06 다음 대화를 통해 이끌어 낼 수 있는 결론을 〈조건〉에 맞게 서술하시오.

요즘 우리 반에서 인기 있는 친구가 누구라고 생각해?
지민

현아
우리 반에서 인기 있는 친구? 아무래도 연우 아닐까? 모두에게 친절하잖아.

맞아, 그리고 연우는 말도 정말 재미있게 해.
지민

현아
체육 시간에 보니까 연우는 운동도 골고루 잘하더라.

그것도 연우가 우리 반에서 인기 있는 이유 가운데 하나지.
지민

현아
그러고 보니 옆 반 재영이도 운동을 잘한다고 하더라.

나도 옆 반 친구에게 들었어. 그리고 재영이도 모두에게 친절하다던데?
지민

현아
말도 재미있게 잘한대. 재영이는 연우와 비슷한 점이 많구나.

➕ [   ] 전송

┌ 조건 ┐
1. 유추를 활용하여 재영이의 인기와 관련한 결론을 이끌어 낼 것
2. 한 문장으로 쓸 것

창의

07 〈보기 1〉에 해당하는 예를 〈보기 2〉에서 찾아 쓰시오.

┌ 보기 1 ┐

[논증의 오류]
• 결합의 오류: 각 부분에 나타난 특징이 전체 집합에도 나타날 것이라는 가정을 받아들일 때 발생하는 오류
• 논점 일탈의 오류: 주장이 타당함을 드러내 보이려고 제시한 근거가 실제로는 다른 주장을 향하고 있을 때 발생하는 오류
• 성급한 일반화의 오류: 너무 적은 수의 사례를 바탕으로 하여 일반화된 결론을 이끌어 낼 때 발생하는 오류

┌ 보기 2 ┐

• 저는 이어달리기 선수로 초희를 추천합니다. 초희는 학교에 늘 일찍 옵니다. 그리고 팔씨름도 잘합니다.
• 진기는 초콜릿을 좋아합니다. 진기는 라면도 좋아합니다. 그러므로 진기는 초콜릿을 넣은 라면도 좋아할 것입니다.
• 저희 할머니는 설탕을 많이 드시는데 치아가 건강합니다. 그러므로 설탕을 많이 먹는 것은 치아 건강에 도움이 됩니다.

(1) 결합의 오류	
(2) 논점 일탈의 오류	
(3) 성급한 일반화의 오류	

08~09 다음 글을 읽고, 물음에 답하시오.

　동지 여러분, 저는 오늘 여러분에게 말씀드리고 싶습니다. 절망의 구렁에 빠져 허우적대지 맙시다.

　비록 우리는 지금 고난을 마주하고 있지만 나에게는 꿈이 있습니다. 그 꿈은 아메리칸드림에 깊이 뿌리를 내리고 있습니다.

　나에게는 꿈이 있습니다. ㉠언젠가 이 나라가 "모든 인간은 평등하게 태어난다는 사실을 우리는 자명(自明)한 진리로 받아들인다."라는 이 나라 건국 신조의 참뜻을 되새기며 살아가리라는 꿈입니다.

　나에게는 꿈이 있습니다. 언젠가 조지아주의 붉은 언덕에서 노예의 후손과 노예 주인의 후손이 형제애라는 식탁 앞에 나란히 앉을 수 있는 날이 오리라는 꿈입니다.

　나에게는 꿈이 있습니다. 부당함과 억압의 뜨거운 열기로 신음하는 미시시피주도 언젠가 자유와 정의가 샘솟는 오아시스가 되리라는 꿈입니다.

　나에게는 꿈이 있습니다. 언젠가 내 아이들이 자신의 피부색이 아니라 인격으로 평가받는 나라에서 살게 되리라는 꿈입니다.

　지금 나에게는 꿈이 있습니다!

창의 융합

08 다음은 이 연설을 들은 학생의 감상문이다. 빈칸에 들어갈 알맞은 말을 쓰시오.

> 　화자는 연설에서 "(　　　　　　　　)"라는 말을 반복하면서 모두가 평등하게 살아가는 사회의 모습을 상상하고 있다. 이를 통해 청중의 공감, 감동 등의 감정을 이끌어 내고 있는데, 감성적 설득 전략을 적절하게 사용하였다고 생각한다.

┌ 조건 ┐
• 빈칸에 들어갈 말을 글에서 찾아 쓸 것

코딩

09 다음은 ㉠에 담겨 있는 논증을 정리한 것이다. 빈칸에 들어갈 알맞은 말을 한 문장으로 서술하시오.

> • 사용된 논증 방법: 연역
>
> ┌─────────────────────────┐
> │　모든 인간은 평등하게 태어난다.　│
> └─────────────────────────┘
>
> ┌─────────────────────────┐
> │　　　　　　　　　　　　　　　　　│
> └─────────────────────────┘
>
> 　　　　　　　↓
>
> ┌─────────────────────────┐
> │　따라서 흑인도 평등하게 태어났다.　│
> └─────────────────────────┘

01~03 다음 시를 읽고, 물음에 답하시오.

가 까마귀 눈비 맞아 희는 듯 검노매라

야광명월(夜光明月)이 밤인들 어두우랴

임 향한 일편단심(一片丹心)이야 변할 줄이 있으랴

나 가을 햇볕에 공기에 / 익는 벼에

눈부신 것 천지인데,

그런데,

아, 들판이 적막하다—

메뚜기가 없다!

오 이 불길한 고요—

생명의 황금 고리가 끊어졌느니……

01 (가)와 (나)를 읽고 화자에 대해 이해한 바를 쓴 댓글 가운데 내용이 적절하지 **않은** 것은?

→ 🔍 👤 💬 📷

💬 댓글 달기

사과 (가)의 화자는 까마귀를 부정적으로 생각하고 있다. ⋯⋯⋯⋯⋯⋯⋯①

포도 (가)의 화자는 임에 대한 변함없는 마음을 드러내고 있다. ⋯⋯⋯⋯⋯②

수박 (나)의 화자는 가을 들판의 풍경을 바라보고 있다. ⋯⋯⋯⋯⋯⋯③

참외 (나)의 화자는 고향의 즐거웠던 추억을 떠올리고 있다. ⋯⋯⋯⋯⋯④

딸기 (나)의 화자는 들판의 고요함을 불길하다고 생각하고 있다. ⋯⋯⋯⑤

02 〈보기〉는 (가)가 창작된 사회·문화적 배경에 관한 글이다. 이를 참고할 때 (가)의 '까마귀'와 '야광명월', '임'이 의미하는 바가 바르게 짝지어진 것은?

보기

1455년 수양 대군은 어린 조카인 단종의 왕위를 빼앗고 왕이 된다. 이 사람이 곧 세조이다. 이때 세조의 왕위 찬탈에 동조한 이들도 있었지만 그렇지 않은 사람들도 있었는데, 박팽년은 후자에 속했던 인물이다. 그는 두 임금을 섬길 수 없다는 신념으로 성삼문 등과 함께 단종 복위 운동을 펼친다. 그러나 이것이 발각되어 혹독한 고문에 시달린다. 박팽년은 세조의 회유에도 자신의 뜻을 굽히지 않고 맞서다가 결국 옥에서 죽는다.

	까마귀	야광명월	임
①	단종	박팽년	세조
②	간신	충신	단종
③	박팽년	성삼문	세조
④	충신	간신	단종
⑤	박팽년	단종	세조

서술형

03 다음은 (나)의 화자가 들판을 보며 느낀 생각의 변화이다. 빈칸에 들어갈 알맞은 말을 순서대로 쓰시오.

들판이 적막함을 느낌.

⬇

들판에 (   )가 없음을 깨달음.

⬇

생명의 (   )가 끊어졌다고 생각함.

04~06 다음 글을 읽고, 물음에 답하시오.

가 1945년 팔월 하순.

아직 해방의 감격이 온 누리를 뒤덮어 소용돌이칠 때였다.

말복도 지난 날씨언만 여전히 무더웠다. 이인국 박사는 이 며칠 동안 불안과 초조에 휘몰려 잠도 제대로 자지 못했다. 무 엇인가 닥쳐올 사태를 오돌오돌 떨면서 대기하는 상태였다.

그렇게 붐비던 환자도 하나 얼씬하지 않고 쉴 사이 없던 전화도 뜸하여졌다. 입원실은 최후의 복막염 환자였던 도청 의 일본인 과장이 끌려간 후 텅 비었다.

나 그는 창문으로 기웃이 한길가를 내려다보았다. 우글거리 는 군중들은 아직도 소음 속으로 밀려가고 있다.

굳게 닫혀 있는 은행 철문에 붙은 벽보가 한길을 건너 하 얀 윤곽만이 두드러져 보인다.

아니 그곳에 씌어 있는 구절.

'친일파, 민족 반역자를 타도하자.'

옆에 붉은 동그라미를 두 겹으로 친 글자가 그대로 눈앞에 선명하게 보이는 것만 같다.

㉠어제 저물녘에 그것을 처음 보았을 때의 전율이 되살아 왔다.

순간 이인국 박사는 방 쪽으로 머리를 홱 돌렸다.

㉡'나야 원 괜찮겠지…….'

혼자 뇌까리면서 그는 다시 부채를 들었다. 그러나 벽보를 들여다보고 있을 때 자기와 눈이 마주치는 순간, 일그러지는 얼굴에 경멸인지 통쾌인지 모를 웃음을 비죽거리면서 아래 위로 훑어보던 그 춘석이 녀석의 모습이 자꾸만 머릿속으로 엄습하여 어두운 밤에 거미줄을 뒤집어쓴 것처럼 꺼림텁텁 하기만 했다.

㉢그깟 놈 하고 머리에서 씻어 버리려도 거머리처럼 자꾸 만 감아 붙는 것만 같았다.

---

04 (가)~(나)에 반영된 사회·문화적 배경으로 가장 적절한 것은?

① 해방 직후의 혼란기를 지나 사회가 안정되었다.

② 일제 강점기에 일제가 우리 민족을 억압하였다.

③ 해방 직전에 이념의 대립으로 사회가 혼란스러 웠다.

④ 일제 강점기에 독립을 위해 사람들이 일제에 저 항하였다.

⑤ 해방 직후에 일제에 협력한 사람들에 대한 비판 의식이 높았다.

05 이인국이 ㉠과 같이 느낀 이유로 적절한 것은?

① 일제가 망한 것이 안타까워서

② 해방 후 변화되는 사회가 기대되어서

③ 사람들의 적극적인 행동이 자랑스러워서

④ 자신의 친일 행위 때문에 처벌받을까 두려워서

⑤ 친일 행위를 한 사람들을 향한 적개심이 생겨서

도움말
· 전율 몹시 무섭거나 두려워 몸이 벌벌 떨림.

서술형

06 다음은 ㉡과 ㉢에서 알 수 있는 이인국의 심리를 정리한 메모이다. 괄호에서 알맞은 말을 고르시오.

이인국의 심리
· ㉡: 초조해하면서도 자신에게 별일은 없을 거라며 스스로를 (포기함/위로함).
· ㉢: 춘석 때문에 자신에게 좋지 않은 일이 생길까 봐 (불안함/체념함).

07 ~ 11 다음 글을 읽고, 물음에 답하시오.

가 입원시킬 것인가, 거절할 것인가…….

환자의 몰골이나 업고 온 사람의 옷매무새로 보아 경제 정도는 뻔한 일이라 생각되었다.

그러나 그것보다도 더 마음에 켕기는 것이 있었다. 일본인 간부급들이 자기 집처럼 들락날락하는 이 병원에 이런 사상범을 입원시킨다는 것은 관선 시의원이라는 체면에서도 떳떳지 못할뿐더러, 자타가 공인하는 모범적인 황국 신민(皇國臣民)의 공든 탑이 하루아침에 무너지는 결과를 가져오는 것이라는 생각이 들었다.

나 갑자기 밖이 왁자지껄 떠들어 대었다. 머리에 깍지를 끼고 비스듬히 누워서 갈피를 잡을 수 없는 생각에 골몰하던 이인국 박사는 일어나 앉아 한길 쪽에 귀를 기울였다. 들끓는 소리는 더 커 갔다. 궁금증에 견디다 못해 그는 엉거주춤 꾸부린 자세로 밖을 내다보았다. 포도에 뒤끓는 사람들은 손에 손에 태극기와 적기(赤旗)를 들고 환성을 올리고 있었다.

'소련 국기'를 가리킴.

'무엇일까?'

그는 고개를 갸웃하며 다시 자리에 주저앉았다.

계단을 구르며 급히 올라오는 발자국 소리가 들려 왔다. 혜숙이다.

"아마 소련군이 들어오나 봐요, 모두들 야단법석이에요……."

다 무엇을 생각했던지 그는 움찔 자리에서 일어났다. 그러고는 벽장문을 열었다. 안쪽에 손을 뻗쳐 액자 틀을 끄집어내었다.

'국어(國語) 상용(常用)의 가(家)'

해방되던 날 떼어서 집어넣어 둔 것을 그동안 깜박 잊고 있었다.

그는 액자 틀 뒤를 열어 음식점 면허장 같은 두터운 모조지를 빼내어 글자 한 자도 제대로 남지 않게 손끝에 힘을 주어 꼼꼼히 찢었다.

라 이인국 박사는 자기와는 아무 관련도 없는 이방 부대라는 환각을 느끼면서 박수도 환성도 안 나가는 멋쩍은 속에서 멍하니 쳐다보고만 있다. 그는 자기의 거동을 주시하지나 않나 해서 주위를 두리번거렸다.

그러나 아무도 그에게는 관심을 두는 일 없이 탱크를 향하여 목청이 터지도록 거듭 만세만 부르고 있지 않은가.

'어떻게 되겠지…….'

그는 밑도 끝도 없는 한마디를 뇌면서 유유히 집으로 들어왔다.

마 이인국 박사는 끝내 스텐코프 소좌의 배경으로 요직에 ᵐ있는 당 간부의 추천을 받아 아들의 소련 유학을 결정짓고야 말았다.

중요한 직책이나 직위.

"여보, 보통으로 삽시다. 거저 표 나지 않게 사는 것이 이런 세상에선 가장 편안할 것 같아요. 이제 겨우 죽을 고비를 면했는데 또 쟤까지 그 '높이 드는' 복판에 휘몰아 넣으면 어쩔라구…….

"가만있어요, 호랑이두 굴에 가야 잡는 법이오. 무슨 세상이 되든 할 대로 해 봅시다."

07 (가)에 나타난 이인국에 대한 설명으로 적절한 것은?
① 자신의 이익을 중시한다.
② 모든 사람을 평등하게 대한다.
③ 의사로서의 본질적 역할을 추구한다.
④ 자신보다는 다른 사람의 처지를 배려한다.
⑤ 지배 세력에게 적대적인 태도를 드러낸다.

08 (나)에 반영된 사회·문화적 배경을 〈보기〉를 참고하여 정리할 때, 빈칸에 들어갈 알맞은 말을 순서대로 쓰시오.

보기

> 해방 직후 이삼일 동안은 자기도 태연하였지만 뻔질나게 드나들던 몇몇 친구들도 소련군 입성이 보도된 이후부터는 거의 나타나질 않는다.

> (나)에 반영된 사회·문화적 배경
>
> (나)에는 (   ) 직후 삼팔선 북쪽에 (   )
> 이 들어왔던 사회·문화적 배경이 반영되어 있다.

09 (다)에서 이인국이 '국어 상용의 가' 종이를 찢은 까닭으로 적절한 것은?

가족 모두가 집안에서도 일체 일본 말만 써서 이 종잇장을 받았건만……

① 일제에 협조하려고
② 친일을 한 사실을 숨기려고
③ 모범적인 황국 신민이 되려고
④ 스텐코프 소좌에게 잘 보이려고
⑤ 한국어를 사용한 사실을 숨기려고

도움말
• 국어 상용의 가 여기서 '국어'는 '일본어'를 가리키므로, '국어 상용의 가'는 '일본어를 늘 사용하는 집'이라는 뜻.

10 (라)~(마)를 읽고 나눈 대화에서 내용이 적절하지 않은 것은?

① 이인국은 해방 후의 상황을 어색하고 혼란스러워하고 있어. — 선호

② 그러면서도 남들의 눈치를 살피는 건 자신이 한 잘못 때문이겠지. — 소미

③ 그래도 자신의 잘못을 뉘우치며, 벌을 받을 각오를 하는 것을 보면 양심은 있나 봐. — 선호

그런데 이인국은 왜 아들을 소련에 유학 보내려고 한 것일까? — 소미

④ 소련이라는 권력에 기대어 부와 권력을 얻으려는 속셈이겠지. — 선호

⑤ 일제 강점기에 일제에 협조하여 부와 권력을 누렸듯이 말이지? — 소미

전송

11 (마)에 나타난 이인국과 아내에 대한 설명으로 적절한 것은?
① 이인국은 현재의 삶에 만족하고 있다.
② 아내는 평범하게 살기를 바라고 있다.
③ 이인국은 권력의 잘못을 비판하고 있다.
④ 아내는 현실보다 이상을 추구하고 있다.
⑤ 이인국은 눈에 띄는 것을 좋아하지 않는다.

12~15 **다음 글을 읽고, 물음에 답하시오.**

가 우리나라는 '배달 공화국'이라고 해도 지나치지 않을 만큼 배달 산업이 발달하였다. 음식은 물론이고 꽃, 서류, 쌀 등 별의별 것을 다 배달한다. 사정이 이렇다 보니 아예 배달만 전문적으로 하는 대행업체도 생겨났다. 배달 산업이 커지면서 속도는 경쟁력이 되었다. 전국 어디서나 며칠 이내에 물건을 받을 수 있다. 심지어 오전에 주문하면 오후에 받는 당일 배달도 가능하다. 그래서인지 우리는 배달은 무조건 빠른 것이 당연하다고 생각한다. 그러나 이러한 생각이 과연 옳은 것일까?

나 소비자로서는 세상이 편해졌다고 좋아할 수도 있겠지만, 그 이면에는 그림자가 있다. 일부 택배 기사들은 빨리 배달하려고 과속을 하거나 신호를 어겨 교통사고를 내기도 한다. 2012년 안전보건공단의 조사에 따르면 택배 업종에서 발생한 산업 재해 가운데 도로 교통사고가 절반 이상을 차지하였다. 이런 교통사고의 가장 큰 원인은 빠른 속도를 강요하는 배달 구조이다.

다 문제는 또 있다. 아침에 분류한 물건을 그날 안에 배달해야 하는 택배 기사들은 밤늦게까지 일을 멈출 수 없다. 시간은 한정되어 있고, 배달해야 할 물건은 많기 때문이다. 2017년 서울노동권익센터가 서울 지역 택배 기사 500명을 대상으로 하여 실시한 조사에 따르면 이들의 주당 평균 노동 시간은 74시간이다. 일 년이면 3,848시간으로 2017년 기준 경제 협력 개발 기구(OECD) 1인당 연간 노동 시간 1,759시간의 두 배가 넘는다. 게다가 경제 협력 개발 기구(OECD)에서 세 번째로 장시간 노동을 하는 우리나라의 평균 노동 시간 2,024시간보다도 1,824시간이나 많다. 쉬는 날도 거의 없어서 한 달 평균 25.3일을 근무했고, 일요일과 공휴일을 제외

한 한 달 평균 휴무일은 0.152일에 불과하였다. 일요일과 공휴일을 제외하면 쉬는 날이 아예 없다는 응답자도 90.6퍼센트나 되었다. 몸이 아픈 날에도 일하는 경우가 많은데, 응답자 가운데 74.1퍼센트가 그런 경험이 있다고 답하였다.

라 규모가 커지면 해당 업종에 종사하는 사람들의 수입이 느는 게 당연하지만, 택배 기사들은 그렇지 못하다. 택배 시장이 과열되면서, 더 저렴한 가격에 배달하려는 가격 경쟁이 심해졌기 때문에 택배 기사 개인의 수입은 거의 달라지지 않았다. 택배 기사들은 유류비, 차량 유지비, 통신비 등의 각종 비용을 제외하고 택배 한 건당 평균 800원 정도를 벌 수 있다. 단순 계산 하면, 월 25.3일 일하면서 약 350만 원 정도를 벌려면 하루 평균 170개 가까운 물건을 배달해야 한다. 주당 평균 노동 시간이 74시간이니 주 6일 근무로 계산하면 하루 12시간 정도 근무하는 셈이고, 1시간 동안 배달해야 하는 물건은 평균 14개가 넘는다.

마 빠른 속도를 강조하는 사회에서 이렇듯 택배 기사들은 열악한 노동 환경에 처해 있다. 속도 경쟁, 소비자를 최대한 많이 확보하려는 경쟁의 부담을 기업도 소비자도 아닌 택배 기사들이 떠안고 있는 것이다.

바 모든 노동자는 바람직한 환경에서 일할 권리가 있다. 택배 기사들은 택배 산업에서 핵심이 되는 노동자들이다. 따라서 택배 기사들 역시 바람직한 환경에서 일할 권리를 보장받아야 한다. 우리가 누리는 편리가 누군가의 희생을 바탕으로 하는 것이라면, 그것을 포기할 수도 있어야 한다. 우리 모두 속도를 지나치게 중요시하지는 않았는지 반성하고, 택배 기사들의 권리가 지켜질 수 있도록 작은 불편은 받아들일 줄 아는 소비자가 되자.

12 (가)에 대한 설명으로 적절하지 <u>않은</u> 것은?

① 질문을 통해 문제를 제기하고 있다.

② 느린 배달 속도의 문제점을 다루고 있다.

③ 구체적 예를 제시하여 이해를 돕고 있다.

④ 우리나라 배달 산업의 현황을 제시하고 있다.

⑤ 배달 속도에 대한 일반적인 인식을 소개하고 있다.

13 다음 질문의 대답으로 가장 적절한 것은?

글쓴이가 (나)를 통해 전달하고자 하는 바는 무엇일까?

① 빠른 배달은 소비자의 만족도를 높인다.

② 택배 기사들은 과속과 신호 위반을 자주 한다.

③ 우리나라 산업 재해 중 가장 비중이 큰 것은 교통사고이다.

④ 소비자들은 빠른 배달 속도를 오히려 부담스러워하고 있다.

⑤ 빠른 속도를 강요하는 배달 구조 때문에 택배 기사들이 교통사고 위험에 노출되고 있다.

14 (다)에서 글쓴이가 글의 설득력을 높이기 위해 활용한 방법으로 적절한 것은?

① 가상의 상황을 설정하였다.

② 구체적인 통계 자료를 제시하였다.

③ 관련 전문가의 의견을 인용하였다.

④ 경험자의 실제 인터뷰를 제시하였다.

⑤ 글쓴이의 직접적인 경험을 제시하였다.

15 (나)~(마)에 사용된 논증 방법에 대한 설명으로 적절한 것은?

① 일반적인 사실로부터 개별적인 사실을 이끌어 내고 있다.

② 일반적인 원리로부터 좀 더 특수한 다른 원리를 이끌어 내고 있다.

③ 개별적인 특수한 사실로부터 일반적이고 보편적인 명제를 이끌어 내고 있다.

④ 문제의 원인을 밝히고 그 원인을 근거로 삼아 문제의 해결 방안을 제시하고 있다.

⑤ 두 대상이 여러 면에서 비슷하다는 것을 근거로 하여 다른 속성도 유사할 것이라고 추론하고 있다.

16~17 다음 글을 읽고, 물음에 답하시오.

행랑채가 퇴락하여 지탱할 수 없게끔 된 것이 세 칸이었다. 나는 마지못하여 이를 모두 수리하였다. 그런데 그중의 두 칸은 비가 샌 지 오래되었으나, 나는 그것을 알면서도 이럴까 저럴까 망설이다가 손을 대지 않았던 것이고, 나머지 한 칸은 처음 비가 샐 때 서둘러 기와를 갈았던 것이다. 이번에 수리하려고 보니 비가 샌 지 오래된 것은 그 서까래, 추녀, 기둥, 들보가 모두 썩어서 못 쓰게 된 까닭으로 수리비가 엄청나게 들었고, 한 번밖에 비가 새지 않았던 한 칸의 재목들은 온전하여 다시 쓸 수 있었기 때문에 그 비용이 많이 들지 않았다.

나는 이에 느낀 것이 있었다. 사람의 경우도 마찬가지라는 사실이다. 잘못을 알고서도 바로 고치지 않으면 곧 그 자신이 나쁘게 되는 것이 마치 나무가 썩어서 못 쓰게 되는 것과 같다. 잘못을 알고 고치기를 꺼리지 않으면 해(害)를 받지 않고 다시 착한 사람이 될 수 있으니, 저 집의 재목처럼 말끔하게 다시 쓸 수 있는 것이다.

– 이규보, 〈이옥설〉에서

---

16 이 글의 내용을 다음과 같이 정리할 때, ⊙과 ⓒ에 들어갈 말을 바르게 짝지은 것은?

	집의 경우	사람의 경우
	비가 샌 지 오래된 두 칸의 재목은 바로 고치지 않아 못 쓰게 됨.	사람이 잘못을 바로 고치지 않으면 (⊙).
	비가 샐 때 바로 고친 한 칸의 재목은 다시 쓸 수 있었음.	사람이 잘못을 알고 바로 고치면 착한 사람이 될 수 있음.

(ⓒ)

	⊙	ⓒ
①	그대로임	대립함
②	그대로임	유사함
③	착해짐	대립함
④	나쁘게 됨	유사함
⑤	나쁘게 됨	대립함

서술형
17 이 글의 글쓴이가 주장하는 바가 무엇인지 쓰시오.

┌ 조건 ┐
• 20자 내외의 한 문장으로 쓸 것

18~20 다음 글을 읽고, 물음에 답하시오.

가 저는 오늘 우리 역사에서 자유를 위한 가장 위대한 행진으로 기억될 이 자리에 여러분과 함께하게 되어 기쁩니다.

백 년 전, 한 위대한 미국인이 〈노예 해방 선언〉에 서명하였습니다. 지금 우리는 그를 상징하는 자리에 서 있습니다. 그 중대한 선언은 부당함이라는 불길에 몸을 데며 시들어 간 수백만 흑인 노예들에게 희망의 등불이었습니다. 그 선언은 노예 생활의 기나긴 밤을 걷어 내는 환희의 새벽이었습니다.

나 그러나 그로부터 백 년이 지났지만 흑인은 여전히 자유롭지 못합니다. 백 년이 지났지만 흑인은 여전히 인종 분리 정책이라는 족쇄와 인종 차별이라는 쇠사슬에 묶인 채 절뚝거리며 비참하게 살고 있습니다. 백 년이 지났지만 흑인은 이 거대한 물질적 풍요의 바다 한가운데 가난이라는 섬에 고립되어 살고 있습니다. 백 년이 지났지만 흑인은 여전히 미국 사회의 후미진 곳으로 내몰려, 자신의 땅에서 추방당해 살고 있습니다. 그리하여 우리는 이 치욕스러운 현실을 알리고자 오늘 이 자리에 모였습니다.

다 1963년은 끝이 아니라 시작입니다. 흑인에겐 울분을 토할 곳이 필요했는데 이제 소원을 풀었으니 그것으로 만족하고 말 것이라 생각한 사람들은 이 나라가 다시 일상으로 돌아갔을 때 달갑지 않은 사실을 깨닫게 될 것입니다. 흑인에게 시민으로서 누려야 할 권리가 보장될 때까지 미국에는 안정도, 평온도 없을 것입니다. 정의의 새벽이 밝아 오기 전까지 저항의 소용돌이는 계속해서 미국의 기반을 뒤흔들 것입니다.

라 여기서 정의의 궁전에 이르는 문턱에 서 있는 여러분께 꼭 해야 할 말이 있습니다. 우리는 정당한 자리를 되찾는 과정에서 그릇되게 행동하는 죄를 범하지 말아야 합니다. 자유를 향한 갈증을 비탄과 증오가 가득한 술잔으로 채우며 달래지 맙시다. 우리는 언제까지나 고상한 위엄과 원칙을 지키며 투쟁해 나가야 합니다. 우리의 창조적인 항의 운동을 물리적 폭력으로 더럽혀서는 안 됩니다. 몇 번이 되었든, 우리는 물리적 힘이 영혼의 힘과 하나가 되는 그 장엄한 위치에 올라서야 합니다.

흑인 사회를 휩쓴 이 새롭고 놀라운 투쟁 정신이 백인의 불신을 받는 일은 없어야 합니다. 오늘 이 자리에 함께한 백인 형제들이 보여 주듯 백인은 자신의 운명이 흑인의 운명과 한데 묶여 있다는 사실을 잘 알고 있습니다. 또한 백인은 자신들의 자유가 우리 흑인의 자유와 단단히 얽혀 있다는 사실 역시 잘 알고 있습니다.

[서술형]

18 (가)를 읽고 나눈 대화의 빈칸에 들어갈 알맞은 말을 〈보기〉에서 고르시오.

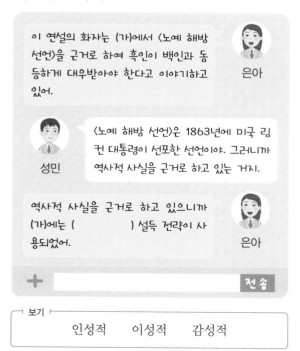

보기
인성적   이성적   감성적

19 다음 중 (나)와 (다)에 대해 잘못 이해한 학생은?

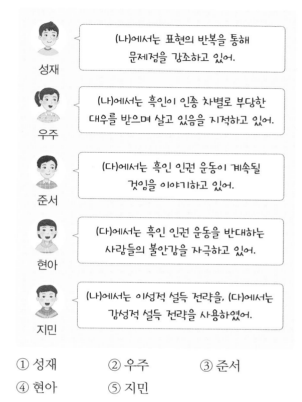

① 성재   ② 우주   ③ 준서
④ 현아   ⑤ 지민

20 화자가 (라)에서 전달하려는 중심 생각으로 가장 적절한 것은?

① 흑인 인권 향상을 위해 백인과 타협하지 말아야 한다.
② 흑인 인권 운동을 위한 새로운 원칙을 만들어야 한다.
③ 흑인 인권 운동에서 물리적 폭력을 사용해서는 안 된다.
④ 흑인 인권 향상과 백인 인권 향상은 함께 이루어질 수 없다.
⑤ 흑인 인권 운동에는 백인이 아닌 사람들의 협력만 필요하다.

01~04 **다음 시를 읽고, 물음에 답하시오.**

가 까마귀 눈비 맞아 희는 듯 검노매라
  야광명월(夜光明月)이 밤인들 어두우랴
  임 향한 일편단심(一片丹心)이야 변할 줄이 있으랴

나 가을 햇볕에 공기에
  익는 벼에
  눈부신 것 천지인데,
  그런데,
  아, 들판이 적막하다—
  메뚜기가 없다!

  오 이 불길한 고요—
  생명의 황금 고리가 끊어졌느니……

01 **(가)와 (나)에 대한 설명으로 적절하지 않은 것은?**

① (가): 설의법을 사용하여 화자의 의지를 강조하고 있다.

② (가): '까마귀'와 '야광명월'을 대비하여 주제를 강조하고 있다.

③ (나): 가을 들판의 풍요로움과 적막함을 대비하여 주제를 강조하고 있다.

④ (나): 화자는 익어 가는 벼와 메뚜기로 가득 찬 가을 들판을 바라보며 감탄하고 있다.

⑤ (나): 수확량을 늘리려고 사용한 농약 때문에 생태계가 파괴된 사회·문화적 배경이 반영되어 있다.

> 🖊️ **도움말**
> • 설의법 누구나 답을 아는 사실을 의문의 형식으로 표현하여 독자가 스스로 판단하게 하는 표현 방법.

02 **(가)의 화자에 대한 설명으로 적절한 것은?**

① 임과 이별하여 슬퍼하고 있다.

② 까마귀를 긍정적인 존재로 생각하고 있다.

③ 임을 향한 변함없는 마음을 드러내고 있다.

④ 야광명월을 부정적인 존재로 생각하고 있다.

⑤ 사회·문화적 배경을 고려할 때 세조를 향한 충성심을 지니고 있다고 해석할 수 있다.

03 **다음은 (나)를 읽은 학생들이 선생님의 질문에 답변한 것이다. 내용이 적절한 것은?**

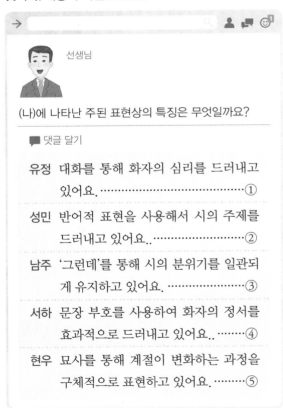

선생님

(나)에 나타난 주된 표현상의 특징은 무엇일까요?

💬 댓글 달기

유정 대화를 통해 화자의 심리를 드러내고 있어요. ·······················①

성민 반어적 표현을 사용해서 시의 주제를 드러내고 있어요. ·····················②

남주 '그런데'를 통해 시의 분위기를 일관되게 유지하고 있어요. ·····················③

서하 문장 부호를 사용하여 화자의 정서를 효과적으로 드러내고 있어요. ··········④

현우 묘사를 통해 계절이 변화하는 과정을 구체적으로 표현하고 있어요. ·········⑤

04 _{서술형} 다음 대화의 '이것'이 공통으로 가리키는 시구를 (나)에서 찾아 3어절로 쓰시오.

> 이것은 생명체들 사이의 유기적인 연결을 의미해.

> 생태계의 조화를 의미하기도 해. 그래서 이것이 끊어졌다는 것은 생태계가 파괴되었음을 의미해.

05~08 다음 글을 읽고, 물음에 답하시오.

가 노어책을 읽으면서도 그의 청각은 늘 감방 속의 이야기를 놓치지 않고 있다. 그들이 예측하는 식대로의 중형으로 치른다면 자기의 죄상은 너무도 어마어마하다. 양곡 조합의 쌀을 몰래 팔아먹은 것이 칠 년, 양민을 강제로 보국대에 동원했다는 것이 십 년, 감정적인 즉결이 아니라 법에 의한 처단이라고 내대지만 이 난리 판국에 법이고 뭣이고 있을까, 마음에만 거슬리면 총살일 판인데…….

_{일제 강점기에, 우리나라 사람을 강제 노동에 동원하기 위하여 만든 노무대.}

'친일파, 민족 반역자, 반일 투사 치료 거부, 일제의 간첩 행위…….'

이건 너무도 어마어마한 죄상이다. 취조할 때 나열하던 그대로 한다면 고작해야 무기 징역, 사형감일지도 모른다. [중략]

_{범죄 사실을 밝히기 위하여 혐의자나 죄인을 조사하다.}

'그럼, 어쩐단 말이야, 식민지 백성이 별수 있었어. 날구뛴들 소용이 있었느냐 말이야, 어느 놈은 일본 놈한테 아첨을 안 했어. 주는 떡을 안 먹은 놈이 바보지. 흥, 다 그놈이 그놈이었지.'

이인국 박사는 자기변명을 합리화하고 나면 가슴이 좀 후련해 왔다.

나 그는 환자의 치료를 하면서도 늘 스텐코프의 왼쪽 뺨에 붙은 오리알만 한 혹을 생각하고 있었다.

불구라면 불구로 볼 수 있는 그 혹을 가지고 고급 장교에까지 승진했다는 것은, 소위 말하는 당성(黨性)이 강하거나 그렇지 않으면 전공(戰功)이 특별했음에 틀림없다는 생각이 들었다.

그것 하나만 물고 늘어지면 무엇인가 완전히 살아날 틈바귀가 생길 것만 같았다.

이인국 박사의 뜨내기 노어도 가끔 순시하는 스텐코프와 인사말을 주고받을 수 있을 정도로 진전되었다.

이 안에서의 모든 독서는 금지되었지만 노어 교본과 당사(黨史)만은 허용되었다.

이인국 박사는 마치 생명의 열쇠나 되는 듯이 초보 노어책을 거의 암송하다시피 했다. [중략]

수일 전 소군 장교 한 사람이 급성 맹장염이 터져 복막염으로 번졌다.

그 환자의 실을 뽑는 옆에 온 스텐코프에게 이인국 박사는 말 절반 손짓 절반으로 혹을 수술하겠다는 의사를 표명했다.

스텐코프는 '하라쇼'를 연발했다.

다 완치되어 퇴원하는 날 스텐코프는 이인국 박사의 손을 부서져라 쥐면서 외쳤다.

"꺼삐딴 리, 스바씨보."

이인국 박사는 입을 헤벌리고 웃기만 했다. 마음의 감옥에서 해방된 것만 같았다.

"아진, 아진…… 오첸 하라쇼."

스텐코프는 엄지손가락을 높이 들면서 네가 첫째라는 듯이 이인국 박사의 어깨를 치며 찬양했다. [중략]

"내일부터는 집에서 통근해도 좋소."

이인국 박사는 막혔던 둑이 터지는 것 같은 큰숨을 삼켜 가면서 내쉬었다.

05 (가)에 나타난 이인국에 대한 설명으로 적절하지 않은 것은?

① 자신의 죄가 무엇인지 알고 있다.

② 주변 상황에 늘 귀를 기울이고 있다.

③ 자신의 잘못을 뉘우치며 괴로워하고 있다.

④ 자신이 저지른 죄가 얼마나 큰 죄인지 잘 알고 있다.

⑤ 자신 말고도 잘못을 저지른 사람이 많다고 생각하고 있다.

06 (나)에서 이인국이 노어를 열심히 공부한 까닭으로 적절한 것은?

① 일제 강점기에 노어를 배웠기 때문에

② 다른 죄수들에게 노어를 가르쳐 주고 싶어서

③ 노어 공부 외에 감방에서 허용된 것이 없어서

④ 소련군이 노어를 공부하라고 지시했기 때문에

⑤ 소련군과 친분을 쌓아 자신에게 유리한 상황을 만들고 싶어서

[서술형]

07 (가)~(다)에 나타난 이인국의 상황을 다음과 같이 정리할 때, ㉠과 ㉡에 들어갈 알맞은 말을 쓰시오.

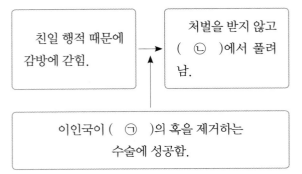

친일 행적 때문에 감방에 갇힘. → 처벌을 받지 않고 (㉡)에서 풀려남.

이인국이 (㉠)의 혹을 제거하는 수술에 성공함.

08 이 글을 읽은 독자의 반응으로 적절하지 않은 것은?

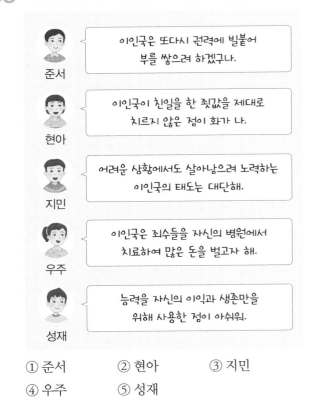

준서: 이인국은 또다시 권력에 빌붙어 부를 쌓으려 하겠구나.

현아: 이인국이 친일을 한 죗값을 제대로 치르지 않은 점이 화가 나.

지민: 어려운 상황에서도 살아남으려 노력하는 이인국의 태도는 대단해.

우주: 이인국은 죄수들을 자신의 병원에서 치료하여 많은 돈을 벌고자 해.

성재: 능력을 자신의 이익과 생존만을 위해 사용한 점이 아쉬워.

① 준서　　② 현아　　③ 지민

④ 우주　　⑤ 성재

09~11 다음 글을 읽고, 물음에 답하시오.

차가 브라운 씨의 관사 앞에 닿았다.

성조기(星條旗)를 보면서 이인국 박사는 그날의 적기와
　　미국의 국기.
돌려 온 시계를 생각했다.

응접실에 안내된 이인국 박사는 주인이 나오기를 기다리면서 방 안을 둘러보았다. 대사관으로는 여러 번 찾아갔지만 집으로 찾아온 것은 이번이 처음이다.

삼 년 전 딸이 미국으로 갈 때부터 신세 진 사람이다.

벽 쪽 책꽂이에는 《이조실록(李朝實錄)》, 《대동야승(大東野乘)》 등 한적(漢籍)이 빼곡히 차 있고 한쪽에는 고서(古書)의 질책(帙冊)이 가지런히 쌓여 있다.

맞은편 책상 위에는 작은 금동 불상(金銅佛像) 곁에 몇 개의 골동품이 진열되어 있다. 십이 폭 예서(隷書) 병풍 앞 탁자 위에 놓인 재떨이도 세월의 때 묻은 백자기다.

저것들도 다 누군가가 가져다준 것이 아닐까 하는 데 생각이 미치자 ㉠이인국 박사는 얼굴이 화끈해졌다.

그는 자기가 들고 온 상감 진사(象嵌辰砂) 고려청자 화병에 눈길을 돌렸다. 사실 그것을 내놓는 데는 얼마간의 아쉬움이 없지 않았다. 국외로 내보낸다는 자책감 같은 것은 아예 생각해 본 일이 없는 그였다.

차라리 이인국 박사에게는 저렇게 많으니 무엇이 그리 소중하고 달갑게 여겨지겠느냐는 망설임이 더 앞섰다.

브라운 씨가 나오자 이인국 박사는 웃으며 선물을 내어 놓았다. 포장을 풀고 난 브라운 씨는 만면에 미소를 띠며 기쁨을 참지 못하는 듯 생큐를 거듭 부르짖었다. [중략]

대학을 갓 나와 임상 경험도 신통치 않은 것들이 미국에만 갔다 오면 별이라도 딴 듯이 날치는 꼴이 눈꼴사나웠다.

'어디 나두 댕겨오구 나면 보자!'

문득 딸 나미와 아들 원식의 얼굴이 한꺼번에 망막으로 휘몰아 왔다. 그는 두 주먹을 불끈 쥐며 얼굴에 경련을 일으키듯 긴장을 띠다가 어색한 미소를 흘려보냈다.

[A] ┌ '흥, 그 사마귀 같은 일본 놈들 틈에서도 살았고, 닥싸귀 같은 로스케 속에서 살아났는데, 양키라고 다를까……. 혁명이 일겠으면 일구, 나라가 바뀌겠으면 바뀌구, 아직이 이인국의 살 구멍은 막히지 않았다. 나보다 얼마든지 날뛰던 놈들도 있는데, 나쯤이야…….'

그는 허공을 향하여 마음껏 소리치고 싶었다.

09 이 글에서 알 수 있는 사회·문화적 배경으로 적절한 것은?

① 6·25 전쟁 이후 산업화가 급속히 진행되었다.
② 6·25 전쟁 때 사람들이 북한으로 피난을 갔다.
③ 6·25 전쟁 이후 남한에서 미국의 영향력이 커졌다.
④ 6·25 전쟁 이후 일본으로 이민 가는 사람들이 늘었다.
⑤ 6·25 전쟁 이후 친일파를 처벌하려는 분위기가 강해졌다.

10 ㉠의 이유로 가장 적절한 것은?

① 미국에 간 딸이 보고 싶어서
② 훌륭한 문화재를 보고 감동을 받아서
③ 미국행을 도와주는 브라운에게 고마워서
④ 문화재를 유출하는 것에 자책감을 느껴서
⑤ 자신이 가져온 고려청자가 특별하지 않은 것 같아 민망해서

서술형

11 다음은 [A]를 읽고 나눈 대화이다. 빈칸에 들어갈 알맞은 말을 다섯 글자로 쓰시오.

[A]에는 시대가 어떻게 바뀌든 자신은 그 상황에 적응해 잘살 것이라고 생각하는 이인국의 모습이 드러나. 소미

작가는 이를 통해 도덕과 관계없이 시대와 상황에 따라 빠르게 변신하는 (   )의 삶을 비판하고 있어. 진우

＋ [   ] 전송

12~16 다음 글을 읽고, 물음에 답하시오.

가 우리나라는 '배달 공화국'이라고 해도 지나치지 않을 만큼 배달 산업이 발달하였다. 음식은 물론이고 꽃, 서류, 쌀 등 별의별 것을 다 배달한다. 사정이 이렇다 보니 아예 배달만 전문적으로 하는 대행업체도 생겨났다. 배달 산업이 커지면서 속도는 경쟁력이 되었다. 전국 어디서나 며칠 이내에 물건을 받을 수 있다. 심지어 오전에 주문하면 오후에 받는 당일 배달도 가능하다. 그래서인지 우리는 배달은 무조건 빠른 것이 당연하다고 생각한다. 그러나 이러한 생각이 과연 옳은 것일까?

나 소비자로서는 세상이 편해졌다고 좋아할 수도 있겠지만, ⊙그 이면에는 그림자가 있다. 일부 택배 기사들은 빨리 배달하려고 과속을 하거나 신호를 어겨 교통사고를 내기도 한다. 2012년 안전보건공단의 조사에 따르면 택배 업종에서 발생한 산업 재해 가운데 도로 교통사고가 절반 이상을 차지하였다. 이런 교통사고의 가장 큰 원인은 빠른 속도를 강요하는 배달 구조이다.

다 문제는 또 있다. 아침에 분류한 물건을 그날 안에 배달해야 하는 택배 기사들은 밤늦게까지 일을 멈출 수 없다. 시간은 한정되어 있고, 배달해야 할 물건은 많기 때문이다. 2017년 서울노동권익센터가 서울 지역 택배 기사 500명을 대상으로 하여 실시한 조사에 따르면 이들의 주당 평균 노동 시간은 74시간이다. 일 년이면 3,848시간으로 2017년 기준 경제 협력 개발 기구(OECD) 1인당 연간 노동 시간 1,759시간의 두 배가 넘는다. 게다가 경제 협력 개발 기구(OECD)에서 세 번째로 장시간 노동을 하는 우리나라의 평균 노동 시간 2,024시간보다도 1,824시간이나 많다. 쉬는 날도 거의 없어서 한 달 평균 25.3일을 근무했고, 일요일과 공휴일을 제외한 한 달 평균 휴무일은 0.152일에 불과하였다. 일요일과 공휴일을 제외하면 쉬는 날이 아예 없다는 응답자도 90.6퍼센트나 되었다. 몸이 아픈 날에도 일하는 경우가 많은데, 응답자 가운데 74.1퍼센트가 그런 경험이 있다고 답하였다.

라 규모가 커지면 해당 업종에 종사하는 사람들의 수입이 느는 게 당연하지만, 택배 기사들은 그렇지 못하다. 택배 시장이 과열되면서, 더 저렴한 가격에 배달하려는 가격 경쟁이 심해졌기 때문에 택배 기사 개인의 수입은 거의 달라지지 않았다. 택배 기사들은 유류비, 차량 유지비, 통신비 등의 각종 비용을 제외하고 택배 한 건당 평균 800원 정도를 벌 수 있다. 단순 계산 하면, 월 25.3일 일하면서 약 350만 원 정도를 벌려면 하루 평균 170개 가까운 물건을 배달해야 한다. 주당 평균 노동 시간이 74시간이니 주 6일 근무로 계산하면 하루 12시간 정도 근무하는 셈이고, 1시간 동안 배달해야 하는 물건은 평균 14개가 넘는다. 어떻게 생각하는가? 결국 더 싸게 더 많이 배달하고 있다는 것이고, 그 때문에 눈코 뜰 사이 없이 일할 수밖에 없다는 것이다.

마 빠른 속도를 강조하는 사회에서 이렇듯 택배 기사들은 열악한 노동 환경에 처해 있다. 속도 경쟁, 소비자를 최대한 많이 확보하려는 경쟁의 부담을 기업도 소비자도 아닌 택배 기사들이 떠안고 있는 것이다.

바 모든 노동자는 바람직한 환경에서 일할 권리가 있다. 택배 기사들은 택배 산업에서 핵심이 되는 노동자들이다. 따라서 택배 기사들 역시 바람직한 환경에서 일할 권리를 보장받아야 한다. 우리가 누리는 편리가 누군가의 희생을 바탕으로 하는 것이라면, 그것을 포기할 수도 있어야 한다. 우리 모두 속도를 지나치게 중요시하지는 않았는지 반성하고, 택배 기사들의 권리가 지켜질 수 있도록 작은 불편은 받아들일 줄 아는 소비자가 되자.

12 이 글에 대한 설명으로 적절하지 <u>않은</u> 것은?

① 소비자의 의식 전환을 당부하고 있다.

② '서론 – 본론 – 결론'으로 구성되어 있다.

③ 배달에 관한 정보 제공을 목적으로 한다.

④ 통계 자료를 활용하여 주장의 타당성을 높이고 있다.

⑤ 사람들이 당연하다고 여기는 생각에 문제를 제기하고 있다.

13 (다)와 (라)의 내용을 정리한 것으로 적절하지 <u>않은</u> 것은?

> **택배 기사들의 노동 환경**
>
> 1. 과도한 노동
>   (1) 원인: 한정된 시간, 많은 물건·············①
>   (2) 관련 조사 결과
>   • OECD 1인당 연간 노동 시간의 2배 이상, 한국 평균 노동 시간보다 많음. ····②
>   • 한 달 평균 근무 일수 25.3일·············③
> 2. 달라지지 않은 수입
>   (1) 택배 기사의 수입: 예전에 비해 많이 늘었지만 만족스럽지 않음.·····················④
>   (2) 원인: 택배 시장 과열로 인한 지나친 가격 경쟁 ·····························⑤

14 ㉠의 의미로 적절한 것은?

① 빠른 속도의 기준은 소비자마다 다르다.

② 빠른 배달 때문에 문제가 발생하고 있다.

③ 배달 속도는 지금보다 더 빨라질 수 없다.

④ 빠른 배달에 대한 소비자의 만족도가 높다.

⑤ 빠른 속도로 인한 문제는 예측하기 어렵다.

15 (바)에 나타난 논증을 정리할 때, 빈칸에 들어갈 알맞은 말을 (바)에서 찾아 쓰시오.

일반적인 사실	• 모든 노동자는 바람직한 환경에서 일할 권리가 있다. • 택배 기사들은 택배 산업에서 핵심이 되는 노동자들이다.

↓

개별적인 사실	따라서 _____ _____ .

16 다음 중 (나)~(마)에 사용된 논증 방법이 쓰인 것은?

① 은비는 모든 과일을 좋아한다. 오렌지는 과일이다. 그러므로 은비는 오렌지를 좋아한다.

② 지구에는 생명체가 산다. 지구와 환경이 유사한 행성이 있다면 그 행성에는 생명체가 살고 있을 것이다.

③ 지수와 영지는 둘 다 성실하다. 지수는 공부를 열심히 한다. 그러므로 영민이도 공부를 열심히 할 것이다.

④ 모든 생물은 영양을 섭취해야 살 수 있다. 사람은 생물이다. 그러므로 사람은 영양을 섭취해야 살 수 있다.

⑤ 데카르트는 죽었다. 셰익스피어도 죽었다. 데카르트, 셰익스피어는 사람이다. 그러므로 사람은 모두 죽는다.

도움말

(나)~(마)에는 개별적인 사실[(나), (다), (라)]에서 보편적인 명제[(마)]를 이끌어 내는 논증 방법이 사용되었어요.

17~20 다음을 보고, 물음에 답하시오.

가 마틴 루서 킹, 〈나에게는 꿈이 있습니다〉

백 년이 지났지만 흑인은 여전히 인종 분리 정책이라는 족쇄와 인종 차별이라는 쇠사슬에 묶인 채 절뚝거리며 비참하게 살고 있습니다. 백 년이 지났지만 흑인은 이 거대한 물질적 풍요의 바다 한가운데 가난이라는 섬에 고립되어 살고 있습니다. 백 년이 지났지만 흑인은 여전히 미국 사회의 후미진 곳으로 내몰려, 자신의 땅에서 추방당해 살고 있습니다. 그리하여 우리는 이 치욕스러운 현실을 알리고자 오늘 이 자리에 모였습니다. [중략]

나에게는 꿈이 있습니다. 언젠가 이 나라가 "모든 인간은 평등하게 태어난다는 사실을 우리는 자명(自明)한 진리로 받아들인다."라는 이 나라 건국 신조의 참뜻을 되새기며 살아가리라는 꿈입니다.

나에게는 꿈이 있습니다. 언젠가 조지아주의 붉은 언덕에서 노예의 후손과 노예 주인의 후손이 형제애라는 식탁 앞에 나란히 앉을 수 있는 날이 오리라는 꿈입니다.

나에게는 꿈이 있습니다. 부당함과 억압의 뜨거운 열기로 신음하는 미시시피주도 언젠가 자유와 정의가 샘솟는 오아시스가 되리라는 꿈입니다.

나에게는 꿈이 있습니다. 언젠가 내 아이들이 자신의 피부색이 아니라 인격으로 평가받는 나라에서 살게 되리라는 꿈입니다.

나 해양환경공단, 〈바다를 지켜 주세요〉

자막, 음성
무심코 지나쳤을 땐 보이지 않았습니다.

자막, 음성
지나고 나서야 보이기 시작했습니다.

자막
매년 해양 쓰레기 발생량 14만 5천 톤 16톤 트럭 9천 대
음성
아무렇지도 않게 바다에 버려지는 쓰레기로

자막
2014~2018년 해양 쓰레기 처리에 4,000억 사용
음성
우리의 바다는 병들고 있습니다.

자막, 음성
자녀들에게 물려줘야 할 소중한 재산

자막, 음성
우리의 바다를 지켜 주세요.

다 김연아, 〈평창 동계 올림픽 유치 연설〉

십 년 전 평창이 동계 올림픽 유치의 꿈을 꾸기 시작하였을 때, 저는 서울의 어느 빙상 경기장에서 올림픽 출전의 꿈을 꾸기 시작한 어린 소녀였습니다. 여러분도 아시다시피 한국의 많은 동계 종목 선수가 올림픽 출전의 꿈을 이루고자 훈련하러 가는 데에만 지구를 반 바퀴 돌아가야 합니다. 다행히도 그 당시 저는 한국에 좋은 훈련 시설과 코치들이 갖추어져 있는 동계 종목을 선택할 수 있었습니다. 그리고 이제 저의 꿈은 제가 누렸던 기회들을 다른 나라 선수들과 나누는 것입니다. 2018년 평창 올림픽이 그 꿈을 실현하는 데 도움이 될 수 있을 것입니다. [중략]

'새로운 지평(New horizons)'이라는 우리의 이상은 경기
ⁿ평창 동계 올림픽 유치 위원회의 표어.
장보다 훨씬 더 중요할지도 모르는 유산을 남길 것입니다. 그것은 바로 인적 유산입니다. 제가 바로 동계 스포츠 수준 향상을 위한 한국 정부의 노력이 낳은 살아 있는 유산입니다.

그리고 지금 저는 동계 올림픽 유치의 성공이 의미하는 바가 무엇인지 그 어느 때보다 더 잘 알고 있습니다. 그것은 바로 성공과 성취의 가능성입니다. 이것이야말로 전 세계 젊은이들에게 필요한 것이고 또 마땅히 주어져야 하는 것입니다.

17 (가)~(다)에 대한 설명으로 적절하지 <u>않은</u> 것은?

① (가)~(다): 설득을 목적으로 한다.

② (가)~(다): 사회의 문제점을 지적하고 있다.

③ (가): 화자는 인종과 상관없이 모두가 평등하게 대우받는 사회가 되기를 바라고 있다.

④ (나): 자막과 음성, 시각 이미지를 활용하여 주장을 전달하고 있다.

⑤ (다): 화자는 동계 올림픽이 평창에서 개최되어야 한다고 말하고 있다.

서술형

18 (가)와 (다)를 보고 나눈 대화의 빈칸에 들어갈 알맞은 말을 쓰시오.

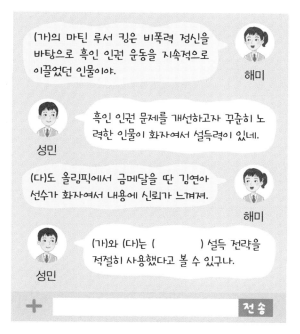

(가)의 마틴 루서 킹은 비폭력 정신을 바탕으로 흑인 인권 운동을 지속적으로 이끌었던 인물이야. — 해미

흑인 인권 문제를 개선하고자 꾸준히 노력한 인물이 화자여서 설득력이 있네. — 성민

(다)도 올림픽에서 금메달을 딴 김연아 선수가 화자여서 내용에 신뢰가 느껴져. — 해미

(가)와 (다)는 (   ) 설득 전략을 적절히 사용했다고 볼 수 있구나. — 성민

19 (가)에 사용된 설득 전략에 대해 <u>잘못</u> 말한 학생은?

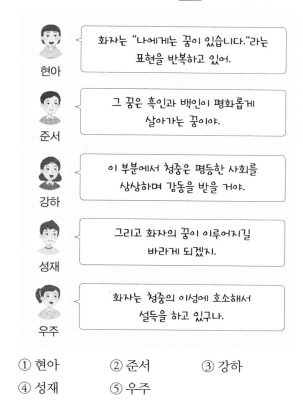

현아: 화자는 "나에게는 꿈이 있습니다."라는 표현을 반복하고 있어.

준서: 그 꿈은 흑인과 백인이 평화롭게 살아가는 꿈이야.

강하: 이 부분에서 청중은 평등한 사회를 상상하며 감동을 받을 거야.

성재: 그리고 화자의 꿈이 이루어지길 바라게 되겠지.

우주: 화자는 청중의 이성에 호소해서 설득을 하고 있구나.

① 현아 ② 준서 ③ 강하
④ 성재 ⑤ 우주

서술형

20 〈보기〉는 (나)에 사용된 설득 전략이다. ㉠~㉢이 어떤 설득 전략에 해당하는지 바르게 분류하시오.

보기

㉠ 해양 오염과 관련한 객관적인 수치를 보여 주는 자막을 제시함.

㉡ 쓰레기가 쌓여 있는 장면을 제시하여 걱정, 안타까움, 부끄러움 등의 감정을 유발함.

㉢ 바다가 병들었다고 말하거나 자녀를 위해 바다를 지켜 달라고 말하며 감정을 자극함.

(1) 이성적 설득 전략	
(2) 감성적 설득 전략	

핵심 정리 01   <까마귀 눈비 맞아>의 개관

● 작품 개관

갈래	고시조
주제	임을 향한 변함없는 마음
특징	① 상징적 소재인 '❶ ㄲㅁㄱ '와 '야광명월'을 대비하여 주제를 강조함. ② 설의법을 써서 화자의 ❷ ㅇㅈ 를 강조함.

답 ❶ 까마귀 ❷ 의지

핵심 정리 02   <까마귀 눈비 맞아>의 짜임

● 시조의 짜임

초장	흰 듯 보이지만 검은 까마귀
중장	밤에도 밝게 빛나는 ❶ ㅇㄱㅁㅇ
종장	임을 향한 ❷ ㅇㅍㄷㅅ

답 ❶ 야광명월 ❷ 일편단심

핵심 정리 03   <들판이 적막하다>의 개관

● 작품 개관

갈래	현대시
주제	적막한 ❶ ㄷㅍ 에서 깨달은 생태계의 위기
특징	① 가을 들판의 ❷ ㅍㅇㄹㅇ 과 적막함을 대비하여 주제를 강조함. ② 쉼표, 줄표, 느낌표, 말줄임표 등을 사용하여 화자의 정서를 효과적으로 드러냄.

답 ❶ 들판 ❷ 풍요로움

핵심 정리 04   <들판이 적막하다>의 짜임

● 시의 짜임

1연	들판의 눈부심과 ❶ ㅈㅁㅎ
2연	생명의 ❷ ㅎㄱㄱㄹ 가 끊어진 들판

답 ❶ 적막함 ❷ 황금 고리

02 이것만은 꼭! ❶ 이 시조가 창작된 사회·문화적 배경

사회·문화적 배경	• 1455년 수양 대군이 ❶ ㄷㅈ 의 왕위를 배앗고 왕이 됨. • 두 임금을 섬길 수 없다는 신념으로 박팽년, 성삼문, 이개 등이 단종 복위 운동을 펼침.

↓

주제	단종을 향한 변함없는 ❷ ㅊㅅㅅ

02 이것만은 꼭! ❷ 이 시조를 오늘날의 삶에 비추어 감상할 때 할 수 있는 질문

• 화자의 삶의 태도가 오늘날에도 중요하다고 생각하는가?
• 화자의 삶과 비교하였을 때 자신은 어떻게 살고 있는가?

답 ❶단종 ❷충성심

---

01 이것만은 꼭! ❶ 시어에 담긴 대조적 의미

까마귀	야광명월
검다	밝다, 빛난다
부정적인 존재	긍정적인 존재
세조의 왕위 찬탈에 동조한 이들	단종 복위 운동을 펼친 이들
❶ ㄱㅅ	❷ ㅊㅅ

↔

이 시조에서 '까마귀'와 '야광명월'은 의미가 대비되고 있어.

답 ❶간신 ❷충신

---

04 이것만은 꼭! ❶ 이 시가 창작된 사회·문화적 배경

사회·문화적 배경	• 벼의 수확량을 늘리려고 사용한 농약 때문에 들판에서 ❶ ㅁㄸㄱ 가 사라짐. • 생태계의 조화를 생각하지 않고 인간의 이익을 위해 환경을 파괴하고 있음.

↓

주제	적막한 들판에서 깨달은 생태계의 ❷ ㅇㄱ

04 이것만은 꼭! ❷ 이 시를 오늘날의 삶에 비추어 감상할 때 할 수 있는 질문

• 우리 주변에 환경과 관련하여 비슷한 문제가 있는가?
• 자신은 이러한 문제에 관해 어떻게 생각하는가?
• 이러한 문제를 해결하려면 어떻게 해야 하는가?

답 ❶메뚜기 ❷위기

---

03 이것만은 꼭! ❶ 이 시의 상황

풍요로운 가을 들판	❶ ㄱㄹㄷ (분위기의 전환)	메뚜기가 없는 적막한 들판
눈부시다 (긍정적 이미지)	↔	❷ ㅂㄱㅎㄷ (부정적 이미지)

03 이것만은 꼭! ❷ 시구 '생명의 황금 고리가 끊어졌느니……'의 의미

메뚜기가 사라지면서 연관된 생명체들 사이의 유기적인 연결이 끊어짐.	→	• 생태계의 조화가 무너졌음. • 생태계가 파괴되었음.

답 ❶그런데 ❷불길하다

핵심 정리 05   <꺼삐딴 리>의 개관

● 작품 개관

갈래	현대 소설
배경	• 시간: 일제 강점기에서 1950년대까지 • 공간: 한반도의 북쪽과 남쪽
주제	시대와 상황에 따라 빠르게 변신하는 기회주의자의 삶을 비판
특징	① 일제 강점기, **❶** ㅅㄹㄱ 주둔 시기, 6·25 전쟁 이후 1950년대를 배경으로 함. ② 급변하는 시대에 대응하는 인물의 모습이 잘 나타남. ③ 기회주의자의 삶을 풍자함. ④ 현재와 **❷** ㄱㄱ 를 오가는 구성이 나타남.

답 ❶ 소련군 ❷ 과거

핵심 정리 06   <꺼삐딴 리>의 짜임

● 글의 짜임

발단	일제 강점기가 끝나고 이인국은 **❶** ㄱㅂ 을 맞이함.
전개	이인국은 친일 행적 때문에 초조하다가 치안대에 잡혀가 문초를 당함.
위기	감방에 전염병 환자가 생기자 이인국이 응급 치료실에서 일하게 됨.
절정	스텐코프의 **❷** ㅎ 을 제거한 이인국이 처벌을 받지 않고 풀려남.
결말	6·25 전쟁 후 이인국이 브라운의 도움으로 미국행을 준비함.

답 ❶ 광복 ❷ 혹

핵심 정리 07   사회·문화적 배경 변화에 따른 인물의 대응

● 사회·문화적 배경 변화에 따른 이인국의 대응

시기	이인국의 대응
일제 강점기	일제에 적극 협조하여 부와 권력을 누림.
해방 직후	자신의 **❶** ㅊㅇ 행적이 발각될까 봐 초조해하면서 상황을 지켜봄.
소련군 주둔 시기	• 치안대에 끌려가지만 스텐코프의 혹을 제거하여 처벌받지 않고 풀려남. • 소련군과 친분을 쌓고 아들을 소련에 유학 보내는 등 **❷** ㅅㄹ 에 우호적인 태도를 보이며 부와 권력을 얻으려 노력함.
6·25 전쟁 시기	1·4 후퇴 때 아내와 딸을 데리고 남쪽으로 옴.
6·25 전쟁 이후	미국에 우호적인 태도를 보이며 부와 권력을 유지함.

답 ❶ 친일 ❷ 소련

핵심 정리 08   작가의 창작 의도

● 작가의 창작 의도

이인국은 일제 강점기에는 친일파, 소련군 주둔 시기에는 친소파, 6·25 전쟁 후에는 **❶** ㅊㅁㅍ 가 되어 부와 권력을 추구함.

↓

• 도덕이나 인의와 관계없이 시대에 따라 자신에게 이로운 쪽으로 행동하는 사람에 대한 비판
• 기회주의자의 삶에 대한 **❷** ㅍㅈ
• 부와 권력만 좇는 부패한 기득권에 대한 비판

작가는 이인국을 통해 시대와 상황에 따라 빠르게 변신하는 기회주의자의 삶을 비판하고 있어.

답 ❶ 친미파 ❷ 풍자

06 이것만은 꼭! 등장인물 소개 ②

혜숙	• 이인국이 재혼한 여성으로, 북쪽에 있을 때 함께 일했던 간호사 • 둘 사이에 어린 아들이 있음.
춘석	• 일제 강점기 말에 이인국의 병원에서 입원을 거부당한 ❶ ㅅㅅㅂ • 광복 후 치안대에 끌려온 이인국을 문초함.
스텐코프	• 이인국이 치안대에 끌려갔을 때 만난 소련군 장교 • 이인국이 혹 제거 수술에 성공하자 그를 믿고 도와줌.
브라운	• 미국 ❷ ㄷㅅㄱ 에서 일하는 사람 • 이인국의 미국행을 도와줌.

답 ❶ 사상범 ❷ 대사관

---

05 이것만은 꼭! 등장인물 소개 ①

이인국	• 제국 대학을 졸업한 외과 ❶ ㅇㅅ 로, 현재는 종합 병원의 원장 • 상황에 따라 일본, 소련, 미국을 따르며 부와 권력을 좇아 살아감.
아내	• 이인국의 사별한 부인 • 1·4 후퇴 때 남한으로 온 뒤 거제도 수용소에서 죽음.
원식	• 이인국의 ❷ ㅇㄷ 로, 소련군 주둔 시기에 소련으로 유학을 떠남. • 6·25 전쟁이 일어난 뒤 소식이 끊김.
나미	• 이인국의 딸로, 6·25 전쟁이 끝난 뒤 미국으로 유학을 떠남. • 지도 교수인 미국인과 결혼하려 함.

답 ❶ 의사 ❷ 아들

---

08 이것만은 꼭! 이 소설을 오늘날의 삶에 비추어 감상할 때 할 수 있는 질문

• 이인국과 동시대를 살아간 한국인들은 그의 삶의 ❶ ㅌㄷ 를 어떻게 평가했을까? • 이인국의 삶의 태도를 어떻게 생각하는가? • 이인국의 삶에서 어떤 ❷ ㄲㄷㅇ 을 얻을 수 있는가? • 오늘날에도 이인국과 같은 삶의 태도를 지닌 사람이 있을까?

여러분은 저의 삶에 대해 어떻게 생각하십니까?

답 ❶ 태도 ❷ 깨달음

---

07 이것만은 꼭! 이인국의 삶의 태도

• 일제 강점기에는 모범적인 ❶ ㅎㄱㅅㅁ 으로 살며 친일 행적을 보임. • 소련군 주둔 시기에는 감방에서 노어를 공부하고, 아들을 소련으로 유학 보내는 등 친소 행적을 보임. • 6·25 전쟁이 끝난 후에는 영어를 공부하고, 딸을 미국으로 유학 보내는 등 친미 행적을 보임.

• 자신의 ❷ ㅇㅇ 과 생존만을 위해 행동함. • 기회주의자로 옳고 그름과는 상관없이 상황에 따라 변신함.

답 ❶ 황국 신민 ❷ 이익

핵심 정리 09 　더 읽어 보기 <세 얼간이>

● 작품 개관

갈래	시나리오
배경	• 시간: 현대 • 공간: ❶ ⬚ㅇㄷ 의 어느 대학
제재	세 대학생이 처한 현실과 꿈을 향한 도전
주제	사회가 요구하는 대로 살지 말고 자신이 원하는 일을 하며 살아야 함.
특징	① 현실에 대응하는 다양한 모습을 보여 줌. ② 어려움을 극복해 나가는 인물들의 모습을 유쾌하게 표현함. ③ 창의성과 ❷ ⬚ㄱㅅ 을 무시한 획일적인 교육 제도와 출세 지상주의를 비판함.

답 ❶ 인도 ❷ 개성

핵심 정리 10 　파르한과 아버지의 갈등

● 파르한과 아버지의 갈등

파르한		아버지
• 사실 공학자가 아니라 ❶ ⬚ㅅㅈㄱ 가 되고 싶음. • 공학이 싫음. • 자신이 좋아하는 일을 하고 싶음.	⟷	• 파르한은 ❷ ⬚ㄱㅎㅈ 가 되어야 함. • 공학자가 되면 돈을 많이 벌 수 있음. • 사진작가가 되면 나중에 후회할 것임.

파르한과 아버지는 파르한의 진로와 관련하여 갈등하고 있어.

답 ❶ 사진작가 ❷ 공학자

핵심 정리 11 　논증과 논증 방법

● 논증

주장과 근거 사이의 관계 또는 하나 이상의 명제를 근거로 들어서 주장을 펼치는 것

● 논증 방법

❶ ⬚ㄱㄴ	개별적인 특수한 사실이나 원리로부터 일반적이고 보편적인 명제나 법칙을 이끌어 내는 논증 방법
연역	일반적인 사실이나 원리로부터 개별적인 사실이나 좀 더 특수한 다른 원리를 이끌어 내는 논증 방법
❷ ⬚ㅇㅊ	두 대상이 여러 면에서 비슷하다는 것을 근거로 하여 다른 속성도 유사할 것이라고 추론하는 논증 방법

답 ❶ 귀납 ❷ 유추

핵심 정리 12 　<왜 속도를 고민해야 하는가?>의 개관

● 제재 개관

갈래	주장하는 글
주제	속도를 지나치게 중요시하지는 않았는지 반성하고, 작은 불편은 받아들일 줄 아는 소비자가 되자.
특징	① 제목을 ❶ ⬚ㅇㅁㅁ 으로 제시하여 독자의 호기심을 유발함. ② 귀납과 ❷ ⬚ㅇㅇ 을 사용함. ③ 통계 자료를 활용하여 주장의 타당성을 높임.

답 ❶ 의문문 ❷ 연역

핵심 정리 10

10 이것만은 꼭! ① 이 글에 반영된 인도의 사회·문화적 배경

- 부모의 생각이나 가정 형편에 따라 진학과 진로를 결정하는 경우가 많음.
- 교육이 개인의 **①** [ㅊㅇㅅ] 과 개성, 학습의 과정보다 경쟁과 결과를 중요하게 여김.
- 정보 기술 산업이 발달하여 공학자의 인기가 높음.
- 돈을 많이 벌려고 공부를 하고 직장을 얻음.

10 이것만은 꼭! ② 우리의 삶과 관련하여 할 수 있는 질문

- 진학이나 **②** [ㅈㄹ] 를 결정할 때 중요하게 생각해야 하는 것은 무엇인가?
- 자신이 하고 싶은 일은 무엇이고, 왜 그 일을 하고 싶은가?

답 ① 창의성 **②** 진로

핵심 정리 09

09 이것만은 꼭! 파르한이 처한 상황과 란초의 충고

파르한의 상황	• 야생 동물 **①** [ㅅㅈㅈㄱ] 가 되고 싶음. • 아버지의 바람 때문에 공학자가 되려고 원하지 않는 공학 공부를 하고 있음.

↓

란초의 충고	• 파르한은 본인이 실제 소망하는 대로 사진작가가 되어야 함. • 공학 공부를 그만두고 **②** [ㄲ] 을 찾아야 함.

파르한은 전공인 공학보다 사진에 관심이 많아.

란초는 그걸 알고 파르한에게 꿈을 찾으라고 충고해.

답 ① 사진작가 **②** 꿈

핵심 정리 12

12 이것만은 꼭! 글쓴이가 주장의 타당성과 신뢰성을 높이기 위해 사용한 방법

- 택배 기사들이 장시간의 노동에 시달리고 있다는 것을 통계 자료를 활용하여 보여 줌.
- 택배 기사들의 수입에 관한 구체적인 **①** [ㅅㅊ] 를 제시함.

↓

택배 기사들이 처한 상황에 대한 객관적인 근거를 제시하여 주장의 **②** [ㅌㄷㅅ] 과 신뢰성을 높임.

답 ① 수치 **②** 타당성

핵심 정리 11

11 이것만은 꼭! ① '본론'에 사용된 논증 방법: 귀납

- 빠른 속도를 강요하는 배달 구조 때문에 교통사고가 많이 발생한다.
- 정해진 배송 시간을 지키려고 택배 기사들이 과도한 노동을 하고 있다.
- 택배 시장의 규모는 커졌지만 택배 기사들의 수입은 달라지지 않았다.

↓

택배 기사들이 열악한 **①** [ㄴㄷ] 환경에 처해 있다.

11 이것만은 꼭! ② '결론'에 사용된 논증 방법: 연역

- 모든 노동자는 바람직한 환경에서 일할 권리가 있다.
- 택배 기사들은 택배 산업에서 핵심이 되는 노동자들이다.

↓

택배 기사들 역시 바람직한 환경에서 일할 **②** [ㄱㄹ] 를 보장받아야 한다.

답 ① 노동 **②** 권리

핵심 정리 13   <이옥설>의 개관

● 작품 개관

갈래	설(說)
제재	집을 수리한 경험
주제	잘못을 알았을 때에는 바로 고쳐야 한다.

특징	① 주장을 ^❶ ㅇㅊ 를 사용하여 이끌어 내고 있음. ② 글쓴이의 경험을 먼저 제시하고 이를 통해 얻은 ^❷ ㄲㄷㅇ 을 덧붙이는 방식으로 내용을 전개함.

핵심 정리 14   설득 전략

● 설득 전략

인성적 설득 전략	• 화자의 됨됨이, 그가 전하는 메시지의 신뢰성을 바탕으로 하여 청중을 설득하는 전략 • 화자가 주제와 관련하여 충분한 경험과 전문성을 갖추고 성실하고 진지한 자세로 이야기할 때 청중의 신뢰를 얻을 수 있음.
^❶ ㅇㅅㅈ 설득 전략	• 논리적이고 이성적인 방법으로 주장을 뒷받침하는 전략 • 적절한 논증 방법을 사용하거나 통계 자료, 전문가의 의견, 역사적 사실 등을 근거로 들어 설득함.
감성적 설득 전략	• 청중의 ^❷ ㄱㅈ 에 호소하여 청중의 마음을 움직이는 전략 • 슬픔, 분노, 동정심, 행복감, 욕망, 질투심, 자긍심, 죄책감 등 청중의 감정에 호소함.

핵심 정리 15   <나에게는 꿈이 있습니다>의 개관

● 제재 개관

갈래	^❶ ㅇㅅ
주제	인종과 상관없이 모두가 평등하게 살아갈 수 있도록 다 함께 노력하자.

특징	① 링컨 대통령의 <^❷ ㄴㅇ 해방 선언>이나 미국의 '건국 신조'와 같은 역사적 사실을 근거로 들어 설득함. ② 흑인이 차별받고 있는 사례를 구체적으로 제시하여 청자의 공감을 이끌어 냄. ③ 비유적 표현을 사용하여 자신의 생각을 효과적으로 드러냄.

핵심 정리 16   더 읽어 보기 <논증의 오류>

● 제재 개관

갈래	설명문
제재	논증의 ^❶ ㅇㄹ
주제	일상생활에서 자주 저지르는 다양한 논증의 오류

특징	① 논증의 오류를 이해하기 쉽게 ^❷ ㅇ 를 들어 설명함. ② 다섯 개의 소제목으로 나누어 본문을 구성함.

초고추장   빵   초고추장을 바른 빵

14 이것만은 꼭! 본문에 사용된 설득 전략

인성적 설득 전략	비폭력 정신을 바탕으로 하여 ❶ ㅎㅇ 인권 운동을 지속적으로 이끌어 온 화자의 경험과 전문성이 주장의 설득력과 신뢰성을 높임.
이성적 설득 전략	• 역사적 사실(<노예 해방 선언>, 건국 신조)을 근거로 들어 설득함. • 논증 방법(❷ ㅇㅇ)을 사용하여 설득함.
감성적 설득 전략	• 차별받는 흑인의 상황에 청중이 슬픔과 분노를 느끼게 함. • 흑인을 차별하는 사람들의 불안감을 자극함. • 이상적인 미래 상황을 묘사하여 청중에게 감동을 줌.

답 ❶흑인 ❷연역

---

13 이것만은 꼭! 이 글에 사용된 논증 방법: 유추

집의 경우
• 비가 샌 지 오래된 두 칸의 재목은 바로 고치지 않아 못 쓰게 됨.
• 비가 샐 때 바로 고친 한 칸의 재목은 다시 쓸 수 있었음.

⬇ 유사함 ⬇

❶ ㅅㄹ 의 경우
• 사람이 잘못을 바로 고치지 않으면 나쁘게 됨.
• 사람이 잘못을 알고 바로 고치면 착한 사람이 될 수 있음.

❷ ㅈㅊ 의 경우
• 백성을 좀먹는 무리들을 내버려 두면 백성들이 도탄에 빠지고 나라가 위태롭게 됨.
• 백성을 좀먹는 무리들의 잘못을 즉시 고쳐야 나라가 바로 서게 됨.

답 ❶사람 ❷정치

---

16 이것만은 꼭! 이 글에서 설명한 논증의 오류

결합의 오류	각 부분에 나타난 특징이 전체 집합에서도 나타날 것이라는 가정을 받아들일 때 발생하는 오류
피장파장의 오류	상대방이 주장하는 내용이 상대방의 실제 생활과 일치하지 않는다거나 상대방 자신에게 적용된다고 지적할 때 발생하는 오류
논점 ❶ ㅇㅌ 의 오류	주장이 타당함을 드러내 보이려고 제시한 근거가 실제로는 다른 주장을 향하고 있을 때 발생하는 오류
인신공격의 오류	주장하는 사람의 개인적 특성을 근거로 들어 그 주장이 잘못된 것이라고 비판할 때 발생하는 오류
성급한 ❷ ㅇㅂㅎ 의 오류	너무 적은 수의 표본으로 일반화된 결론을 이끌어 낼 때 발생하는 오류

답 ❶일탈 ❷일반화

---

15 이것만은 꼭! 이 연설의 배경과 목적

배경	흑인을 향한 인종 ❶ ㅊㅂ 이 심했던 상황
화자와 청자	• 화자: 마틴 루서 킹 • 청자: 워싱턴 광장에 모인 사람들
목적	인종 차별 없이 모두가 ❷ ㅍㄷ 하게 살아가는 사회를 만들자고 설득하려 함.

답 ❶차별 ❷평등

'쉽고 빠르게' 수능 국어의 기초를 쌓다!

시작은 # 하루 수능 국어

[국어 기초 / 문학 기초 / 독서 기초]

1·6·5·4 프로젝트 완성

하루 6쪽, 일주일에 5일,
4주 완성의 간결한 구성으로
단기간에 수능 국어 입문!

하루하루 쌓이는 공부 습관

만화, 그림, 퀴즈 등을 활용한
재미있는 구성과 부담 없는 하루 학습량으로
공부 습관과 함께 자라나는 자신감!

최적의 수능 입문서

어렵고 복잡한 설명은 NO!
이해하기 쉽고 직관적인 설명으로
국어의 기본기를 탄탄하게!

수능 국어에 다가가는 완벽한 첫걸음! 예비고~고2(국어 기초/문학 기초/독서 기초)

book.chunjae.co.kr

교재 내용 문의 ·················· 교재 홈페이지 ▶ 중등 ▶ 교재상담
교재 내용 외 문의 ·················· 교재 홈페이지 ▶ 고객센터 ▶ 1:1문의
발간 후 발견되는 오류 ············ 교재 홈페이지 ▶ 중등 ▶ 학습지원 ▶ 학습자료실

7일 끝

기말고사

7일 끝으로 끝내자!

중학 국어 3-2

BOOK 2

천재교육

언제나 만점이고 싶은 친구들

Welcome!

숨 돌릴 틈 없이 찾아오는 시험과 평가,
성적과 입시 그리고 미래에 대한 걱정.
중·고등학교에서 보내는 6년이란 시간은
때때로 힘들고, 버겁게 느껴지곤 해요.

그런데 여러분, 그거 아세요?
지금 이 시기가 노력의 대가를
가장 잘 확인할 수 있는 시간이라는 걸요.

안 돼, 못하겠어, 해도 안 될 텐데–
어렵게 생각하지 말아요. 천재교육이 있잖아요.
첫 시작의 두려움을 첫 마무리의 뿌듯함으로 바꿔줄게요.

펜을 쥐고 이 책을 펼친 순간
여러분 앞에 무한한 가능성의 길이 열렸어요.

우리와 함께 꽃길을 향해 걸어가 볼까요?

#시험대비
#핵심정복

7일 끝
중간고사
기말고사

Chunjae
Makes
Chunjae

▼

[7일 끝] 중학 국어 박영목 3-2

개발총괄	김덕유
편집개발	정인구, 이명진, 이동주
조판	대진문화인쇄(구민범, 장진희, 최진영, 강성희, 임수정)
제작	황성진, 조규영

발행일	2021년 6월 15일 초판 2021년 6월 15일 1쇄
발행인	(주)천재교육
주소	서울시 금천구 가산로9길 54
신고번호	제2001-000018호
고객센터	1577-0902
교재 내용문의	(02)3282-1788

박영목 교과서

7일 끝으로 끝내자!

중학 국어 3-2

BOOK 2

7일 끝 중학 국어

차례

1일

3-(1) 문장의 짜임

생각 열기 레서가 친구의 말을 한 번에 이해하지 못한 까닭은 무엇일까?

공부할 내용
❶ 문장의 기본 구조 파악하기
❷ 문장의 주성분, 부속 성분, 독립 성분 이해하기

야, 제대로 된 문장으로 말해야지.

은수가 상대방에게 자신의 의도를 잘 전달하려면 제대로 된 문장으로 말하라고 한다. 역시 똑똑한 내 짝!

우리 체험 학습 장소가 박물관이 아니래.

아, 체험 학습 장소가 박물관이 아니라는 말이구나. 이젠 알겠어.

미안 미안

그래서 어디로 바뀌었대?

밤 농장이래. 밤 따기 체험 한다고 하더라.

밤…… 맛있겠다. 빨리 체험 학습 날이 오면 좋겠다.

1일 교과서 핵심 정리

교과서 118~123쪽

핵심 1 문장의 기본 구조

주어		서술어		서술어의 특성
누가/무엇이	+	어찌하다	—	대상의 ❶[ ][ ][ ]을 나타냄.(동사)
누가/무엇이	+	어떠하다	—	대상의 상태나 성질을 나타냄.(❷[ ][ ][ ])
누가/무엇이	+	무엇이다	—	대상을 지정함.(체언+서술격 조사) 이다

❶ 움직임

❷ 형용사

핵심 2 문장 성분

주어, 서술어와 같이 문장 안에서 일정한 문법적 기능을 하는 부분을 ❸[ ][ ][ ][ ]이라고 한다.

❸ 문장 성분

핵심 3 문장의 주성분

문장을 이루는 데 기본적으로 필요한 성분을 ❹[ ][ ][ ]이라고 한다.

❹ 주성분

주어	동작이나 작용, 상태나 성질 등의 ❺[ ][ ]가 되는 문장 성분. 예 아기가 우유를 먹는다. 　주어	❺ 주체
❻[ ][ ][ ]	주어의 동작이나 작용, 상태나 성질 등을 풀이하는 문장 성분. 예 영수가 꽃다발을 샀다. 　　　　서술어	❻ 서술어
목적어	서술어가 나타내는 ❼[ ][ ]의 대상이 되는 문장 성분. 예 경미가 과일을 먹는다. 　　　목적어	❼ 동작
보어	'되다', '아니다'와 같은 서술어가 ❽[ ][ ] 외에 요구하는 문장 성분. 예 물이 얼음이 되었다. 　　　보어	❽ 주어

기초 확인 문제

정답과 해설 **36쪽**

01 빈칸에 들어갈 알맞은 말을 쓰시오.

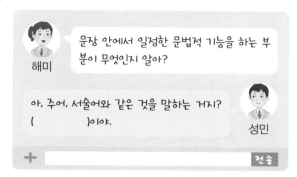

해미: 문장 안에서 일정한 문법적 기능을 하는 부분이 무엇인지 알아?

성민: 아, 주어, 서술어와 같은 것을 말하는 거지? ( )이야.

＋   전송

02 다음 서술어의 특징을 바르게 연결하시오.

(1) 어찌하다 ·

(2) 어떠하다 ·

(3) 무엇이다 ·

· ㉠ 대상의 상태나 성질을 나타냄.

· ㉡ 대상의 움직임을 나타냄.

· ㉢ 대상을 지정함.

03 다음 문장의 구조를 〈보기〉에서 고르시오.

┌─ 보기 ─────────────
㉠ 누가/무엇이 + 어찌하다
㉡ 누가/무엇이 + 어떠하다
㉢ 누가/무엇이 + 무엇이다
└────────────────────

(1) 내일이 토요일이다. ➡ ( )
(2) 시냇물이 깨끗하다. ➡ ( )
(3) 강아지가 달린다. ➡ ( )

04 빈칸에 들어갈 알맞은 말을 쓰시오.

(1) 동작이나 작용, 상태나 성질 등의 주체가 되는 문장 성분은 ( )이다.

(2) 주어의 동작이나 작용, 상태나 성질 등을 풀이하는 문장 성분은 ( )이다.

(3) 서술어가 나타내는 동작의 대상이 되는 문장 성분은 ( )이다.

(4) '되다', '아니다'와 같은 서술어가 주어 외에 요구하는 문장 성분은 ( )이다.

05 다음 중 말한 내용이 적절하지 <u>않은</u> 학생을 쓰시오.

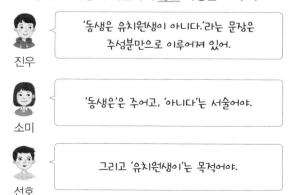

진우: '동생은 유치원생이 아니다.'라는 문장은 주성분만으로 이루어져 있어.

소미: '동생은'은 주어고, '아니다'는 서술어야.

선호: 그리고 '유치원생이'는 목적어야.

핵심 4 문장의 부속 성분

주성분의 내용을 자세하게 꾸며 주는 역할을 하는 문장 성분을 **❶**[ ][ ][ ]이라고 한다.

❶부속 성분

❷[ ][ ][ ]	체언을 꾸며 주는 문장 성분. 예 • 할머니께서 <u>옛</u> 친구를 만나셨다. → 체언 '친구'를 꾸며 줌. • 가을은 <u>독서의</u> 계절이다. → 체언 '계절'을 꾸며 줌. • <u>새하얀</u> 눈이 내렸다. → 체언 '눈'을 꾸며 줌.
부사어	주로 **❸**[ ][ ]을 꾸며 주는 문장 성분. 때로는 관형어나 다른 **❹**[ ][ ][ ]를 꾸며 주기도 하고, **❺**[ ][ ] 전체를 꾸며 주기도 한다. 예 • 장미꽃이 <u>참</u> 예쁘다. → 용언 '예쁘다'를 꾸며 줌. • 학생들이 <u>학교에</u> 간다. → 용언 '간다(가다)'를 꾸며 줌. • 현수가 <u>아주</u> 헌 책을 발견하였다. → 관형어 '헌'을 꾸며 줌. • 시간이 <u>매우</u> <u>빨리</u> 흐른다. → '매우'는 부사어 '빨리'를 꾸며 주고, '빨리'는 용언 '흐른다(흐르다)'를 꾸며 줌. • <u>과연</u> 그는 훌륭한 예술가로구나. → 문장 전체를 꾸며 줌.

❷관형어

❸용언
❹부사어
❺문장

🧭 **도움말**
• **체언** 문장에서 주로 주어나 목적어 등이 되는 자리에 오는 명사, 대명사, 수사를 통틀어 이르는 말.
• **용언** 문장에서 주로 주어를 서술하는 역할을 하는 동사, 형용사를 통틀어 이르는 말.

핵심 5 문장의 독립 성분

문장의 다른 성분과 직접적인 관계를 맺지 않고 독립적으로 쓰이는 성분을 **❻**[ ][ ][ ]이라고 한다.

❻독립 성분

❼[ ][ ][ ]	문장의 다른 성분과 직접적인 관련이 없이 독립적으로 쓰이며 부름, **❽**[ ][ ], 응답 등을 나타내는 문장 성분. 예 • <u>지영아</u>, 너는 피아노를 정말 잘 치는구나. → 부름 • <u>세상에</u>, 이게 무슨 일이야? → 감탄 • <u>응</u>, 나 여기에 있어. → 응답

❼독립어
❽감탄

기초 확인 문제

정답과 해설 36쪽

06 빈칸에 들어갈 알맞은 말을 쓰시오.

(1) 부속 성분은 (   )의 내용을 자세하게 꾸며 주는 역할을 하는 문장 성분이다.

(2) 독립 성분은 문장의 다른 성분과 직접적인 관계를 맺지 않고 (   )으로 쓰이는 성분이다.

07 다음 설명에 해당하는 부속 성분을 바르게 연결하시오.

(1) 체언을 꾸며 주는 문장 성분 •

(2) 주로 용언을 꾸며 주는 문장 성분 •

• ㉠ 관형어

• ㉡ 부사어

08 다음 문장에서 부속 성분을 찾아 쓰시오.

(1) 찬미가 새 모자를 썼다.

➡ (   )

(2) 개미가 먹이를 부지런히 나른다.

➡ (   )

09 다음 문장에 쓰인 부속 성분에 관해 잘못 이해한 학생을 쓰시오.

범수가 모든 유리창을 깨끗이 닦았다.

현아: 이 문장에 쓰인 부속 성분은 '모든'과 '깨끗이'야.

성재: '모든'은 '유리창'을, '깨끗이'는 '닦았다'를 꾸며 주고 있어.

우주: '모든'의 문장 성분은 부사어, '깨끗이'의 문장 성분은 관형어야.

지민: 이 문장에서 관형어는 체언을 꾸며 주고, 부사어는 용언을 꾸며 주고 있어.

10 다음 문장에서 독립 성분을 찾아 쓰시오.

응, 민아는 밖에 있어.

11 다음 문장에서 밑줄 친 독립어가 무엇을 나타내는지 〈보기〉에서 고르시오.

┌ 보기 ┐
부름, 감탄, 응답

(1) <u>네</u>, 아기가 우유를 먹었어요. ➡ (   )

(2) <u>우아</u>, 밖에 눈이 펑펑 내리네! ➡ (   )

(3) <u>경식아</u>, 저 강아지 정말 귀엽다. ➡ (   )

빈출 유형 문장의 기본 구조 이해

01 ㉠~㉢의 예로 적절하지 <u>않은</u> 것은?

> 문장의 기본 구조는 ㉠'누가/무엇이+
> 어찌하다', ㉡'누가/무엇이+어떠하다',
> ㉢'누가/무엇이+무엇이다'로 나눌 수 있어.

① ㉠: 바람이 시원하다.
② ㉠: 나무가 자라다.
③ ㉡: 하늘이 높다.
④ ㉡: 무지개가 예쁘다.
⑤ ㉢: 취미는 등산이다.

도움말
우리말 문장의 기본 구조는 서술어의 종류에 따라 세 가지 유형으로 나눌
수 있어요.

02 ⟨보기⟩와 문장의 구조가 같은 것은?

> ─ 보기 ─
> 새가 노래한다.

① 달이 밝다.　　② 꽃이 많다.
③ 건후가 걷는다.　　④ 내가 동생이다.
⑤ 오늘은 금요일이다.

빈출 유형 문장의 주성분 파악

03 다음 문장에서 ㉠~㉢의 문장 성분이 무엇인지 쓰시오.

> 우리는 공원에서 작은 <u>토끼를</u> <u>보았다.</u>
> 　　　　　　　㉠　　　㉡　　㉢

㉠: _____　　㉡: _____　　㉢: _____

빈출 유형 주성분의 역할 이해

04 ⟨보기⟩의 ㉠~㉢에 대한 설명으로 적절하지 <u>않은</u> 것은?

> ─ 보기 ─
> ㉠ 선호가 숙제를 끝냈다.
> ㉡ 소미가 회장이 되었다.
> ㉢ 진우는 막내가 아니다.

① ㉠: '숙제를'은 서술어가 나타내는 동작의 대상
이다.
② ㉠: '끝냈다'는 주어의 동작을 풀이하는 말이다.
③ ㉡: '소미가'는 동작의 주체가 되는 말이다.
④ ㉡: '회장이'를 생략해도 문장은 온전하다.
⑤ ㉢: '막내가'는 서술어 '아니다'가 주어 외에 요구
하는 말이다.

05 밑줄 친 부분의 문장 성분이 <u>다른</u> 것은?

① <u>하늘이</u> 맑다.
② <u>연서는</u> 학생이다.
③ <u>반죽이</u> 빵이 되었다.
④ 그는 <u>범인이</u> 아니다.
⑤ <u>승우는</u> 진하를 기다렸다.

빈출 유형 문장의 부속 성분 파악

06 다음 문장에서 ㉠과 ㉡의 문장 성분이 무엇인지 쓰시오.

> <u>이</u> 영화는 <u>정말</u> 재미있다.
> ㉠　　　　㉡

㉠: _____　　㉡: _____

[빈출 유형] 관형어와 부사어 구분

07 밑줄 친 부분의 문장 성분이 <u>다른</u> 것은?

① <u>커다란</u> 꽃이 피었다.

② 예리는 <u>매우</u> 성실하다.

③ 범기는 <u>새</u> 신발을 샀다.

④ <u>귀여운</u> 강아지가 산책을 한다.

⑤ 경미는 <u>모든</u> 음식을 주문하였다.

08 다음 문장의 밑줄 친 부분에 대한 설명으로 적절하지 <u>않</u>은 것은?

라면이 <u>보글보글</u> 끓는다.

① 품사는 부사이다.

② 문장 성분은 부사어이다.

③ 용언을 꾸며 주는 역할을 한다.

④ 생략하면 문장이 이루어지지 않는다.

⑤ 생략했을 때보다 있을 때 문장의 의미가 더 자세하다.

09 다음 대화를 보고, 괄호에서 알맞은 말을 골라 순서대로 쓰시오.

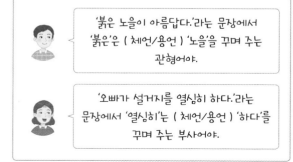

'붉은 노을이 아름답다.'라는 문장에서 '붉은'은 (체언/용언) '노을'을 꾸며 주는 관형어야.

'오빠가 설거지를 열심히 하다.'라는 문장에서 '열심히'는 (체언/용언) '하다'를 꾸며 주는 부사어야.

[빈출 유형] 문장의 독립 성분 파악

10 다음 질문의 답으로 적절한 것은?

다음 중, 문장에서 다른 성분과 직접적인 관계를 맺지 않고 독립적으로 쓰이는 말이 포함된 문장은 무엇일까요?

① 준호가 정말 여기에 올까?

② 흰 구름이 두둥실 흘러간다.

③ 저런, 애들이 벌써 도착했어.

④ 나는 옛 친구를 우연히 만났다.

⑤ 과연 그녀는 훌륭한 운동선수로구나.

[빈출 유형] 문장 성분의 종류 이해

11 다음은 문장 성분의 종류를 정리한 메모이다. ㉠~㉢에 들어갈 말이 바르게 짝지어진 것은?

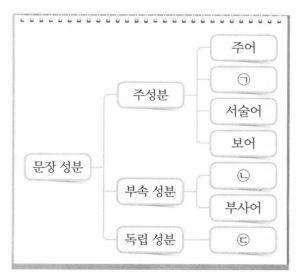

	㉠	㉡	㉢
①	목적어	독립어	관형어
②	목적어	관형어	독립어
③	관형어	목적어	독립어
④	관형어	독립어	목적어
⑤	독립어	목적어	관형어

2일 3-(1) 문장의 짜임

생각 열기 문장들은 어떤 방식으로 결합될 수 있을까?

역시 이 옷이 제일 잘 어울리네.
체험 학습 준비 완료!

비가 오다.
체험 학습이 취소된다.

문장들을 결합하여
겹문장을 만들어
볼까요?

비가 오면 체험 학습이
취소된다.

누구인가? 누가 취소 소리를 내었어?

공부할 내용
❶ 홑문장과 겹문장 이해하기
❷ 이어진문장과 안은문장 이해하기
❸ 이어진문장과 안은문장의 종류 파악하기

친구들이 내일 날씨가 화창할 거라며
걱정 말라고 달래 주었다.

그래, 10퍼센트면 안 온다고 봐야지.
설마 10퍼센트 확률인데 비가 오겠어?

그런데 그것이 실제로 일어나고 말았습니다.
비가 와서…… 체험 학습이 취소되다…….

핵심 1 홑문장과 겹문장

· 홑문장

주어와 서술어의 관계가 한 번만 나타나는 문장을 ❶[　　　]이라고 한다.

예 버스가 종점으로 달린다. → 주어와 서술어의 관계가 한 번 나타남.

❶ 홑문장

· 겹문장

주어와 서술어의 관계가 두 번 이상 나타나는 문장을 ❷[　　　]이라고 한다.

예 정우는 영화를 보고 희수는 책을 읽는다. → 주어와 서술어의 관계가 두 번 나타남.

❷ 겹문장

핵심 2 겹문장의 종류

| 이어진문장 | 둘 이상의 홑문장이 대등하게 이어지거나 ❸[　　　]으로 이어지는 문장. |
| 안은문장 | 한 문장이 다른 문장을 하나의 ❹[　　　]처럼 안고 있는 문장. |

❸ 종속적

❹ 문장 성분

핵심 3 이어진문장

| 대등하게
이어진문장 | · 앞 절과 뒤 절의 ❺[　　　]가 대등한 관계에 있는 문장.
· 앞 절과 뒤 절이 ❻[　　　]연결 어미를 통해 연결됨.
예 인생은 짧고 예술은 길다. → '나열'의 의미 관계를 나타냄. |
| 종속적으로
이어진문장 | · 앞 절과 뒤 절의 의미 관계가 대등하지 못하고 ❼[　　　]인 관계에 있는 문장.
· 앞 절과 뒤 절이 종속적 ❽[　　　]를 통해 연결됨.
예 길이 너무 좁아서 차가 못 지나간다. → '원인'의 의미 관계를 나타냄. |

❺ 의미 관계

❻ 대등적

❼ 종속적

❽ 연결 어미

🧭 **도움말**

· 절 주어와 서술어를 갖춘 문법 단위로, 더 큰 문장의 일부를 이룬다.

기초 확인 문제

정답과 해설 **37쪽**

01 다음은 홑문장과 겹문장에 관한 설명이다. 괄호에서 알맞은 말을 골라 순서대로 쓰시오.

> 주어와 서술어의 관계가 한 번만 나타나는 문장을 (홑문장/겹문장)이라고 하고, 주어와 서술어의 관계가 두 번 이상 나타나는 문장을 (홑문장/겹문장)이라고 한다.

02 다음 문장을 보고, 홑문장인지 겹문장인지를 쓰시오.

(1) 윤기는 동생이 어지른 방을 치웠다.

➡ (   )

(2) 나는 어제 극장에서 친구를 만났다.

➡ (   )

(3) 지아는 비가 그치기를 간절히 바랐다.

➡ (   )

03 다음 설명에 해당하는 겹문장을 바르게 연결하시오.

(1) 둘 이상의 홑문장이 대등하게 이어지거나 종속적으로 이어지는 문장 · · ㉠ 안은문장

(2) 한 문장이 다른 문장을 하나의 문장 성분처럼 안고 있는 문장 · · ㉡ 이어진문장

04 빈칸에 들어갈 알맞은 말을 쓰시오.

(1) 앞 절과 뒤 절의 의미 관계가 대등한 관계에 있는 문장은 (   ) 이어진문장이다.

(2) 앞 절과 뒤 절의 의미 관계가 종속적인 관계에 있는 문장은 (   ) 이어진문장이다.

05 〈보기〉를 참고하여 대등하게 이어진문장이면 '대', 종속적으로 이어진문장이면 '종'을 쓰시오.

> ┌ 보기 ┐
> 이어진문장은 앞 절과 뒤 절이 연결 어미로 연결되어 있는데, 연결 어미의 종류는 아래와 같다.
> ① 대등적 연결 어미
> • 나열: -고, -(으)며 등
> • 대조: -지만, -(으)나 등
> • 선택: -거나, -든지 등
> ② 종속적 연결 어미
> • 원인: -아서/어서, -(으)니 등
> • 조건: -(으)면, -거든 등
> • 목적·의도: -(으)러, -(으)려고

(1) 사과는 빨갛고 레몬은 노랗다.

➡ (   )

(2) 산이 높으면 골짜기가 깊다.

➡ (   )

(3) 윤지는 웃었지만 민서는 울었다.

➡ (   )

2일 교과서 **핵심 정리**

📖 교과서 124~134쪽

핵심 4 안은문장

명사절을 가진 안은문장	• 문장에서 주어, ❶ ☐☐☐ 등의 기능을 하는 명사절을 안고 있는 문장. • 명사절은 '-(으)ㅁ, -기' 등 명사형 어미가 붙어 만들어짐. 예 나는 <u>그가 오기</u>를 기다렸다. → 조사 '를'과 결합하여 목적어의 역할을 함.	❶ 목적어
관형절을 가진 안은문장	• 문장에서 관형어의 기능을 하는 ❷ ☐☐☐ 을 안고 있는 문장. • 관형절은 '-(으)ㄴ, -는' 등 관형사형 어미가 붙어 만들어짐. 예 이것은 <u>내가 읽은</u> 소설책이다. → 관형어의 기능을 하여 '소설책'을 꾸며 줌.	❷ 관형절
부사절을 가진 안은문장	• 문장에서 부사어의 기능을 하는 ❸ ☐☐☐ 을 안고 있는 문장. • 부사절은 '-게, -도록' 등 부사형 어미가 붙어 만들어짐. 예 빙수는 <u>이가 시리도록</u> 차가웠다. → 부사어의 기능을 함.	❸ 부사절
서술절을 가진 안은문장	문장에서 ❹ ☐☐☐ 의 기능을 하는 서술절을 안고 있는 문장. 예 토끼는 <u>앞발이 짧다</u>. → 서술어의 기능을 함.	❹ 서술어
인용절을 가진 안은문장	다른 사람의 말을 인용한 것이 절의 형식으로 안긴 ❺ ☐☐☐ 을 안고 있는 문장. 예 진호는 <u>"저도 이제 중학생이에요."</u>라고 말하였다. → 인용한 말이 조사 '라고'와 결합하여 절의 형식으로 안김.	❺ 인용절

🧭 **도움말**

안은문장에 절의 형태로 들어가 하나의 문장 성분처럼 쓰이는 문장은 안긴문장이라고 한다.
예 【나는 해가 떠오르기를 기다린다.】 【 】: 안은문장 ▨▨ : 안긴문장

핵심 5 문장의 짜임

```
              ┌─ ❻ ☐☐☐                                              ❻ 홀문장
              │
              │          ┌─ 대등하게 ──┐
문장 ─┤          ┌─│                ├─ 이어진문장
              │          │  └─ 종속적으로 ─┘
              │          │
              └─ 겹문장 ─┤   ┌─ ❼ ☐☐☐ 을 가진 ─┐                     ❼ 명사절
                         │   │
                         │   ├─ 관형절을 가진   │
                         │   │
                         └───┤─ 부사절을 가진   ├─ ❽ ☐☐☐☐             ❽ 안은문장
                             │
                             ├─ 서술절을 가진   │
                             │
                             └─ 인용절을 가진 ─┘
```

기초 확인 문제

06 다음 글을 보고, 괄호에서 알맞은 말을 골라 순서대로 쓰시오.

> '경찰은 그가 범인임을 알았다.'라는 문장은 '그가 범인임'이라는 절을 안고 있다. 이처럼 문장에 절의 형태로 들어가 하나의 문장 성분처럼 쓰이는 문장을 (안긴문장/안은문장)이라고 하고, 전체의 문장을 (안긴문장/안은문장)이라고 한다.

07 〈보기〉와 같이 안긴문장을 찾아 쓰시오.

> ┌ 보기 ┐
> 나는 지수가 오기를 기다렸다.
> ➡ 안긴문장: (지수가 오기)

(1) 팥빙수는 이가 시리도록 차가웠다.

  ➡ 안긴문장: (   )

(2) 누나는 친구가 노래하는 모습을 보았다.

  ➡ 안긴문장: (   )

08 다음 설명에 해당하는 절을 〈보기〉에서 고르시오.

> ┌ 보기 ┐
> 명사절, 관형절, 부사절, 서술절, 인용절

(1) 관형어의 기능을 하는 절　　➡ (   )
(2) 부사어의 기능을 하는 절　　➡ (   )
(3) 서술어의 기능을 하는 절　　➡ (   )
(4) 주어, 목적어 등의 기능을 하는 절

　　　　　　　　　　　➡ (   )

(5) 다른 사람의 말을 인용한 것이 절의 형식으로 안긴 것　　➡ (   )

09 다음 중 안은문장의 종류를 <u>잘못</u> 파악한 학생을 쓰시오.

진경 > '동생은 마음씨가 곱다.'는 명사절을 가진 안은문장이야.

은아 > '승재는 땀이 나게 뛰었다.'는 부사절을 가진 안은문장이야.

10 다음 문장에서 안긴문장이 어떤 절인지를 쓰시오.

(1) 아빠는 <u>아기가 우는</u> 소리를 들었다.

　　　　　　　➡ (   )

(2) <u>연미가 그 일을 해냈음</u>이 분명하다.

　　　　　　　➡ (   )

11 〈보기〉를 참고하여 문장의 인용절이 직접 인용인지 간접 인용인지를 쓰시오.

> ┌ 보기 ┐
> 인용은 남의 말이나 글을 자신의 말이나 글 속에 끌어 쓰는 것을 말한다.
> 직접 인용을 하는 경우에는 인용한 말 뒤에 조사 '라고'가 붙고, 간접 인용을 하는 경우에는 인용한 말 뒤에 조사 '고'가 붙는다.

(1) 민재는 남주의 말이 옳다고 말하였다.

　　　　　　　➡ (   )

(2) 민재는 "남주의 말이 옳다."라고 말하였다.

　　　　　　　➡ (   )

2일 교과서 기출 베스트

빈출 유형 홑문장의 개념 이해

01 다음 중 홑문장이 <u>아닌</u> 것은?

> 주어와 서술어의 관계가 한 번만
> 나타나는 문장을 홑문장이라고 해.

① 우리는 학교로 출발했다.
② 이 케이크는 정말 맛있다.
③ 연우는 어제 집에 일찍 왔다.
④ 관객들이 모두 자리에 앉았다.
⑤ 바람이 불어서 나무가 흔들린다.

빈출 유형 겹문장의 개념 이해

02 다음 중 겹문장이 <u>아닌</u> 것은?

> 주어와 서술어의 관계가 두 번 이상
> 나타나는 문장을 겹문장이라고 해.

① 비가 오면 약속이 취소된다.
② 은이는 바닥에 편안히 누웠다.
③ 화가는 밤이 새도록 그림을 그렸다.
④ 지아는 눈이 오기를 간절히 바랐다.
⑤ 승규는 잠을 자고 동생은 책을 읽는다.

03 다음 문장에서 주어와 서술어의 짝을 모두 찾아 쓰시오.(단, 서술어는 기본형으로 쓸 것)

> 밖은 덥지만 실내는 시원하다.

04 다음 겹문장 가운데 종류가 나머지와 <u>다른</u> 하나는?

① 저 꽃은 희고 이 꽃은 푸르다.
② 나는 언니가 걸어가는 모습을 보았다.
③ 교실이 깨끗하니 우리의 기분이 좋아진다.
④ 비가 내리거든 너는 화분을 밖으로 옮겨라.
⑤ 미세 먼지가 심해지면 가시거리가 줄어든다.

도움말
• 가시거리 눈으로 볼 수 있는 거리.

빈출 유형 이어진문장의 종류 파악

05 다음은 이어진문장의 종류를 정리한 것이다. ㉠에 해당하는 문장으로 적절한 것은?

① 세호는 약속에 늦어서 열심히 뛰었다.
② 햇볕이 계속 내리쬐면 얼음이 녹는다.
③ 선수들이 돌아오거든 너는 물을 건네거라.
④ 원재는 춤을 잘 추고 아라는 노래를 잘 부른다.
⑤ 여행자들은 일찍 떠나려고 미리미리 준비를 하였다.

도움말
• 앞 절과 뒤 절의 의미 관계가 대등한 관계에 있는지, 종속적 관계에 있는지를 살펴보세요.
• 이어진문장에서 앞 절과 뒤 절의 주어가 같으면 하나가 생략되어 표면적으로는 주어가 하나인 것처럼 보여요.

06 ㉠과 ㉡을 활용하여 〈조건〉에 맞게 종속적으로 이어진 문장을 만들어 쓰시오.

┌─────────────────────────────┐
㉠ 신우가 연극을 보다.
㉡ 신우가 극장에 가다.
└─────────────────────────────┘

┌─ 조건 ───────────────────────┐
• ㉠이 행위의 목적이나 의도가 되도록 할 것
└─────────────────────────────┘

`빈출 유형` 안은문장에 안겨 있는 절 파악

07 다음 중 안은문장에 안겨 있는 절을 잘못 파악한 것은?

① 새소리가 <u>아침이 밝았음을</u> 알린다. ➡ 명사절

② 지희는 <u>신이 닳도록</u> 돌아다녔다. ➡ 부사절

③ 나는 <u>새싹이 튼</u> 화분을 옮겼다. ➡ 관형절

④ <u>네가 기뻐할</u> 일이 생겼다. ➡ 인용절

⑤ 코끼리는 <u>코가 길다</u>. ➡ 서술절

08 다음은 서술절을 가진 안은문장에 관한 활동지이다. 괄호에서 알맞은 말을 골라 순서대로 쓰시오.

┌─────────────────────────────┐
[문제] 다음 문장을 탐구해 봅시다.

　　　　짝꿍은 마음이 넓다.

(1) '마음이'를 생략해 봅시다. 문장의 의미가
　　자연스러운가요?
　　　　　　(자연스럽다/자연스럽지 않다)
(2) 주어 '짝꿍은'의 상태나 성질을 풀이하는
　　부분은 무엇인가요? (넓다/마음이 넓다)
└─────────────────────────────┘

`빈출 유형` 안은문장에 안겨 있는 절 파악

09 〈보기〉의 ㉠~㉢에 대한 설명으로 적절하지 <u>않은</u> 것은?

┌─ 보기 ───────────────────────┐
• 수아는 <u>은우가 노래를 부르기를</u> 바랐다.
　　　　　　　　㉠
• 수아는 <u>은우가 노래를 부르는</u> 모습을 보았다.
　　　　　　　　㉡
• 수아는 나에게 <u>은우가 노래를 부른다고</u> 말했다.
　　　　　　　　㉢
└─────────────────────────────┘

① ㉠: 전성 어미 '-기'를 붙여 만든 명사절이다.
② ㉠: 조사 '를'이 붙어 목적어의 기능을 하고 있다.
③ ㉡: 전성 어미 '-는'을 붙여 만든 관형절이다.
④ ㉡: 체언 '모습'을 꾸며 주고 있다.
⑤ ㉢: 조사 '고'를 붙여 만든 부사절이다.

`도움말`

• **전성 어미** 용언의 어간에 붙어 절이 다른 품사의 기능을 하게 하는 어미.

`빈출 유형` 안은문장의 종류 파악

10 다음 중 문장의 짜임을 바르게 파악한 학생은?

┌─────────────────────────────┐
→ [　　　　　　　　　🔍] 👤 💬 😊①

'외할머니께서 "귀염둥이가 왔구나!"라고 말씀하
셨다.'는 어떤 문장일까?

💬 댓글 달기

우주　관형절을 가진 안은문장이야.

지민　명사절을 가진 안은문장이야.

강하　인용절을 가진 안은문장이야.

준서　서술절을 가진 안은문장이야.

현아　부사절을 가진 안은문장이야.
└─────────────────────────────┘

① 우주　　　② 지민　　　③ 강하
④ 준서　　　⑤ 현아

3일 3-(2) 쓰기 윤리와 보고서 쓰기

생각 열기 보고서를 쓸 때 지켜야 할 점은 무엇일까?

조사 보고서는 조사 대상의 실태를
조사해서 쓰는 글이니까,
주변에서 쉽게 조사할 수 있는
것이 좋겠군.

그럼 나는 지나친 일회용품 사용으로
생기는 문제점을 조사해 봐야겠다.

공부할 내용

❶ 쓰기 윤리 이해하기
❷ 보고서의 개념과 특성 이해하기
❸ 보고서 쓰기의 과정 파악하기

오, 이 자료 좋다. 저것도 좋고, 요것도 좋네.
적당히 발췌해서 이어 붙이면 되겠다.

아, 그렇구나.
앞으로는 주의해야지.

핵심 1 가 〈쓰기 윤리를 지키며 글 쓰기〉 제재 개관

갈래
만화

제재
모둠 보고서 쓰기

쓰기 윤리를 지키며 글 쓰기

주제
글을 쓸 때 지켜야 하는 ❶[ ][ ][ ][ ]

❶쓰기 윤리

특징
① 실제 학교생활에서 있을 법한 상황을 다룸.
② 글의 종류와 관계없이 쓰기 윤리를 지키는 것이 중요함을 강조하고 있음.

핵심 2 쓰기 윤리

글을 쓰는 과정에서 지켜야 하는 윤리적 규범

올바르게 인용하기	• 다른 사람의 글이나 자료, 아이디어 등을 베껴 쓰면 안 됨. → 표절
	• 두 개 이상의 글을 쪼개고 붙여서 자신이 쓴 글처럼 속여서는 안 됨. → 짜깁기
	• 인용을 하는 경우 ❷[ ][ ]를 정확하게 밝혀야 함.

❷출처

사실에 근거하여 기술하기 어떤 사실을 있는 그대로 적다.	• 관찰·조사·❸[ ][ ]을 하지 않고도 한 것처럼 속여서 글을 써서는 안 됨.
	• 관찰·조사·실험의 과정과 ❹[ ][ ]를 조작하면 안 됨.

❸실험

❹결과

예의를 지켜 ❺[ ][ ] 사용하기	• 남을 욕하거나 비방하지 말아야 함.
	• 자신과 생각이 다른 의견도 조롱하거나 배척하지 말아야 함. 따돌리거나 거부하여 밀어 내치다.

❺언어

┌ 있는 그대로의 상태. 또는 실제의 모양.

핵심 3 나 〈우리 학교 학생들의 스마트폰 사용 실태〉 제재 개관

갈래
보고서 (❻[ ][ ] 보고서)

우리 학교 학생들의 스마트폰 사용 실태

주제
우리 학교 학생들의 ❼[ ][ ][ ][ ] 사용 실태

❻조사

❼스마트폰

특징
① 학생들에게 친숙한 주제를 다룸.
② 머리말, 본문, 맺음말에 소제목을 붙여 글의 구성을 한눈에 알아볼 수 있게 함.
③ 설문 조사 결과를 표와 ❽[ ][ ]로 제시하여 보고서를 읽는 사람의 이해를 도움.

❽그래프

기초 확인 문제

정답과 해설 **39쪽**

01 빈칸에 들어갈 알맞은 말을 쓰시오.

> 글을 쓰는 과정에서 지켜야 하는 윤리적 규범을 '(   )'라고 한다.

02 〈보기〉의 쓰기 윤리를 아래의 표에 정리하시오.

> ┌ 보기 ┐
> ㉠ 남을 욕하거나 비방하지 말아야 함.
> ㉡ 타인의 글, 아이디어 등을 베껴 쓰면 안 됨.
> ㉢ 관찰·조사·실험을 한 것처럼 속이면 안 됨.
> ㉣ 다른 의견을 조롱하거나 배척하지 말아야 함.
> ㉤ 인용을 하는 경우 출처를 정확하게 밝혀야 함.
> ㉥ 짜깁기하여 자신이 쓴 글처럼 속여서는 안 됨.
> ㉦ 관찰·조사·실험의 과정과 결과를 조작하면 안 됨.

(1) 올바르게 인용하기	
(2) 사실에 근거하여 기술하기	
(3) 예의를 지켜 언어 사용하기	

03 빈칸에 들어갈 알맞은 말을 초성 글자를 참고하여 쓰시오.

> 나는 1학년 때 쓴 영화 감상문을 2학년 때 그대로 베껴 써서 낸 적이 있는데, 얼마 전에 이러한 행동도 표절이라는 것을 알았다.
> 자신이 쓴 글을 새로 쓴 글처럼 다시 발표하는 것, 전에 쓴 글의 일부를 그 사실을 밝히지 않고 새 글에 넣는 것 등을 (ㅈㄱ ㅍㅈ)이라고 한다.

04 아래 학생의 말과 관련 있는 쓰기 윤리를 〈보기〉에서 고르시오.

> ┌ 보기 ┐
> ㉠ 다른 사람의 글이나 자료를 인용할 때에는 출처를 반드시 밝혀야 함.
> ㉡ 다른 사람이 만든 자료를 그대로 갖다 쓰거나 짜깁기하면 안 됨.
> ㉢ 조사 결과를 왜곡하지 않고 사실에 근거해서 써야 함.

(1) 자료를 정리할 때 출처도 같이 적어 두었어.
(   )

(2) 인터넷에서 관련 자료를 여러 개 찾아서 적당히 짜깁기했어.
(   )

(3) 우리가 예상했던 것과 다르네. 설문 조사 결과를 조금 고칠까?
(   )

05 ㉯ 〈우리 학교 학생들의 스마트폰 사용 실태〉를 **잘못** 이해한 학생을 쓰시오.

 성민
우리나라 10대 청소년들의 스마트폰 사용 실태를 조사하여 작성한 보고서야.

 진경
머리말, 본문, 맺음말에 소제목을 붙여 글의 구성을 한눈에 알아볼 수 있게 하였어.

핵심 4 | 글의 짜임

머리말	• 조사 ❶ ⬜⬜: 같은 학생들의 스마트폰 사용 실태, 스마트폰 사용에 관한 인식을 조사하고자 함. • 조사 ❷ ⬜⬜: 같은 학교 3학년 학생 220명을 대상으로 한 설문 조사, 인터넷을 통한 자료 조사	❶ 목적 ❷ 방법
본문	• 설문 조사 결과: 설문 조사 결과를 스마트폰 보유율, 스마트폰 하루 사용 시간, 스마트폰의 용도, 스마트폰 사용에 관한 ❸ ⬜⬜으로 나누고 표와 그래프를 함께 제시하여 정리함. • 결과 종합 분석: 조사한 자료의 내용을 참고하여 설문 조사 결과를 종합적으로 분석함.	❸ 인식
맺음말	• 내용 요약: 많은 학생이 스마트폰을 가지고 있고 적지 않은 시간 스마트폰을 사용하고 있으며, 스마트폰 사용으로 문제를 겪고 있는 경우도 있음. • 조사자의 당부: 자신의 스마트폰 사용 습관을 점검해 보고, 스마트폰을 적절하게 잘 활용하기를 바람. • 맺음말 뒤에 참고 자료의 ❹ ⬜⬜를 밝힘.	 ❹ 출처

핵심 5 | 보고서

• **개념**

> 어떤 목적을 갖고 실시한 관찰·조사·실험 등의 절차와 ❺ ⬜⬜를 정리하여 보고할 목적으로 쓴 글

❺ 결과

• **특성**

> • 정확성, ❻ ⬜⬜⬜을 갖추어야 하며 간결하고 명확해야 함.
> • 목적과 필요성, 기간, 대상, 방법, 결과 등이 드러남.

❻ 객관성

핵심 6 | 보고서 쓰기의 과정

주제 정하기 → 계획 세우기 → 관찰· ❼ ⬜⬜· 실험하기 → 자료 ❽ ⬜⬜· 분석하기 → 보고서 쓰기 → 평가 하기

❼ 조사

❽ 정리

정답과 해설 **39쪽**

06 ㉯의 조사 방법을 떠올리며 빈칸에 들어갈 알맞은 말을 쓰시오.

> • 같은 학교 학생 220명을 대상으로 (   )를 진행하였다.
> • 인터넷으로 자료를 찾아보았다.

07 〈보기〉는 ㉯의 조사자가 만든 질문이다. 스마트폰 사용 인식에 관한 질문을 모두 고르시오.

> ── 보기 ──
> ㉠ 스마트폰을 가지고 있나요?
> ㉡ 스마트폰으로 무엇을 많이 하나요?
> ㉢ 하루에 스마트폰을 몇 시간 사용하나요?
> ㉣ 스마트폰을 사용하면 어떤 점이 좋다고 생각하나요?
> ㉤ 스마트폰 사용을 줄여야겠다고 생각한 적이 있나요? 있다면 그 까닭은 무엇인가요?

08 다음은 ㉯에 제시된 그래프이다. 괄호에서 알맞은 말을 고르시오.

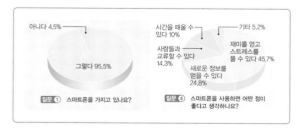

> 설문 조사 결과를 (막대그래프/원그래프)로 제시하여 부분과 전체, 부분과 부분의 비율을 한눈에 알 수 있게 하였다.

09 다음은 보고서의 종류를 정리한 내용이다. ㉯가 어떤 보고서에 해당하는지 쓰시오.

> **보고서의 종류**
>
> • 관찰 보고서: 어떤 대상이나 특정한 문제를 깊이 있게 관찰하고 기록한 뒤 그 결과를 정리해 놓은 보고서
> • 조사 보고서: 조사 대상의 실태를 조사한 뒤 그 결과를 정리해 놓은 보고서
> • 답사 보고서: 박물관, 유적지 등 현장을 답사한 뒤 그 결과를 정리해 놓은 보고서
> • 실험 보고서: 실험을 수행하고 과정, 절차, 결과를 정리한 보고서

🧭 도움말
• 답사 현장에 가서 직접 보고 조사함.

10 보고서 쓰기의 과정에서 다음과 같은 대화가 이루어지는 단계는?

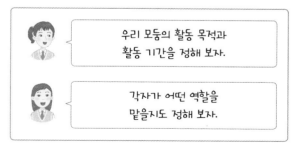

> 우리 모둠의 활동 목적과 활동 기간을 정해 보자.

> 각자가 어떤 역할을 맡을지도 정해 보자.

① 주제 정하기
② 계획 세우기
③ 관찰·조사·실험하기
④ 자료 정리·분석하기
⑤ 보고서 쓰기

01~03 다음 만화를 보고, 물음에 답하시오.

빈출 유형 쓰기 윤리 이해

01 이 만화를 통해 알 수 있는 점으로 적절하지 <u>않은</u> 것은?

① 글을 쓸 때 사실에 근거해서 써야 한다.

② 자료의 내용이 정확한지 확인해야 한다.

③ 조사 목적에 맞도록 결과를 조작해도 된다.

④ 외부 자료를 인용할 때 출처를 밝혀야 한다.

⑤ 다른 사람이 만든 자료를 짜깁기하면 안 된다.

빈출 유형 쓰기 윤리 이해

02 ㉠~㉤ 중 〈보기〉의 진우가 한 잘못과 관련 있는 것은?

┌ 보기 ┐

진우의 경험

　국어 선생님께서 소설 〈꺼삐딴 리〉를 읽고 줄거리와 감상을 쓰는 숙제를 내 주셨다. 나는 〈꺼삐딴 리〉를 읽기는 했지만 줄거리를 요약하기가 힘들었다. 인터넷을 찾아보니 소설의 줄거리를 요약해 놓은 글이 여러 개 있어서 필요한 내용을 골라 베껴 썼다. 글의 흐름이 자연스럽도록 문장을 다듬기는 했다.

① ㉠　　　　② ㉡　　　　③ ㉢

④ ㉣　　　　⑤ ㉤

03 다음을 참고하여 만화의 빈칸에 들어갈 알맞은 말을 쓰시오.

- '글을 쓰는 과정에서 지켜야 하는 윤리적 규범'을 뜻한다.
- 네 글자이다.

04~05 다음 글을 읽고, 물음에 답하시오.

가 **1** 조사 목적

오늘날 스마트폰은 거의 필수품이라고 할 수 있다. 사람들이 스마트폰을 사용하는 것은 스마트폰이 편리하고 여러 가지 즐거움을 주기 때문일 것이다. 하지만 한편으로 뉴스나 신문 기사에서 스마트폰을 과도하게 사용하여 문제가 일어
정도에 지나치다.
나고 있다는 내용을 접하기도 한다. 이러한 뉴스나 신문 기사를 보면서 우리 학교 학생들의 스마트폰 사용 실태는 어떠할지 궁금해졌다.

그래서 우리 모둠은 우리 학교 학생들이 얼마나 스마트폰을 가지고 있는지, 스마트폰으로 주로 무엇을 하는지, 자신의 스마트폰 사용에 관해 어떻게 생각하고 있는지를 조사하여 보고서를 쓰기로 결정하였다.

나 **2** 조사 방법

• 설문 조사: 우리 학교 3학년 학생 220명에게 다음과 같은 항목으로 설문을 하고 결과를 분석하였다.

질문 **1** 스마트폰을 가지고 있나요?

질문 **2** 하루에 스마트폰을 몇 시간 사용하나요?

질문 **3** 스마트폰으로 무엇을 많이 하나요?

질문 **4** 스마트폰을 사용하면 어떤 점이 좋다고 생각하나요?

질문 **5** 스마트폰 사용을 줄여야겠다고 생각한 적이 있나요? 있다면 그 까닭은 무엇인가요?

• 자료 조사: 우리나라 중학생의 스마트폰 보유율, 스마트폰 사용 실태, 스마트폰 과의존(스마트폰을 과도하게 사용하여 일상생활에서 스마트폰을 활용한 생활 방식이 두드러지고, 스마트폰 사용에 관한 자기 조절 능력이 떨어져 어려움을 겪는 상태.) 등을 인터넷으로 조사하였다.

빈출 유형 조사 목적 파악

04 다음 질문의 답으로 가장 적절한 것은?

> 조사자들이 조사를 진행한
> 목적은 무엇일까?

① 학교 학생들의 스마트폰 보유율을 더 높이기 위해서

② 학교 학생들의 스마트폰 과의존 문제를 비판하기 위해서

③ 학교 학생들에게 스마트폰 사용 예절 교육이 필요함을 주장하기 위해서

④ 학교 학생들의 스마트폰 사용 실태와 스마트폰 사용에 관한 인식을 알아보기 위해서

⑤ 학교 학생들의 스마트폰 사용 실태를 파악하고 이에 따라 온라인 학습 계획을 세우기 위해서

빈출 유형 조사 방법 파악

05 〈보기〉에서 이 글을 작성하기 위해 사용된 조사 방법을 모두 고른 것은?

┌ 보기 ┐
㉠ 설문 조사를 통해 자료를 수집하였다.
㉡ 주변 학교 학생들과 면담하여 자료를 수집하였다.
㉢ 인터넷 검색을 통해 조사 목적과 관련된 자료를 수집하였다.
㉣ 조사 대상과 관련 있는 공공 기관을 직접 방문하여 자료를 수집하였다.
└─────────────┘

① ㉠, ㉡   ② ㉠, ㉢   ③ ㉡, ㉢

④ ㉡, ㉣   ⑤ ㉢, ㉣

06~08 다음 글을 읽고, 물음에 답하시오.

가 1 설문 조사 결과

(1) 스마트폰 보유율

이 설문 조사에서 스마트폰을 가지고 있다는 것은 자기 소유의 스마트폰이 있음을 뜻한다. 스마트폰을 가지고 있느냐

아니다 4.5%
그렇다 95.5%
질문 ① 스마트폰을 가지고 있나요?

는 질문에 95.5%가 '그렇다', 4.5%가 '아니다'라고 답하였다. 뒤에 이어지는 내용은 '그렇다'라고 대답한 학생들을 대상으로 하여 진행한 설문의 결과이다.

나 (2) 스마트폰 하루 사용 시간

□□□□□□□□□□□□□□는 질문에 평일은 '두 시간 이상 세 시간 미만'이라는 대답이 27.6%로 가장 많았다. '세 시간 이상 네 시간 미만'(23.8%), '한 시간 이상 두 시간 미만'(22.9%), '네 시간 이상 다섯 시간 미만'(11.4%), '다섯 시간 이상'(10%), '한 시간 미만'(4.3%)이 그 뒤를 이었다.

다 (3) 스마트폰의 용도

스마트폰으로 무엇을 많이 하느냐는 질문에 세 가지를 골라 답하게 하였다. '동영상 시청·음악 감상'이 32.2%로 가장 높았으며, '누리 소통망'이 28.1%로 그 뒤를 이었다. 그 밖에 '게임'이 20.5%, '인터넷 검색'이 10.8%, 기타가 8.4%였다.

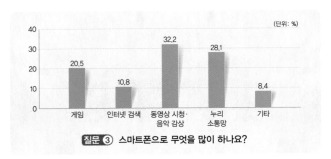

(단위: %)

게임	인터넷 검색	동영상 시청·음악 감상	누리 소통망	기타
20.5	10.8	32.2	28.1	8.4

질문 ③ 스마트폰으로 무엇을 많이 하나요?

06 이 글의 내용과 일치하지 <u>않는</u> 것은?

① 95% 이상의 학생이 자기 소유의 스마트폰이 있다.

② 평일에 스마트폰을 하루 한 시간 미만 사용하는 학생이 가장 적다.

③ 스마트폰으로 동영상 시청이나 음악 감상을 하는 학생이 가장 많다.

④ 스마트폰으로 게임을 하는 학생이 누리 소통망을 하는 학생보다 많다.

⑤ 70%가 넘는 학생이 평일에 스마트폰을 하루 두 시간 이상 사용하고 있다.

07 (나)의 빈칸에 들어갈 내용으로 적절한 것은?

① 어떤 요금제를 사용하고 있느냐

② 하루에 스마트폰을 몇 시간 사용하느냐

③ 가지고 있는 스마트폰의 기종이 무엇이냐

④ 스마트폰을 사용하면 어떤 점이 좋다고 생각하느냐

⑤ 스마트폰 사용을 줄여야겠다고 생각한 적이 있느냐

빈출 유형 매체 자료의 종류와 효과 파악

08 다음은 이 글을 읽은 학생들의 대화이다. 빈칸에 들어갈 알맞은 말을 쓰시오.

선호: 이 글은 매체 자료를 활용하여 결과를 시각적으로 제시하고 있어.

소미: (가)에서는 원그래프를 제시하여 응답 비율을 한눈에 파악할 수 있어.

선호: (다)에서는 (　　　　　)를 제시하여 많이 응답한 순서를 한눈에 파악할 수 있어.

＋ _____ 전송

09~11 다음 글을 읽고, 물음에 답하시오.

가 2 결과 종합 분석

우리 학교 학생의 스마트폰 보유율은 95.5%인데, 이 결과는 정보통신정책연구원에서 조사한 우리나라 중학생의 스마트폰 보유율인 92%보다 조금 더 높았다.[1]

스마트폰 하루 사용 시간은 평일의 경우 '두 시간 이상 세 시간 미만' 사용한다는 대답이 27.6%로 가장 높았고, 주말의 경우 '네 시간 이상 다섯 시간 미만' 사용한다는 대답이 29.1%로 가장 높았다. 평일과 주말 사용 시간의 차이는 학교에 가는 날인가 아닌가가 영향을 끼친 것으로 보인다. 주목할 점은 15.2%의 학생이 주말에 다섯 시간 이상 사용한다고 응답한 것이다. 만약 스마트폰 사용 시간을 스스로 조절하기 어려워지면 스마트폰 과의존이 될 위험이 있으므로[2], 이 수치는 조금 염려되는 부분이다. [중략]

스마트폰을 가지고 있는 학생 가운데 68.1%가 스마트폰 사용 시간을 줄여야겠다는 생각을 한 적이 있다고 답하였는데, 이는 학생들이 스마트폰 사용으로 문제를 겪고 있음을 간접적으로 보여 준다.

나 우리는 이 조사를 통해 많은 학생이 스마트폰을 가지고 있고, 스마트폰을 사용하는 데 적지 않은 시간을 보내고 있음을 알 수 있었다. 그리고 스마트폰 때문에 생길 수 있는 문제를 걱정하거나, 이미 문제를 겪고 있는 학생들이 있음을 알 수 있었다.

스마트폰으로 재미를 좇고, 스트레스를 풀고, 새로운 정보를 얻는 것도 좋지만 스마트폰 때문에 중요한 것을 놓치고 있는 것은 아닌지 돌아볼 필요가 있다. 자신의 스마트폰 사용 습관을 점검해 보고, 스마트폰을 적절하게 잘 활용하기를 바란다.

---

1) 정보통신정책연구원, 〈KISDI STAT Report〉 Vol. 17-23, 2017, 4쪽.
2) 스마트쉼센터 누리집, '스마트폰 과의존 척도' 참고

09 (가)에 대한 설명으로 적절하지 **않은** 것은?

① 전문가의 말을 인용하여 제시하고 있다.
② 설문 조사한 결과를 바탕으로 하고 있다.
③ 참고한 자료가 무엇인지 각주로 밝히고 있다.
④ 누리집의 자료를 참고하여 스마트폰 과의존 위험성을 분석하고 있다.
⑤ 공신력 있는 기관에서 조사하여 발표한 자료를 참고하여 스마트폰 보유율을 분석하고 있다.

10 (나)를 바르게 이해한 학생끼리 짝지은 것은?

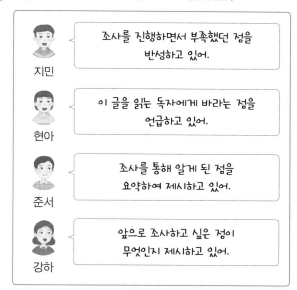

지민: 조사를 진행하면서 부족했던 점을 반성하고 있어.

현아: 이 글을 읽는 독자에게 바라는 점을 언급하고 있어.

준서: 조사를 통해 알게 된 점을 요약하여 제시하고 있어.

강하: 앞으로 조사하고 싶은 점이 무엇인지 제시하고 있어.

① 지민, 현아　　② 지민, 준서　　③ 현아, 준서
④ 현아, 강하　　⑤ 준서, 강하

빈출 유형 보고서를 쓸 때 유의할 점 파악

11 다음은 이와 같은 글을 쓸 때 유의할 점이다. 빈칸에 들어갈 알맞은 말을 쓰시오.

- 절차와 결과가 드러나게 내용을 정리한다.
- 자료를 객관적으로 분석한다.
- 내용을 알기 쉽게 간결하고 명확하게 표현한다.
- 참고하거나 인용한 자료의 (　　　　)를 밝힌다.

4-(1) 읽기 과정을 점검하며 읽기

생각 열기 읽기 과정에서 문제에 부딪혔을 때 어떻게 해결해야 할까?

오랜만에 주말에 집에서 책을 읽어야겠다.
친구들이 추천해 준 책들을 대출해야지.

이 글은 내가 읽기에 너무 어려워.
다른 글을 읽어야겠어.

어제 늦게 잤더니 피곤해서 읽기 힘드네.
잠깐 쉬어야겠다.

공부할 내용

❶ 읽기 과정의 각 단계에서 수행하는 활동 이해하기
❷ 읽기 과정을 점검하고 조정하는 방법 파악하기

밖에서 공사를 하나?
시끄러운 소리 때문에 읽기에
집중할 수 없어.

이번 주말에 다 읽고 싶은데…….
어떻게 하지? 아!

음, 고향의 소리.

익숙한 대나무 소리를 들으니까
조금 마음이 편안해졌어.
다시 읽기에 집중해 볼까?

4일 교과서 핵심 정리

교과서 168~180쪽

핵심 1 읽기 과정의 각 단계에서 주로 수행하는 활동

❶ ☐☐☐	• 읽기 ❷ ☐☐ 정하기 • 제목이나 차례를 보며 내용 예측하기 • 배경지식 활성화하기 • 궁금한 점, 알고 싶은 점 등을 중심으로 하여 질문 만들기
읽기 중	• 예측한 내용이 맞는지 확인하기 • 자신이 미리 만들어 놓은 질문의 답 찾기 • 각 부분의 ❸ ☐☐☐☐ 을 파악하고, 글쓴이의 의도 추론하기 • 글쓴이의 주장에 공감하거나 비판하며 글의 의미 이해하기
❹ ☐☐☐	• 글 전체의 내용을 요약하여 정리하기 • 새롭게 알게 된 내용을 정리하고, 더 알고 싶은 내용 생각해 보기 • 자신의 읽기 활동 평가하기 • 새롭게 알게 된 내용을 자신의 상황에 적용해 보기 • 필요한 글을 더 찾아 읽기

❶ 읽기 전
❷ 목적
❸ 중심 내용
❹ 읽기 후

📎 도움말
읽기의 과정별 활동은 독자의 읽기 상황에 따라 유연하게 적용할 수 있어요.

핵심 2 읽기 과정을 점검할 때 할 수 있는 질문

• 나의 읽기 목적은 무엇이며, 적합한 방법으로 읽고 있는가?
• 글이 나의 읽기 목적에 맞고 나의 읽기 ❺ ☐☐ 에 적합한가?
• 글의 중심 내용을 파악하며 읽고 있는가?
• 글을 읽는 환경과 ❻ ☐☐ 이 적절한가?

❺ 수준
❻ 상황

핵심 3 읽기 과정을 점검하고 조정하는 방법의 예

문제	조정 방법
글이 읽기 ❼ ☐☐ 에 맞지 않음.	읽기 목적에 맞는 글을 찾아 읽음.
글이 읽기 수준에 적합하지 않음.	읽기 ❽ ☐☐ 에 적합한 글을 찾아 읽음.
피곤해서 집중력이 떨어짐.	잠시 쉬었다가 다시 읽음.
소음 때문에 집중할 수 없음.	소음을 차단하거나 음악을 틂.

❼ 목적
❽ 수준

01 다음 중 읽기 과정에 관해 잘못 설명한 학생을 쓰시오.

은아

> 읽기 과정은 대체로 '읽기 전, 읽기 중, 읽기 후'의 세 단계로 나눌 수 있어.

해미

> 읽기 과정에서 수행하는 과정별 활동은 반드시 하나의 단계에서만 이루어져.

02 다음은 읽기 과정의 각 단계에서 주로 수행하는 활동을 정리한 표이다. ㉠~㉣에 들어갈 말을 〈보기〉에서 고르시오.

┌ 보기 ┐
의도, 예측, 질문, 평가

읽기 전	• 읽기 목적 정하기 • 제목이나 차례를 보며 내용(㉠)하기 • 배경지식 활성화하기 • 궁금한 점, 알고 싶은 점 등을 중심으로 하여 (㉡) 만들기
읽기 중	• 예측한 내용이 맞는지 확인하기 • 미리 만들어 놓은 질문의 답 찾기 • 각 부분의 중심 내용을 파악하고, 글쓴이의 (㉢) 추론하기 • 글쓴이의 주장에 공감하거나 비판하며 글의 의미 이해하기
읽기 후	• 글 전체의 내용을 요약하여 정리하기 • 새롭게 알게 된 내용을 정리하고, 더 알고 싶은 내용 생각해 보기 • 자신의 읽기 활동 (㉣)하기 • 새롭게 알게 된 내용을 자신의 상황에 적용해 보기

03 다음은 읽기 과정의 점검과 조정을 평가하는 표의 일부이다. 빈칸에 공통으로 들어갈 말을 2어절로 쓰시오.

평가 항목	평가
글을 읽기 전에 ( ) 을 명확하게 정하였나요?	☺ ☺ ☹
자신의 ( )을 떠올리며 읽었나요?	☺ ☺ ☹
자신의 ( )에 적합한 방법으로 글을 읽었나요?	☺ ☺ ☹

04 읽기 과정을 점검하다가 다음과 같은 문제에 부딪혔을 때, 어떻게 조정하면 좋을지 〈보기〉에서 고르시오.

┌ 보기 ┐
㉠ 좀 더 쉽게 쓴 글을 찾아 읽는다.
㉡ 귀마개로 소음을 차단하고 다시 읽는다.
㉢ 가볍게 스트레칭을 하여 정신을 맑게 하고 다시 읽는다.

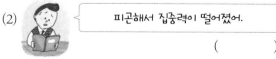

(1) 이 글은 내가 읽기에 너무 어려워.

( )

(2) 피곤해서 집중력이 떨어졌어.

( )

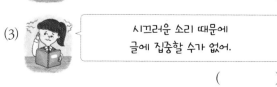

(3) 시끄러운 소리 때문에 글에 집중할 수가 없어.

( )

핵심 4 〈읽기를 잘하려면〉 제재 개관

갈래
설명문

읽기를
잘하려면

제재
읽기 과정의 단계, 읽기 과정을 점검하고 조정하는 방법

주제
읽기 과정을 ❶◻◻하고 조정하면 글을 더 효율적으로 읽을 수 있다.

특징
① 읽기 과정을 읽기 전·중·후로 나누고, 각 단계 에서 주로 수행하는 활동을 설명함. ② 읽기 과정을 점검하고 조정하며 글을 읽는 구체 적인 ❷◻를 제시함.

❶점검

❷예

핵심 5 본문에 나타난 학생의 읽기 과정

학생의 생각	읽기 과정	
난 김홍도의 그림 〈씨름도〉에 관해 알아보고 싶어.	읽기 ❸◻◻을 정함.	❸목적
읽기 전에 일단 제목을 살펴보자. 제목으로 미루 어 볼 때 씨름판의 매력에 관한 글일 것 같아.	글을 읽기 전에 ❹◻◻을 살펴보고, 글의 내 용을 예측함.	❹제목
'본새'가 뭐지? 국어사전을 찾아봐야겠다. 어떠한 동작이나 버릇의 됨됨이.	• 단어의 ❺◻을 모르는 문제에 부딪힘. • 국어사전을 찾아보기로 함.	❺뜻
지금 나는 읽기 목적에 맞게 읽고 있나? 〈씨름도〉 에 관해 알아보려고 읽는 거니까 메모하며 읽으면 더 좋겠어.	• 읽기 목적에 맞는 방법으로 읽고 있는지 점검함. • 메모하며 글을 읽기로 함.	
어제 늦게 잤더니 피곤해서 읽기 힘드네. 잠깐 쉬 어야겠다.	• 피곤을 느낌. • 잠깐 ❻◻◻을 취하기로 함.	❻휴식
지금까지는 씨름을 구경하는 사람들에 관한 설명 이었어. 그럼 이젠 씨름꾼에 관한 설명이 나오겠지?	지금까지 읽은 내용을 정리하고, 이어질 내용을 ❼◻◻함.	❼예측
이 글은 〈씨름도〉 속 구경꾼과 씨름꾼의 모습을 설 명한 글이야. … 다음에는 김홍도에 관한 글을 찾아 읽어 봐야겠다.	• 글 ❽◻◻의 내용과 새롭게 알게 된 내용을 정 리함. • 다른 글을 더 찾아 읽고자 함.	❽전체

기초 확인 문제

05 〈읽기를 잘하려면〉의 내용을 떠올리며 빈칸에 들어갈 알맞은 말을 쓰시오.

(1) 　읽기 과정은 '읽기 전·(　　　　)·읽기 후'로 나눌 수 있다.

(2) 　읽기 과정을 점검하고 조정하며 읽으면 글을 더 (　　　　)으로 읽을 수 있다.

06 다음은 학생이 읽기 과정에서 수행한 활동이다. 읽기 전·중·후 가운데 어느 단계인지 쓰시오.

(1) 먼저 제목을 살펴보자. 제목으로 미루어 볼 때 씨름판의 매력에 관한 글일 것 같아.

(　　　　)

(2) 지금까지는 씨름을 구경하는 사람들에 관한 설명이었어. 그럼 이젠 씨름꾼에 관한 설명이 나오겠지?

(　　　　)

(3) 이 글을 읽고 그림 속 씨름이 바 씨름이라는 걸 새롭게 알게 되었어. 그림에 관해 알아보았으니 다음에는 김홍도에 관한 글을 찾아 읽어 봐야겠다.

(　　　　)

07 다음은 학생이 읽기 과정을 점검하면서 부딪힌 문제이다. 어떻게 조정하는 것이 적절할지 〈보기〉에서 고르시오.

┌─ 보기 ─────────────────────
　㉠ 읽기를 멈추고 잠깐 쉰다.
　㉡ 국어사전을 찾아서 단어의 뜻을 확인한다.
└──────────────────────────

(1) '본새'가 뭐지?

(　　　　)

(2) 어제 늦게 잤더니 피곤해서 읽기 힘드네.

(　　　　)

08 본문에 나타난 학생의 읽기 과정에 대한 설명으로 적절하지 <u>않은</u> 것은?

① 학생은 자신의 생리적 상태는 점검하고 조정하지 않았다.

② 학생은 글을 읽으면서 단어의 뜻을 모르는 문제에 부딪혔다.

③ 학생은 자신이 읽기 목적에 맞게 글을 읽고 있는지를 점검하였다.

④ 학생의 읽기 목적은 〈씨름도〉에 관한 지식과 정보를 얻는 것이다.

⑤ 학생은 읽기 목적을 고려하여 메모하며 읽는 것으로 방법을 조정하였다.

도움말
• 생리적 신체의 조직이나 기능에 관련되는. 또는 그런 것.

01~03 다음 글을 읽고, 물음에 답하시오.

가 우리는 읽기를 통해 지식과 정보를 얻기도 하고, 다른 사람의 생각이나 다른 사회의 문화(文化)를 이해하기도 하며, 삶의 지혜를 배우기도 한다. 읽기 능력이 뛰어나면 뛰어날수록 이런 일을 더욱 효율적으로 수행할 수 있을 것이다.

나 '읽기 전' 단계에서는 먼저 ⑤[   ]을 정하는 것이 좋다. 예를 들어 시험공부를 위해 읽는 것인지, 교양을 쌓으려고 읽는 것인지, 여가를 보내려고 읽는 것인지 등을 정하는 것이다. 그리고 글의 제목이나 차례를 훑어보면서 글의 내용을 예측해 본다. 또 그것들과 관련된 자신의 경험을 떠올리면서 ⑥[   ]을 활성화한다. 그리고 궁금한 점, 알고 싶은 점 등을 중심으로 하여 질문을 만들어 볼 수도 있다.

다 '읽기 중' 단계에서는 글을 읽기 전에 예측한 내용이 맞는지 확인하고, 자신이 미리 만들어 놓은 질문의 답을 찾는다. 또한 글을 읽어 나가면서 각 부분의 중심 내용을 파악한다. 나아가 글쓴이의 의도를 추론하고, 글쓴이의 주장에 공감하기도 하고 그것을 비판하기도 하면서 글의 의미를 이해해 나간다.

라 '읽기 후' 단계에서는 글 전체의 내용을 간단하게 요약하여 정리한다. 또 새롭게 알게 된 내용을 정리해 보고 더 알고 싶은 내용은 없는지 생각해 본다. 그리고 자신이 글을 잘 읽었는지, 부족한 부분은 없는지 평가한다. 글을 통해 새롭게 알게 된 내용을 자신의 상황에 적용해 볼 수도 있고, 필요한 글을 더 찾아 읽을 수도 있다.

마 지금까지 살펴본 읽기의 과정별 활동이 반드시 그 과정에서만 이루어져야 하는 것은 아니다. 예를 들어 예측하기나 질문 만들기는 읽기 중에도 얼마든지 할 수 있는 활동이다. 독자는 자신의 읽기 상황에 따라 적절한 활동을 하면 된다.

01 다음은 (가)에 나타난 읽기의 가치를 정리한 내용이다. 빈칸에 들어갈 알맞은 말을 쓰시오.

> • 지식과 정보를 얻을 수 있다.
> • 다른 사람의 생각이나 다른 사회의 문화를 이해할 수 있다.
> • 삶의 (   )를 배울 수 있다.

빈출 유형 읽기의 과정별 활동 이해

02 (나)의 ⑤과 ⑥에 들어갈 말이 바르게 짝지어진 것은?

	⑤	⑥
①	읽기 목적	배경지식
②	배경지식	읽기 방법
③	읽기 방법	읽기 수준
④	배경지식	읽기 목적
⑤	읽기 방법	읽기 태도

빈출 유형 읽기의 과정별 활동 이해

03 '읽기 중' 단계에서 수행할 수 있는 활동으로 적절하지 않은 것은?
① 각 부분의 중심 내용 파악하기
② 예측한 내용이 맞는지 확인하기
③ 글쓴이의 의도가 무엇인지 추론하기
④ 글 전체의 내용을 요약하여 정리하기
⑤ 글쓴이의 주장을 비판하며 글의 의미 이해하기

04~05 다음 글을 읽고, 물음에 답하시오.

가 왼편 위엔 모두 여덟 사람인데 맨 구석의 점잖은 노인은 의관을 흐트리
_{남자가 정식으로 갖추어 입는 옷차림.}
지 않고 단정히 앉았으며, 그 앞에 갓 쓴 젊은이는 다리가 저리는지 왼편 다리만 슬그머니 뻗었는데, 부채로 얼굴 가린 양을 보면 소심한 성격인 듯하다.

▲ 김홍도, 〈씨름도〉

나 왼편 아래는 네 사람으로 체수가 큰 이와 퉁퉁한 이 그리
_{몸의 크기.}
고 자그마한 사람까지 어른이 셋에 떠꺼머리총각이 하나다. 그중에 두 사람은 합죽선을 부치고 있다. 원래 단오는 양력
_{얇게 깎은 겉대를 맞붙여서 살을 만든, 접었다 폈다 하게 된 부채.}
으로 유월 초여름께라, 이때는 세시 풍속으로 부채를 만들어
_{계절에 따라 민간에서 전하여 온 풍속.}
서 윗사람이 아랫사람에게 선물하는 것이 관례였다.

_{상대편의 다리샅바를 왼손으로 잡고 오른 어깨를}
_{맞대며, 오른손으로 허리샅바를 잡고 하는 씨름.}
다 그런데 씨름판을 잘 보자면 요즘 흔히들 하는 왼씨름이 아니다. 오른편 팔뚝에 삼베 샅바를 몇 번 감아 상대의 왼쪽 허벅지를 휘감아서 오른손으로 쥔 것이며 허리에 따로 띠를 매지 않고 상대 허리 위에 그냥 왼손을 얹은 양이 지금은 보기 힘든 소위 바 씨름인 것이다. 예전에는 지방마다 씨름하는 방식도 조금씩 달라서 서울, 경기 일원에서만 바 씨름을
_{일정한 범위의 지역.}
했다고 하니 이곳이 어디였는지 절로 짐작이 간다.

라 그 와중에도 단 한 사람 여유만만한 이가 있다. 씨름꾼과 등을 진 채 목판을 둘러멘 떠꺼머리 엿장수가 그 사람이다.
_{혼인할 나이가 된 총각이나 처녀가 땋아 늘인 머리.}
뭉툭코에 사람 좋은 웃음을 띠고 총각은 혼자 딴청을 피우고 있다. 엿판에 놓인 엽전 세 닢에 마음이 흐뭇해서일까.

– 오주석, 〈절로 뛰어들게 만드는 씨름판의 풍경〉에서

04 이 글을 읽은 독자의 반응으로 적절하지 않은 것은?

① 오늘날에 흔히 하는 씨름은 왼씨름이구나.
② 〈씨름도〉 속 구경꾼들의 나이는 다양하구나.
③ 〈씨름도〉 속 엿장수는 이 그림을 그린 김홍도를 상징하는구나.
④ 과거에는 단오가 되면 부채를 만들어서 선물하는 풍습이 있었구나.
⑤ 바 씨름은 전국에서 하던 씨름이 아니라 일부 지역에서만 하던 씨름이구나.

빈출 유형 읽기의 과정별 활동 이해

05 다음은 이 글을 읽은 학생의 생각이다. 학생의 생각에 나타난 읽기 후 활동을 〈보기〉에서 고르시오.(정답 2개)

 이 글은 〈씨름도〉 속 구경꾼과 씨름꾼의 모습을 설명한 글이야. 이 글을 읽고 그림 속 씨름이 바 씨름이라는 걸 새롭게 알게 되었어. 그림에 관해 알아보았으니 다음에는 김홍도에 관한 글을 찾아 읽어 봐야겠다.

┌ 보기 ┐
㉠ 글을 잘 읽었는지 평가하기
㉡ 글 전체의 내용을 정리하기
㉢ 새롭게 알게 된 내용을 자신의 상황에 적용해 보기
㉣ 새롭게 알게 된 내용을 정리하고, 더 알고 싶은 내용 생각해 보기

06~08 다음 글을 읽고, 물음에 답하시오.

가 읽기 과정을 점검하려면 독자는 글을 읽는 도중에 자신에게 질문을 하고 이에 답해 보는 것이 좋다. 예를 들어 위에서 학생이 '지금 나는 읽기 목적에 맞게 읽고 있나?'라고 질문한 것처럼 자신의 읽기 목적에 적합한 방법으로 읽고 있는지를 점검하는 질문을 할 수 있다. 이 밖에도 '나의 읽기 목적은 무엇인가?', '이 글의 내용은 나의 읽기 목적에 맞고 읽기 수준에 적합한가?' 등의 질문을 할 수 있는데, 이 과정에서 문제점을 발견하면 그것을 해결하기 위해 읽기 과정을 조정해야 한다.

나 읽기 상황을 구성하는 독자, 글, 독서 환경 등은 모두 점검과 조정의 대상이 될 수 있다. 위에서 학생이 잠시 쉬었다가 글을 다시 읽은 것처럼 육체적 피로 때문에 집중력이 떨어졌다면 잠시 읽기 활동을 멈추고 쉬었다가 다시 시작할 수도 있다. 또 글이 지나치게 어렵거나 읽기 목적에 맞지 않는다면 좀 더 쉬운 글이나 자신의 읽기 목적에 맞는 글을 찾아 읽을 수도 있다. 외부의 소음 때문에 읽기에 집중할 수 없을 때에는 소음을 차단하거나 음악을 틀거나 하여 자신의 읽기 환경을 조정할 수도 있다.

다 지금까지 읽기의 과정과 읽기 과정을 점검하고 조정하는 방법을 알아보았다. 이를 바탕으로 하여 자신의 읽기 과정을 점검하고 조정하는 습관을 가진다면 글을 좀 더 효율적으로 읽을 수 있을 것이다.

빈출 유형 읽기 과정을 점검하는 방법 이해

06 독자가 자신의 읽기 과정을 점검할 때 할 수 있는 질문으로 적절하지 **않은** 것은?

① 글을 읽는 환경이 적절한가?
② 나는 읽기 목적에 맞게 읽고 있는가?
③ 다른 독자들의 읽기 목적은 무엇인가?
④ 이 글의 내용은 나의 읽기 목적에 맞는가?
⑤ 이 글의 내용은 나의 읽기 수준에 적합한가?

빈출 유형 읽기 과정을 조정하는 방법 이해

07 읽기 과정에서 부딪힌 문제를 조정하는 방법이 적절하지 **않은** 것은?

① 모르는 단어가 있을 때 사전을 참고하며 읽는다.
② 밖이 시끄러울 때 창문을 닫아 소음을 차단한다.
③ 피곤해서 집중력이 떨어졌을 때 잠시 쉬었다가 읽는다.
④ 글이 지나치게 어려울 때 좀 더 쉬운 글을 찾아 읽는다.
⑤ 내용이 읽기 목적에 맞지 않을 때 음악을 들으며 읽는다.

빈출 유형 읽기 과정의 점검과 조정의 필요성 파악

08 (다)를 참고하여 다음 질문의 답을 서술하시오.

> 읽기 과정을 점검하고 조정하는 습관을 가지면 어떤 효과가 있을까?

┌ 조건 ┐
• '글을 좀 더 ~ 읽을 수 있다.' 형식의 한 문장으로 쓸 것

09~10 다음 글을 읽고, 물음에 답하시오.

가 기업이 재화를 생산할 때에도 생산량이 증가함에 따라
_{사람이 바라는 바를 충족시켜 주는 모든 물건.}
재화 한 개당 생산 비용이 감소하는 현상이 나타나는데, 이
것을 '규모의 경제'라고 한다. 기업이 재화를 생산하는 데 드
는 비용은 크게 두 가지로 나뉜다.

나 첫째는 기업이 재화를 몇 개 생산하든지 간에 항상 일정

임금　임차료

고정 비용의 예

하게 지불해야 하는 '고정 비
용'이다. 근로자들에게 지급하
는 임금, 공장과 사무실 임차
_{남의 물건을 빌려 쓰는 대가로 내는 돈.}
료 등이 이에 해당한다. 한 달
에 물건을 5천 개 생산하든 만 개 생산하든 기업은 매월 직원
에게 약속한 임금을 주어야 하며, 건물 주인에게 정해진 임
차료를 지급해야 한다.

다 둘째는 생산량에 비례해서 늘어나는 '변동 비용'이다. 재
_{바뀌어 달라짐.}

원료 구입비

부품 구입비

전기 요금

변동 비용의 예

화 생산에 들어가는 원료나
부품 구입비, 기계를 가동하
_{사람이나 기계 따위를 움직여 일하게 하다.}
는 데 드는 전기 요금 등이 변
동 비용에 해당한다. 생산량
이 늘어날수록 원료 구입비나
전기 요금은 증가한다.

라 고정 비용과 변동 비용을 합하면 기업이 재화 생산을 위
해 지출하는 비용 곧 총생산 비용이 된다. 총생산 비용을 생
산량으로 나누면 재화 한 개를 생산하는 데 드는 비용을 구
할 수 있는데, 기업이 재화를 많이 생산할수록 개당 생산비
는 감소한다.

　　　　　　　　　 – 한진수, 〈많이 만들수록 줄어드는 생산비의 비밀〉에서

09 이 글을 읽고 더 알아보고 싶은 것에 관한 독자의 반응
가운데 내용이 적절하지 **않은** 것은?

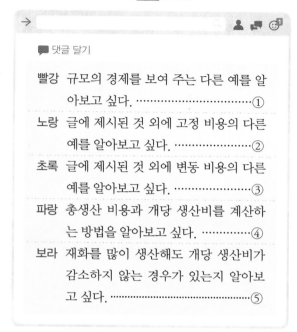

💬 댓글 달기

빨강　규모의 경제를 보여 주는 다른 예를 알
　　　아보고 싶다. ·····················①

노랑　글에 제시된 것 외에 고정 비용의 다른
　　　예를 알아보고 싶다. ·············②

초록　글에 제시된 것 외에 변동 비용의 다른
　　　예를 알아보고 싶다. ·············③

파랑　총생산 비용과 개당 생산비를 계산하
　　　는 방법을 알아보고 싶다. ········④

보라　재화를 많이 생산해도 개당 생산비가
　　　감소하지 않는 경우가 있는지 알아보
　　　고 싶다. ·····················⑤

10 다음은 이 글을 읽은 학생들의 대화이다. 괄호에서 알맞
은 말을 골라 순서대로 쓰시오.

우주

만약 내가 식당을 운영한다면 가게 임차
료와 인건비는 하루에 손님이 몇 명 오는지
와 관계없이 지출해야 해. 이런 비용은 모
두 (고정 비용/변동 비용)에 해당해.

음식 1인분을 만드는 데에는 재료비와 가스
요금과 같은 조리비가 들어. 이런 비용은 모
두 (고정 비용/변동 비용)에 해당해.

성재

➕ 　　　　　　　　　　　　　　　　　 전송

4-(2) 청중을 고려하며 자신 있게 말하기

생각 열기 어떻게 해야 떨지 않고 친구들에게 진심을 전달할 수 있을까?

반 친구들에게 고마운 점이 참 많은데 막상 친구들한테 말하려니 쉽지 않아. 어떻게 해야 할까?

루미 선배님이 알려 주신 방법이 좋은 것 같아. 차근차근 준비해 보자.

우선 내가 하고 싶은 말을 정리해 봐야지. 학교에 적응할 수 있게 도와준 내 짝 은수, 내가 슬플 때 나를 위로해 준 친구들에게 고마움을 표현해야겠다.

공부할 내용
❶ 청중을 고려하는 방법 이해하기
❷ 말하기 불안에 대처하는 방법 이해하기

내가 고향 생각에 슬퍼할 때 너희들이 위로해 준 덕분에 잘 극복할 수 있었어.

내 진심이 잘 전달될 수 있도록, 그리고 떨지 않고 말할 수 있도록 반복해서 연습해야지.

떨지 않았고 말투도 자연스러웠어.

두 선배님 앞에서 말하기 연습을 하니까 도움이 많이 된 것 같아.

조금 더 큰 목소리로 말하면 좋을 것 같아.

너희들의 따뜻한 마음을 잊지 못할 거야. 정말 고마워.

나는 잘할 거야. 실수해도 괜찮아. 진심을 다해 말하자.

5일 교과서 핵심 정리

교과서 181~193쪽

핵심 1 청중 고려하기

말하기 전	청중의 ❶[　　]나 관심사, 지식수준과 경험, 성격이나 가치관, 화자와 청중의 친밀도 등을 고려하여 말할 내용을 선정함.
말하기 중	청중의 반응을 살피고, 그에 따라 말할 양이나 말하기 ❷[　　], 방법 등을 조절할 수 있음.

❶ 흥미

❷ 순서

핵심 2 말하기 불안

• 개념

여러 사람 앞에서 말을 하기에 앞서 또는 말을 하는 과정에서 경험하는 ❸[　　] 증상

❸ 불안

• 말하기 불안을 느끼는 까닭의 예

• 말하기 ❹[　　]를 충분하게 하지 못해서
• 청중 앞에서 말을 한 ❺[　　]이 많지 않아서
• 실수 없이 완벽하게 말해야 한다고 생각해서
• 청중이 낯설거나 말하기 환경에 익숙하지 않아서
• 청중이 자신의 말을 어떻게 평가할지를 걱정해서

❹ 준비

❺ 경험

• 말하기 불안에 대처하는 데 도움이 되는 방법

• 긍정적인 생각을 한다.
• 종이에 주요 내용을 적어 둔다.
• 말하기 ❻[　　]을 많이 한다.
• 심호흡을 하고 몸을 가볍게 풀어 준다.

❻ 연습

핵심 3 말하기 불안을 느끼는 화자를 대하는 청중의 태도

화자의 노력도 중요하지만, 청중이 화자에게 ❼[　　　]으로 반응하는 것도 중요함.	→	청중의 긍정적인 반응은 화자가 ❽[　　][　　]을 극복하는 데 도움이 됨.

❼ 긍정적

❽ 말하기 불안

기초 확인 문제

정답과 해설 **42**쪽

01 말할 때 청중과 관련하여 고려할 점을 떠올리며 빈칸에 들어갈 알맞은 말을 쓰시오.

> (1) 말할 내용을 선정할 때에는 청중의 흥미와 관심사, 지식수준과 경험, 성격이나 가치관, 화자와 청중의 (   ) 등을 고려한다.

> (2) 말하는 중에는 청중의 (   )을 살피고, 그에 따라 말할 양이나 말하기 순서, 방법 등을 조절하면 좋다.

02 다음은 학생의 일기이다. 학생이 말할 때 고려한 점으로 가장 적절할 것은?

> 유치원에 다니는 조카가 블랙홀이 무엇인지 나에게 물어서 백과사전을 찾아보니 '초고밀도에 의하여 생기는 중력장의 구멍'이라고 설명하고 있었다. 이 설명은 조카가 이해하기 어렵기 때문에 '우주에 있는 것으로, 무언가를 끌어당기는 힘이 매우 강해서 빛조차 빠져나오지 못해 검은 구멍처럼 보이는 것'이라고 쉬운 표현으로 말해 주었다.

① 성별   ② 관심사   ③ 가치관
④ 친밀도   ⑤ 지식수준

03 빈칸에 들어갈 알맞은 말을 쓰시오.

> 여러 사람 앞에서 말을 하기에 앞서 또는 말을 하는 과정에서 경험하는 불안 증상을 (   )이라고 한다. 이때 어느 정도 불안을 느끼는 것은 자연스러운 현상이라는 것을 알고 대처하는 것이 필요하다.

04 다음 학생들이 말하기 불안을 느끼는 까닭이 무엇인지 〈보기〉에서 고르시오.

> ┌ 보기 ┐
> ㉠ 말하기 준비를 충분히 하지 못했다.
> ㉡ 청중 앞에서 말을 한 경험이 많지 않다.
> ㉢ 청중이 자신의 말을 어떻게 평가할지 걱정된다.

(1) 나는 여러 사람 앞에서 말을 해 본 일이 거의 없어서 불안해.
(   )

(2) 사람들이 내 말을 듣고 어떻게 생각하고 평가할지 걱정이 돼.
(   )

(3) 말할 내용을 준비한 것이 부족해서 발표하기 두려워.
(   )

05 다음은 말하기 불안의 대처에 도움이 되는 방법을 메모한 것이다. 괄호에서 알맞은 말을 골라 순서대로 쓰시오.

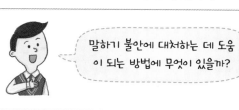

말하기 불안에 대처하는 데 도움이 되는 방법에 무엇이 있을까?

- (부정적인/긍정적인) 생각보다 (부정적인/긍정적인) 생각을 하기
- 말하기 연습을 많이 하기
- 종이에 주요 내용을 적어 두기
- 심호흡을 하고 몸을 가볍게 풀어 주기

핵심 4 〈말하기의 달인이 되기까지〉 제재 개관
어떠한 분야에서 남달리 뛰어난 재능을 가진 사람.

갈래
만화

말하기의 달인이 되기까지

주제
청중의 관심과 요구를 고려하고, ❶◻◻◻◻ 에 대처하면 청중 앞에서 자신 있게 말할 수 있다.

❶ 말하기 불안

제재
'소개하는 말하기' 발표

특징
① 발표를 준비하고 마칠 때까지의 과정이 나타나 있음.
② 연우가 가진 고민과 해결 방안이 잘 드러나 있음.

핵심 5 연우가 청중을 고려한 부분

※ 연우의 '소개하는 말하기'의 ❷◻◻ : 반 친구들

❷ 청중

말하기 전	• 반 친구들의 흥미와 관심을 고려하여 생체 ❸◻◻ 기술로 만든 물건을 주제로 정함. • 물건의 사진을 보여 주고자 함. • 용어를 쉽게 풀어 말하기로 함.	→	청중의 관심과 ❹◻◻, 지식수준 등을 고려함.
말하기 중	• 시간을 두고 친구들의 반응을 기다림. • 주삿바늘의 ❺◻◻를 머리카락 굵기와 비교하여 설명함.	→	청중의 ❻◻◻을 살피고, 그에 따라 말하기 방법 등을 조절함.

❸ 모방

❹ 흥미

❺ 굵기

❻ 반응

핵심 6 연우가 느낀 말하기 불안

연우가 느낀 말하기 불안		언니의 조언(대처 방법)
• 말할 때 ❼◻◻를 할까 봐 걱정된다. • 말할 내용을 잊어버릴 것 같다. • 친구들이 내 말을 집중해서 듣지 않을 것 같다.	→	• 부정적인 생각보다 긍정적인 생각을 한다. • 말하기 ❽◻◻을 많이 한다. • 종이에 말하고자 하는 주요 내용을 적어 둔다. • 심호흡을 반복하고 몸을 가볍게 풀어 준다.

❼ 실수

❽ 연습

정답과 해설 **42쪽**

06 〈말하기의 달인이 되기까지〉의 내용을 떠올리며 빈칸에 들어갈 알맞은 말을 쓰시오.

(1) 연우는 (   ) 친구들을 대상으로 하여 '소개하는 말하기'를 준비하였다.

(2) 발표 자료를 준비한 연우는 (   )을 느끼고, 언니가 연우에게 조언을 하였다.

07 연우가 '소개하는 말하기'를 준비하는 과정에서 청중과 관련하여 무엇을 고려하였는지 〈보기〉에서 고르시오.

┌─ 보기 ─────────────────────
│ ㉠ 청중의 성별   ㉡ 청중의 관심사
│ ㉢ 청중의 가치관   ㉣ 청중의 지식수준
└──────────────────────────

(1)

산우엉 열매의 가시에서 아이디어를 얻어 찍찍이를 개발했다는 과학 선생님의 이야기에 친구들이 큰 관심을 보였어. 생체 모방 기술로 만든 물건들을 소개해야겠다.

(   )

(2)

'생체 모방 기술'이라는 말은 '생명체에서 아이디어를 얻어 새로운 제품을 만드는 기술'이라고 쉽게 풀어 말하는 게 더 좋겠어.

(   )

08 연우가 말하기 불안에 대처한 방법에 관한 설명을 바르게 연결하시오.

(1)  •

(2)  •

(3)  •

• ㉠ 심호흡을 반복하였다.

• ㉡ 말하기를 잘 끝낸 모습을 상상하였다.

• ㉢ 주요 내용을 종이에 적고 연습을 하였다.

09 연우가 '소개하는 말하기'를 할 때 떠올린 생각을 보고, 빈칸에 공통으로 들어갈 알맞은 말을 쓰시오.

주삿바늘의 굵기가 가늠이 안 되나 보다. 머리카락 굵기와 비교해야겠어.

연우는 친구들의 (   )을 살폈을 때 주삿바늘의 굵기를 가늠하지 못한다고 생각했기 때문에 머리카락 굵기와 비교해야겠다고 생각하였다. 이처럼 말하는 중에는 청중의 (   )을 고려해야 한다.

5일 교과서 기출 베스트

01 이 만화의 내용과 일치하지 <u>않는</u> 것은?

① 연우는 사회 시간에 발표한 경험이 있다.

② 연우가 할 말하기는 '소개하는 말하기'이다.

③ 연우가 할 말하기의 청중은 다른 학교 학생들이다.

④ 연우는 말하기를 준비하면서 사진 자료를 찾아 보았다.

⑤ 말하기 불안을 느끼는 연우에게 언니가 조언을 해 주었다.

빈출 유형 말하기 불안의 원인 및 증상 파악

02 연우가 말하기 불안을 느끼는 까닭으로 적절하지 <u>않은</u> 것은?

① 발표 자료를 만들지 못해서

② 여러 사람 앞에서 말을 해야 해서

③ 말하는 중에 실수할까 봐 두려워서

④ 말할 내용을 잊어버릴 것 같다고 생각해서

⑤ 청중이 자신의 말에 집중하지 않을까 두려워서

빈출 유형 청중을 고려하여 준비하는 방법 파악

03 다음은 말하기를 준비하는 연우와 친구의 대화이다. 빈 칸에 들어갈 알맞은 말을 쓰시오.

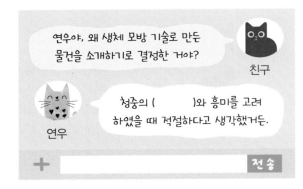

04~06 다음 만화를 보고, 물음에 답하시오.

빈출 유형 말하기 불안에 대처하는 방법 파악

04 이 만화에서 연우가 말하기 불안에 대처하기 위해 한 일이 아닌 것은?

① 긍정적인 생각을 하였다.

② 거울을 보며 말하기 연습을 하였다.

③ 말할 주요 내용을 종이에 적어 두었다.

④ 말하기를 시작하기 전에 심호흡을 하였다.

⑤ 연습하는 모습을 영상으로 촬영하고 고쳐야 하는 부분을 찾았다.

빈출 유형 청중을 고려하여 말하는 방법 파악

05 연우의 발표에 대한 설명으로 가장 적절한 것은?

① 객관성을 위해 통계 자료를 제시하였다.

② 소개하는 대상의 장점과 단점을 말하였다.

③ 친구들의 흥미를 고려해 음성 자료를 활용하였다.

④ 물건을 보여 주면서 질문을 던져 흥미를 이끌어 내었다.

⑤ 친구들과의 친밀함을 드러내기 위해 반말을 사용하였다.

06 다음은 연우의 발표를 들은 친구가 메모한 내용이다. ㉠과 ㉡에 들어갈 알맞은 말을 쓰시오.

생명체에서 아이디어를 얻어 만든 물건	아이디어는 어디에서?
㉠	산우엉 열매의 가시
맞아도 아프지 않은 주삿바늘	㉡

01 ㉠~㉤의 문장 성분을 잘못 분석한 것은?

> 이 사람은 결코 거짓말쟁이가 아니다.
> ㉠ ㉡ ㉢ ㉣ ㉤

① ㉠: 관형어 ② ㉡: 주어 ③ ㉢: 독립어

④ ㉣: 보어 ⑤ ㉤: 서술어

02 〈보기〉의 문장이 어색한 이유에 대한 학생들의 대화를 보고, 빈칸에 공통으로 들어갈 알맞은 말을 쓰시오.

┌ 보기 ┐
준호가 치웠다.

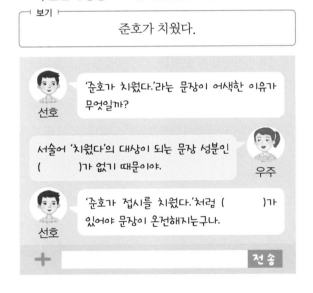

선호: '준호가 치웠다.'라는 문장이 어색한 이유가 무엇일까?

우주: 서술어 '치웠다'의 대상이 되는 문장 성분인 ( )가 없기 때문이야.

선호: '준호가 접시를 치웠다.'처럼 ( )가 있어야 문장이 온전해지는구나.

＋   전송

03 다음 중 겹문장이 **아닌** 것은?

① 준하는 나에게 책을 주었다.

② 정아는 달이 뜨는 풍경을 보았다.

③ 바람이 불어서 나뭇잎이 떨어진다.

④ 연태는 "나는 딸기를 좋아해."라고 말했다.

⑤ 현주는 축구를 잘하고 경서는 야구를 잘한다.

04 〈보기〉의 문장을 활용하여 학생의 표현 의도에 맞게 만든 문장은?

┌ 보기 ┐
• 명수가 숙제를 한다.
• 명수가 소설을 읽는다.

명수가 소설을 읽는 의도가 숙제를 하기 위함임을 표현하는 이어진문장을 만들고 싶어.

① 소설을 읽은 명수가 숙제를 한다.

② 명수가 소설을 읽는 숙제를 한다.

③ 명수가 숙제를 해서 소설을 읽는다.

④ 명수가 소설을 읽거나 숙제를 한다.

⑤ 명수가 숙제를 하려고 소설을 읽는다.

🧭 **도움말**

이어진문장을 만들 때 앞 절과 뒤 절의 주어가 같으면 하나를 생략해요.

05 다음 질문에 대한 답으로 적절한 것은?

'우리는 형이 도착했음을 이제야 알았다.'라는 문장은 어떤 절을 가진 안은문장일까?

① 부사절을 가진 안은문장이야.

② 인용절을 가진 안은문장이야.

③ 서술절을 가진 안은문장이야.

④ 명사절을 가진 안은문장이야.

⑤ 관형절을 가진 안은문장이야.

6 다음 만화를 보고, 물음에 답하시오.

06 이 만화에 나타난 쓰기 윤리를 고려하여 소미의 잘못을 바르게 파악한 학생과 적절하게 조언한 학생을 쓰시오.

소미

#잘못을_하나씩_고백해_보자

여름 방학에 있었던 일 가운데 인상 깊은 경험과 그 의미를 쓰는 숙제가 있었는데, 나는 제주도로 가족 여행을 갔던 일을 쓰기로 마음을 먹었다. 글을 쓰려고 내용을 마련하다 보니 유명한 곳은 몇 군데밖에 가지 않아서, 내가 가지는 않았지만 유명한 곳에 관한 자료를 인터넷과 책에서 찾아 직접 다녀온 것처럼 내용을 꾸며 썼다.

(1) 소미의 잘못을 바르게 파악한 학생은?

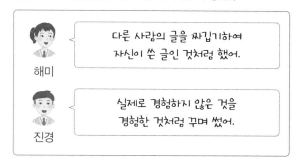

해미
다른 사람의 글을 짜깁기하여 자신이 쓴 글인 것처럼 했어.

진경
실제로 경험하지 않은 것을 경험한 것처럼 꾸며 썼어.

(2) 소미에게 적절하게 조언한 학생은?

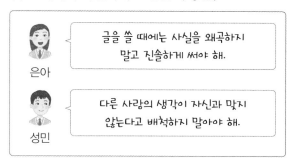

은아
글을 쓸 때에는 사실을 왜곡하지 말고 진솔하게 써야 해.

성민
다른 사람의 생각이 자신과 맞지 않는다고 배척하지 말아야 해.

07~08 다음 글을 읽고, 물음에 답하시오.

가 2 조사 방법

• 설문 조사: 우리 학교 3학년 학생 220명에게 다음과 같은 항목으로 설문을 하고 결과를 분석하였다.

질문 ① 스마트폰을 가지고 있나요?

질문 ② 하루에 스마트폰을 몇 시간 사용하나요?

질문 ③ 스마트폰으로 무엇을 많이 하나요?

질문 ④ 스마트폰을 사용하면 어떤 점이 좋다고 생각하나요?

질문 ⑤ 스마트폰 사용을 줄여야겠다고 생각한 적이 있나요? 있다면 그 까닭은 무엇인가요?

나 (2) 스마트폰 하루 사용 시간

하루에 스마트폰을 몇 시간 사용하느냐는 질문에 평일은 '두 시간 이상 세 시간 미만'이라는 대답이 27.6%로 가장 많았다. [중략] 주말은 '네 시간 이상 다섯 시간 미만'이라는 대답이 29.1%로 가장 많았다.

구분	한 시간 미만	한 시간 이상 두 시간 미만	두 시간 이상 세 시간 미만	세 시간 이상 네 시간 미만	네 시간 이상 다섯 시간 미만	다섯 시간 이상
평일	4.3	22.9	27.6	23.8	11.4	10
주말	1.4	11.4	20.5	22.4	29.1	15.2

질문 ② 하루에 스마트폰을 몇 시간 사용하나요? (단위: %)

다 2 결과 종합 분석

스마트폰 하루 사용 시간은 평일의 경우 '두 시간 이상 세 시간 미만' 사용한다는 대답이 27.6%로 가장 높았고, 주말의 경우 '네 시간 이상 다섯 시간 미만' 사용한다는 대답이 29.1%로 가장 높았다. 평일과 주말 사용 시간의 차이는 학교에 가는 날인가 아닌가가 영향을 끼친 것으로 보인다.

라 우리는 이 조사를 통해 많은 학생이 스마트폰을 가지고 있고, 스마트폰을 사용하는 데 적지 않은 시간을 보내고 있음을 알 수 있었다. 그리고 스마트폰 때문에 생길 수 있는 문제를 걱정하거나, 이미 문제를 겪고 있는 학생들이 있음을 알 수 있었다. [중략] 자신의 스마트폰 사용 습관을 점검해 보고, 스마트폰을 적절하게 잘 활용하기를 바란다.

---

07 이 보고서에 대한 설명으로 적절하지 <u>않은</u> 것은?

① 결과를 정리하면서 표를 함께 제시하였다.

② 설문 조사에 참여한 학생들의 이름을 밝혔다.

③ 조사를 통해 알게 된 점을 요약하여 제시하였다.

④ 결과를 정리하면서 설문 문항의 내용을 제시하였다.

⑤ 스마트폰 사용 실태와 사용 인식에 관하여 설문 조사를 하였다.

08 다음은 보고서를 쓸 때 유의할 점을 정리한 것이다. 내용이 적절하지 <u>않은</u> 것은?

머리말	목적, 기간, 대상, 방법 등이 무엇인지 밝힌다. ······················ ①
본문	• 자료를 객관적으로 분석하여 간결하고 명확하게 쓴다. ············ ② • 내용을 과장하거나 왜곡하지 않고 사실대로 정확하게 쓴다. ········ ③ • 그림이나 표, 그래프를 활용하여 절차와 결과가 드러나도록 쓴다. ·· ④
맺음말	• 결과를 요약하되, 글쓴이의 당부는 쓰지 않는다. ····················· ⑤ • 참고한 자료의 출처를 밝힌다.

09~10 다음 글을 읽고, 물음에 답하시오.

가 민수는 〈홍길동전〉을 읽고 독후감을 제출하라는 숙제를 받았는데 너무 늦게 〈홍길동전〉을 읽기 시작해서 제날짜에 낼 수 없게 되었다. 민수는 어떻게 할까 고민하다가 인터넷에서 자료를 찾아보았다. 인터넷을 검색하여 〈홍길동전〉을 읽고 쓴 다른 사람들의 독후감을 쉽게 찾을 수 있었다. 민수는 그 가운데 하나를 골라 마치 자기가 직접 쓴 것처럼 꾸며 선생님께 제출하였다.

나 글을 쓸 때 다른 사람이 쓴 글이나 자료, 아이디어 등을 끌어 쓰는 것을 '인용'이라고 한다. 인용을 하는 경우, 그 출처를 정확하게 밝혀야 한다. 그러지 않고 다른 사람의 글이나 자료, 아이디어의 일부 또는 전체를 베껴 쓰는 것은 비윤리적 행위이다. 이와 같은 행위를 '표절'이라고 한다. 또 하나의 글이 아니라 두 개 이상의 글을 이리저리 쪼개고 붙여서 마치 자신이 쓴 글처럼 속이는 것도 표절인데, 이를 보통 '짜깁기'라 한다. 표절은 남의 재산을 훔치는 것과 같은 범죄 행위이기 때문에 저작권법에 따라 처벌을 받는다.

자신이 쓴 글이라도 발표했던 글을 새로 쓴 글처럼 다시 발표하는 것, 또 자신이 써서 발표한 글의 일부를 그것이 어디에 발표된 어떤 글의 일부라는 사실을 밝히지 않고 새로 쓰는 글에 넣는 것도 표절이다. 자신의 글과 관련된 이 같은 표절을 '자기 표절'이라고 한다.

– 이수형, 〈쓰기 윤리에 대하여〉에서

09 이 글을 바르게 이해한 학생끼리 짝지은 것은?

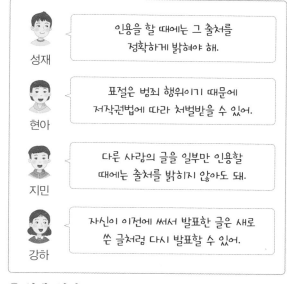

성재: 인용을 할 때에는 그 출처를 정확하게 밝혀야 해.

현아: 표절은 범죄 행위이기 때문에 저작권법에 따라 처벌받을 수 있어.

지민: 다른 사람의 글을 일부만 인용할 때에는 출처를 밝히지 않아도 돼.

강하: 자신이 이전에 써서 발표한 글은 새로 쓴 글처럼 다시 발표할 수 있어.

① 성재, 현아　　② 성재, 지민
③ 현아, 지민　　④ 현아, 강하
⑤ 지민, 강하

10 (가)에 나타난 민수의 잘못을 정리한 메모의 빈칸에 들어갈 알맞은 말을 쓰시오.

민수의 잘못
• 민수는 다른 사람이 쓴 독후감을 자신이 쓴 것처럼 꾸며 선생님께 제출하였다.
• 다른 사람의 글을 자신이 쓴 글처럼 속였으므로 표절을 한 것이며 (　　　　)를 어겼다.

01~03 다음 글을 읽고, 물음에 답하시오.

가 글의 내용을 잘 이해하려면 읽기의 과정에 따라 읽는 것이 좋다. 읽기 과정은 대체로 '읽기 전', '읽기 중', '읽기 후'의 세 단계로 나뉜다. 다음에서, 읽기 과정의 각 단계에서 주로 수행하는 활동에 무엇이 있는지 살펴보자.

나 ' ㉠ ' 단계에서는 먼저 읽기 목적을 정하는 것이 좋다. 예를 들어 시험공부를 위해 읽는 것인지, 교양을 쌓으려고 읽는 것인지, 여가를 보내려고 읽는 것인지 등을 정하는 것이다. 그리고 글의 제목이나 차례를 훑어보면서 글의 내용을 예측해 본다. 또 그것들과 관련된 자신의 경험을 떠올리면서 배경지식을 활성화한다. 그리고 궁금한 점, 알고 싶은 점 등을 중심으로 하여 질문을 만들어 볼 수도 있다.

다 '읽기 중' 단계에서는 글을 읽기 전에 예측한 내용이 맞는지 확인하고, 자신이 미리 만들어 놓은 질문의 답을 찾는다. 또한 글을 읽어 나가면서 각 부분의 중심 내용을 파악한다. 나아가 글쓴이의 의도를 추론하고, 글쓴이의 주장에 공감하기도 하고 그것을 비판하기도 하면서 글의 의미를 이해해 나간다.

라 ' ㉡ ' 단계에서는 글 전체의 내용을 간단하게 요약하여 정리한다. 또 새롭게 알게 된 내용을 정리해 보고 더 알고 싶은 내용은 없는지 생각해 본다. 그리고 자신이 글을 잘 읽었는지, 부족한 부분은 없는지 평가한다. 글을 통해 새롭게 알게 된 내용을 자신의 상황에 적용해 볼 수도 있고, 필요한 글을 더 찾아 읽을 수도 있다.

마 지금까지 살펴본 읽기의 과정별 활동이 반드시 그 과정에서만 이루어져야 하는 것은 아니다. 예를 들어 예측하기나 질문 만들기는 읽기 중에도 얼마든지 할 수 있는 활동이다. 독자는 자신의 읽기 상황에 따라 적절한 활동을 하면 된다.

01 이 글에 대한 설명으로 적절한 것은?

① 대상을 단계별로 나누어 설명하고 있다.

② 대상에 관한 전문가의 말을 인용하고 있다.

③ 대상에 관한 상반된 이론을 제시하고 있다.

④ 통계 자료를 활용하여 글쓴이의 주장을 뒷받침하고 있다.

⑤ 질문의 형식을 활용하여 대상에 대한 흥미를 이끌어 내고 있다.

도움말

• **상반되다** 서로 반대되거나 어긋나게 되다.

02 이 글을 바탕으로 하여 〈보기〉의 학생이 수행한 활동을 바르게 설명한 것은?

보기

일단 글의 제목을 살펴보자. 제목이 '절로 뛰어들게 만드는 씨름판의 풍경'이라고? 제목으로 미루어 볼 때 씨름판의 매력에 관한 글일 것 같아.

① 읽기 목적을 정하였다.

② 글 전체의 내용을 요약하였다.

③ 자신의 읽기 활동을 평가하였다.

④ 글의 제목을 보며 내용을 예측하였다.

⑤ 글쓴이의 주장에 공감하거나 비판하면서 글의 의미를 이해하였다.

03 ㉠과 ㉡에 들어갈 읽기 과정의 단계를 쓰시오.

04~06 다음 글을 읽고, 물음에 답하시오.

가 스파게티 식당의 사례로 자세히 살펴보자. 식당 주인은 가게 임차료와 인건비로 한 달에 3백만 원씩 지출한다. 하루에 십만 원씩 드는 셈인데, 하루에 손님이 몇 명 오는지에 관계없이 나가는 고정 비용이다. 그리고 스파게티 1인분을 만드는 데에는 면, 소스 등의 재료비와 가스 요금과 같은 조리비로 3천 원의 변동 비용이 든다.

만약 하루에 한 명의 고객만이 이 식당을 찾는다면 식당 주인이 스파게티 1인분을 만드는 데 드는 비용은 무려 10만 3천 원이다. 두 명의 고객이 방문한다면 2인분을 만드는 데 10만 6천 원이 드니까, 1인분 생산비는 5만 3천 원으로 감소한다. 이런 식으로 식당 손님이 증가할수록 스파게티 1인분 생산비는 점점 감소한다. [㉠]

나 규모의 경제는 판매 가격에도 영향을 준다. 앞에서 예로 든 스파게티 식당의 경우 하루에 1인분밖에 팔지 못한다고 할 때 손해를 보지 않으려면 스파게티 1인분 가격을 10만 3천 원 이상으로 정해야 한다. 그러나 하루에 스파게티를 20인분 판다면 전체 생산 비용은 16만 원이고 1인분 생산비는 8천 원이 된다. 이때 2천 원의 이윤을 더해 스파게티 1인분 가격을 만 원으로 정할 수 있을 것이다. 장사가 잘되어 스파게티 생산량이 늘어나면 1인분 생산비는 더욱 낮아질 것이고, 이에 따라 가격을 더 낮출 수도 있다.

– 한진수, 〈많이 만들수록 줄어드는 생산비의 비밀〉에서

04 이 글의 내용과 일치하지 않는 것은?

① 재료비와 조리비는 변동 비용에 해당한다.
② 고정 비용은 고객의 수와 관계없는 비용이다.
③ 고객이 많아질수록 1인분 생산비가 늘어난다.
④ 가게 임차료와 인건비는 고정 비용에 해당한다.
⑤ 판매 가격을 정할 때 1인분 생산비에 이윤을 더해 정할 수 있다.

05 이 글을 읽으며 읽기 과정을 점검하다가 〈보기〉와 같은 문제에 부딪혔을 때, 조정 방법으로 적절하지 않은 것은?

┤ 보기 ├

이 글은 내가 읽기에 너무 어려워.

① 더 쉽게 쓴 글을 찾아 읽는다.
② 인터넷으로 자료를 찾아가며 읽는다.
③ 경제 용어는 사전을 찾아가며 읽는다.
④ 이해되지 않는 부분은 그냥 넘기며 읽는다.
⑤ 규모의 경제가 나타나는 다른 예를 찾아본다.

06 다음은 ㉠에 들어갈 내용을 정리한 것이다. 괄호 안에서 알맞은 말을 고르시오.

> 생산량이 증가할수록 개당 생산비가 (증가해/ 감소해) 경제적이 되는 '규모의 경제' 현상이 나타나는 것이다.

07~08 다음 만화를 보고, 물음에 답하시오.

07 이 만화의 내용과 일치하지 <u>않는</u> 것은?

① 연우가 할 발표는 반 친구들을 청중으로 한다.

② 연우는 지금까지 말하기 불안을 느껴 본 경험이 없다.

③ 연우는 생체 모방 기술로 만든 물건을 소개하기로 결정하였다.

④ 언니는 연우에게 말하기 불안에 대처하는 데 도움이 되는 방법을 조언하였다.

⑤ 연우는 발표할 때 일어날 수 있는 부정적인 상황을 생각하며 불안감을 느끼고 있다.

08 이 만화에 나타난 연우의 '소개하는 말하기' 준비를 바르게 이해한 학생끼리 짝지은 것은?

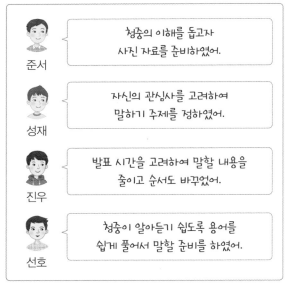

준서	청중의 이해를 돕고자 사진 자료를 준비하였어.
성재	자신의 관심사를 고려하여 말하기 주제를 정하였어.
진우	발표 시간을 고려하여 말할 내용을 줄이고 순서도 바꾸었어.
선호	청중이 알아듣기 쉽도록 용어를 쉽게 풀어서 말할 준비를 하였어.

① 준서, 성재   ② 준서, 진우

③ 준서, 선호   ④ 성재, 진우

⑤ 성재, 선호

`09~10` 다음 만화를 보고, 물음에 답하시오.

09 이 만화에 나타난 말하기 불안에 대처하는 방법으로 적절하지 <u>않은</u> 것은?

① 몸을 가볍게 풀어 준다.

② 말하기 전에 심호흡을 한다.

③ 거울을 보며 말하기 연습을 한다.

④ 작은 종이에 주요 내용을 적어 둔다.

⑤ 청중과 눈을 마주치지 않고 자료를 보며 말한다.

10 다음은 이 만화를 본 학생의 메모이다. 초성 글자를 참고하여 ㉠과 ㉡에 들어갈 말을 쓰시오.

> **연우의 청중 고려하기**
>
> 연우는 친구들이 내용을 이해하기 어려워한다고 생각하여 (㉠ ㅈㅅㅂㄴ)의 굵기를 머리카락 굵기와 비교하여 설명함.
>
> **연우의 말하기 불안 극복**
>
> • 연우가 말하기 불안을 극복하는 데 친구들의 태도가 영향을 주었음.
> • 청중의 (㉡ ㄱㅈㅈ)인 반응은 화자가 말하기 불안을 극복하는 데 도움이 됨.

코딩

01 〈보기〉의 문장을 다음 과정에 따라 분석할 때, ㉠과 ㉡에 해당하는 말을 쓰시오.

┌ 보기 ┐
세상에, 이 찻잔은 벌써 식었어.
└────┘

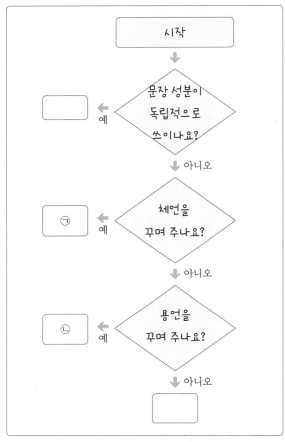

┌ 조건 ┐
• '㉠에 해당하는 말은 ~이고, ㉡에 해당하는 말은 ~이다.' 형식의 한 문장으로 쓸 것
└────┘

창의 융합

02 다음 글에서 〈조건〉에 맞는 문장을 찾아 쓰시오.

지민아, 너는 떡볶이를 좋아하니?
강하가 네가 떡볶이를 좋아한다고 알려주었어.
그 말이 맞아? 나도 떡볶이를 정말 좋아하거든.
특히 나는 카레가 들어간 떡볶이를 좋아해.
너는 어떤 떡볶이를 좋아하니?
너도 떡볶이를 좋아하면 맛집에 같이 가자.

┌ 조건 ┐
1. 주어와 서술어의 관계가 두 번 이상 나타남.
2. 앞 절과 뒤 절의 의미 관계가 대등하지 못하고 종속적인 관계에 있음.
└────┘

창의

03 ㉠과 ㉡을 활용하여 〈보기〉의 학생이 만든 안은문장을 쓰시오.

┌ 보기 ┐

나는 어떤 소설이 영화로 만들어졌는지를 드러내는 문장을 만들었어.
└────┘

┌──────┐
㉠ 그 소설은 해외에서 유명하다.
㉡ 그 소설은 영화로도 만들어졌다.
└──────┘

창의 융합

04 다음 대화를 보고, 빈칸에 들어갈 알맞은 말을 〈조건〉에 맞게 쓰시오.

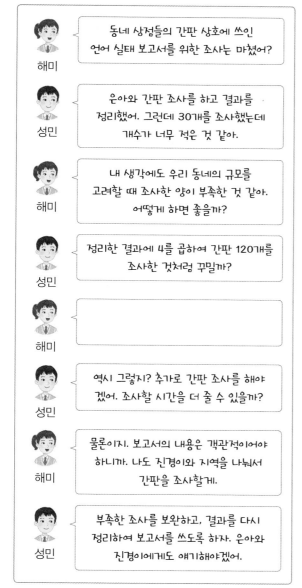

해미: 동네 상점들의 간판 상호에 쓰인 언어 실태 보고서를 위한 조사는 마쳤어?

성민: 은아와 간판 조사를 하고 결과를 정리했어. 그런데 30개를 조사했는데 개수가 너무 적은 것 같아.

해미: 내 생각에도 우리 동네의 규모를 고려할 때 조사한 양이 부족한 것 같아. 어떻게 하면 좋을까?

성민: 정리한 결과에 4를 곱하여 간판 120개를 조사한 것처럼 꾸밀까?

해미:

성민: 역시 그렇지? 추가로 간판 조사를 해야겠어. 조사할 시간을 더 줄 수 있을까?

해미: 물론이지. 보고서의 내용은 객관적이어야 하니까. 나도 진경이와 지역을 나눠서 간판을 조사할게.

성민: 부족한 조사를 보완하고, 결과를 다시 정리하여 보고서를 쓰도록 하자. 은아와 진경이에게도 얘기해야겠어.

조건
1. 성민이가 지키지 않은 쓰기 윤리를 밝힐 것
2. 대화체의 한 문장으로 쓸 것

창의 융합

05 다음 글을 읽은 독자의 메모를 보고, ㉠과 ㉡ 중 내용이 잘못된 것을 찾아 바르게 고쳐 쓰시오.

　스마트폰을 사용하면 어떤 점이 좋다고 생각하느냐는 질문에 45.7%의 학생이 '재미를 얻고 스트레스를 풀 수 있다'라고 답했다.

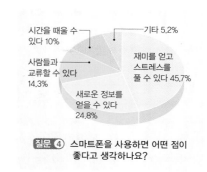

시간을 때울 수 있다 10%　기타 5.2%
사람들과 교류할 수 있다 14.3%
재미를 얻고 스트레스를 풀 수 있다 45.7%
새로운 정보를 얻을 수 있다 24.8%

질문 ④ 스마트폰을 사용하면 어떤 점이 좋다고 생각하나요?

'새로운 정보를 얻을 수 있다'라는 대답이 24.8%로 그 뒤를 이었고, '사람들과 교류할 수 있다'가 14.3%, '시간을 때울 수 있다'가 10%, 기타가 5.2%였다.

　스마트폰 사용을 줄여야겠다고 생각한 적이 있느냐는 질문에 68.1%의 학생이 '그렇다'라고 답했는데, 그 까닭은 '학업 문제'(40.5%),

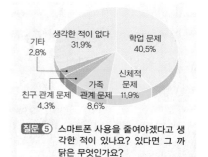

생각한 적이 없다 31.9%　학업 문제 40.5%
기타 2.8%
신체적 문제 11.9%
친구 관계 문제 4.3%　가족 관계 문제 8.6%

질문 ⑤ 스마트폰 사용을 줄여야겠다고 생각한 적이 있나요? 있다면 그 까닭은 무엇인가요?

'신체적 문제'(11.9%), '가족 관계 문제'(8.6%), '친구 관계 문제'(4.3%), 기타(2.8%) 순이었다.

㉠ 스마트폰을 사용하면 어떤 점이 좋다고 생각하느냐는 질문에 '재미를 얻고 스트레스를 풀 수 있다'라는 대답이 가장 많았음.

㉡ 스마트폰 사용을 줄여야겠다고 생각한 까닭으로 '신체적 문제'가 가장 많았음.

06~07 다음 글을 읽고, 물음에 답하시오.

글의 내용을 잘 이해하려면 읽기의 과정에 따라 읽는 것이 좋다. 읽기 과정은 대체로 '읽기 전', '읽기 중', '읽기 후'의 세 단계로 나뉜다. 다음에서, 읽기 과정의 각 단계에서 주로 수행하는 활동에 무엇이 있는지 살펴보자.

'읽기 전' 단계에서는 먼저 읽기 목적을 정하는 것이 좋다. 예를 들어 시험공부를 위해 읽는 것인지, 교양을 쌓으려고 읽는 것인지, 여가를 보내려고 읽는 것인지 등을 정하는 것이다. 그리고 글의 제목이나 차례를 훑어보면서 글의 내용을 예측해 본다. 또 그것들과 관련된 자신의 경험을 떠올리면서 배경지식을 활성화한다. 그리고 궁금한 점, 알고 싶은 점 등을 중심으로 하여 질문을 만들어 볼 수도 있다.

'읽기 중' 단계에서는 글을 읽기 전에 예측한 내용이 맞는지 확인하고, 자신이 미리 만들어 놓은 질문의 답을 찾는다. 또한 글을 읽어 나가면서 각 부분의 중심 내용을 파악한다. 나아가 글쓴이의 의도를 추론하고, 글쓴이의 주장에 공감하기도 하고 그것을 비판하기도 하면서 글의 의미를 이해해 나간다.

'읽기 후' 단계에서는 글 전체의 내용을 간단하게 요약하여 정리한다. 또 새롭게 알게 된 내용을 정리해 보고 더 알고 싶은 내용은 없는지 생각해 본다. 그리고 자신이 글을 잘 읽었는지, 부족한 부분은 없는지 평가한다. 글을 통해 새롭게 알게 된 내용을 자신의 상황에 적용해 볼 수도 있고, 필요한 글을 더 찾아 읽을 수도 있다.

창의

06 〈보기〉의 학생이 읽기 과정의 어느 단계에 있는지 서술하시오.

┌ 보기 ┐

먼저 글을 읽는 목적을 정해 보자. 난 대량 생산과 생산비의 관계를 알고 싶어.

┌ 조건 ┐
• '~ (하)고 있으므로 ~ 단계에 있다.' 형식의 한 문장으로 쓸 것

코딩

07 다음 표에 독자가 수행할 수 있는 읽기 전·중·후 활동을 한 가지씩 서술하시오.

(1)	읽기 전	
	↓	
(2)	읽기 중	
	↓	
(3)	읽기 후	

┌ 조건 ┐
• 활동은 각각 한 문장으로 쓸 것

08 창의 융합

다음 만화의 내용을 정리한 메모를 보고, ㉠과 ㉡에 들어갈 알맞은 말을 찾아 쓰시오.

〰〰〰〰〰〰〰〰〰〰〰

말하기 주제 ➡ (㉠) 소개하기

화자의 청중 고려하기

| 청중이 주삿바늘의 굵기를 가늠하기 어려워한다고 생각함. | ➡ | 주삿바늘의 굵기를 (㉡)와 비교하여 설명함. |

┌─ 조건 ─────────────────────
• '㉠은 ~, ㉡은 ~이다.' 형식의 한 문장으로 쓸 것
└──────────────────────────

09 창의 융합

다음은 학생이 인터넷 게시판에 올린 글이다. 알맞은 댓글을 한 문장으로 쓰시오.

준서

여러 사람 앞에서 말할 때마다 실수할까 봐 걱정해서 떨게 됩니다. 여러 사람 앞에서 말할 때 떨지 않으려면 어떻게 해야 할까요?

💬 댓글 달기

10 창의

다음 글의 밑줄 친 부분에 해당하는 내용을 〈보기〉에서 찾아 쓰시오.

화자가 스스로 말하기 불안에 대처하고자 노력하는 것도 중요하지만, 청중이 말하기 불안을 느끼는 화자를 배려하는 것도 중요하다. 청중이 화자에게 <u>긍정적인 반응</u>을 보여 주면 화자가 말하기 불안을 극복하는 데 도움이 된다.

┌─ 보기 ─────────────────────
• 화자와 눈을 마주치지 않는다.
• 화자의 실수를 바로 지적한다.
• 화자의 말에 고개를 끄덕이며 듣는다.
└──────────────────────────

01 다음 중 문장을 이루는 데 기본적으로 필요한 성분만으로 이루어진 문장은?

① 달이 무척 밝다.

② 장미꽃이 참 예쁘다.

③ 경미가 수박을 먹는다.

④ 가을은 독서의 계절이다.

⑤ 진아야, 너는 기타를 잘 치는구나.

🧭 도움말

문장을 이루는 데 기본적으로 필요한 성분을 주성분이라고 해요. 주성분에 무엇이 있는지 생각해 보세요.

서술형

02 다음 각 문장에서 주성분의 내용을 자세히 꾸며 주는 역할을 하는 문장 성분을 찾아 쓰시오.

ㄱ. 범수는 모든 준비를 끝냈다.

ㄴ. 글씨가 정말 예쁘구나.

ㄷ. 아빠가 헌 옷을 많이 버렸다.

ㄱ	ㄴ	ㄷ

03 다음 중 홑문장이 아닌 것은?

① 친구들이 운동장에 모였다.

② 친구의 강아지는 매우 귀엽다.

③ 눈이 와서 도로가 매우 미끄럽다.

④ 나는 어제 윤아의 동생을 만났다.

⑤ 민수가 얼음물을 벌컥벌컥 마셨다.

서술형

04 〈보기〉의 문장들을 대등하게 이어진문장과 종속적으로 이어진문장으로 분류하시오.

보기

ㄱ. 비가 오고 바람이 분다.

ㄴ. 사공이 많으면 배가 산으로 간다.

ㄷ. 나는 점심을 많이 먹어서 아직 배부르다.

ㄹ. 윤재는 달리기가 빠르지만 동생은 달리기가 느리다.

(1) 대등하게 이어진문장	
(2) 종속적으로 이어진문장	

05 〈보기〉의 문장을 잘못 이해한 학생은?

보기

㉠ 나는 날이 밝기를 기다렸다.

㉡ 나는 날이 밝도록 게임을 하였다.

강하: ㉠과 ㉡은 모두 겹문장이야.

준서: ㉠과 ㉡은 모두 안은문장이야.

현아: ㉠은 명사절을, ㉡은 부사절을 안고 있어.

지민: ㉠의 밑줄 친 부분은 문장에서 주어의 기능을 하고 있어.

우주: ㉡의 밑줄 친 부분은 문장에서 부사어의 기능을 하고 있어.

① 강하　　② 준서　　③ 현아

④ 지민　　⑤ 우주

서술형
06 다음 질문의 답을 〈보기〉에서 고르시오.

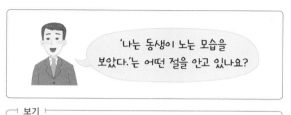

'나는 동생이 노는 모습을 보았다.'는 어떤 절을 안고 있나요?

┌ 보기 ┐
명사절 관형절 부사절 서술절 인용절

07 다음 중 ㉠에 들어갈 말로 적절한 것은?

① 남을 비방하는 글을 쓰지 말아야

② 자신의 생각과 다르다고 조롱하지 말아야

③ 조사를 하지 않고 한 것처럼 속이지 말아야

④ 글이나 자료를 인용할 때 출처를 꼭 밝혀야

⑤ 두 개 이상의 글을 쪼개고 붙여서 자신이 쓴 글
처럼 속이지 말아야

📝 도움말
남학생이 말하기 전 두 여학생이 어떤 것에 관해 이야기하고 있는지 생각
해 보세요.

08~09 다음 글을 읽고, 물음에 답하시오.

가 **1** 설문 조사 결과

(2) 스마트폰 하루 사용 시간

구분	한 시간 미만	한 시간 이상 두 시간 미만	두 시간 이상 세 시간 미만	세 시간 이상 네 시간 미만	네 시간 이상 다섯 시간 미만	다섯 시간 이상
평일	4.3	22.9	27.6	23.8	11.4	10
주말	1.4	11.4	20.5	22.4	29.1	15.2

(단위: %)

질문 ② 하루에 스마트폰을 몇 시간 사용하나요?

(3) 스마트폰의 용도

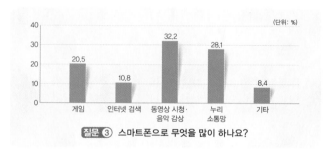

질문 ③ 스마트폰으로 무엇을 많이 하나요?

(4) 스마트폰 사용에 관한 인식

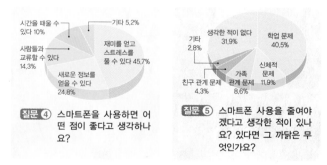

질문 ④ 스마트폰을 사용하면 어떤 점이 좋다고 생각하나요?

질문 ⑤ 스마트폰 사용을 줄여야 겠다고 생각한 적이 있나요? 있다면 그 까닭은 무엇인가요?

나 **2** 결과 종합 분석

스마트폰 하루 사용 시간은 평일의 경우 '두 시간 이상 세 시간 미만' 사용한다는 대답이 27.6%로 가장 높았고, 주말의 경우 '네 시간 이상 다섯 시간 미만' 사용한다는 대답이 29.1%로 가장 높았다. 평일과 주말 사용 시간의 차이는 학교에 가는 날인가 아닌가가 영향을 끼친 것으로 보인다. 주목할 점은 15.2%의 학생이 주말에 다섯 시간 이상 사용한다고 응답한 것이다. 만약 스마트폰 사용 시간을 스스로 조절하기 어려워지면 스마트폰 과의존이 될 위험이 있으므로, 이 수치는 조금 염려되는 부분이다.

스마트폰으로 '동영상 시청·음악 감상'을 한다는 대답이 32.2%였는데, 이는 스마트폰 사용의 장점으로 '재미를 얻고 스트레스를 풀 수 있다'(45.7%)라고 답한 것과 연결된다. 그 밖에 인상적인 점은 스마트폰으로 무엇을 많이 하느냐는 질문에 '기타'라고 대답한 학생 가운데 반이 넘는 수가 스마트폰으로 공부를 한다고 답한 것이다. 이는 온라인 학습과 관련된 것으로 보인다.

스마트폰을 가지고 있는 학생 가운데 68.1%가 스마트폰 사용 시간을 줄여야겠다는 생각을 한 적이 있다고 답하였는데, 이는 학생들이 스마트폰 사용으로 문제를 겪고 있음을 간접적으로 보여 준다. 그리고 스마트폰 사용 시간을 줄여야겠다고 생각한 까닭으로는 '학업 문제'(40.5%)가 가장 높았는데, 스마트폰 사용으로 공부에 지장이 있음을 짐작할 수 있다.

다 **3. 맺음말**

우리는 이 조사를 통해 많은 학생이 스마트폰을 가지고 있고, 스마트폰을 사용하는 데 적지 않은 시간을 보내고 있음을 알 수 있었다. 그리고 스마트폰 때문에 생길 수 있는 문제를 걱정하거나, 이미 문제를 겪고 있는 학생들이 있음을 알 수 있었다.

스마트폰으로 재미를 좇고, 스트레스를 풀고, 새로운 정보를 얻는 것도 좋지만 스마트폰 때문에 중요한 것을 놓치고 있는 것은 아닌지 돌아볼 필요가 있다. 자신의 스마트폰 사용 습관을 점검해 보고, 스마트폰을 적절하게 잘 활용하기를 바란다.

08 이 보고서의 내용과 일치하는 것은?

① 등교 여부에 상관없이 하루에 스마트폰을 사용하는 시간은 동일하다.

② 스마트폰을 소유한 학생의 과반수 이상이 스마트폰 사용 시간을 줄여야겠다는 생각을 한 적이 있다.

③ 스마트폰을 수업에 활용하게 되면서 스마트폰 사용으로 공부에 지장을 겪는 학생이 점차 줄고 있다.

④ 스마트폰 사용의 장점으로 '새로운 정보를 얻을 수 있다'보다 '사람들과 교류할 수 있다'라고 답한 비율이 높다.

⑤ 스마트폰 사용 시간을 줄여야겠다고 생각한 까닭으로 '가족 관계 문제'보다 '친구 관계 문제'라고 답한 비율이 높다.

09 (다)를 참고할 때, 다음 질문의 대답으로 가장 적절한 것은?

조사자가 독자들에게 당부하는 바가 무엇일까?

① 개인 정보가 유출되지 않도록 보안에 힘써야 한다.

② 스마트폰 사용을 줄이고 가족들과 대화를 많이 나누어야 한다.

③ 건강을 해칠 수도 있으므로 스마트폰을 사용하지 말아야 한다.

④ 최신 스마트폰을 사용하여 정보 통신 기술의 발전을 누려야 한다.

⑤ 스마트폰에 지나치게 의존하지 않고 스마트폰을 적절하게 활용해야 한다.

10~11 다음 글을 읽고, 물음에 답하시오.

가 이제 글을 쓸 때 지켜야 할 규범에 대해 자세히 살펴보자.

첫째, 다른 사람의 글이나 자료 그리고 아이디어 등을 표절하지 않고 올바르게 인용해야 한다. 글을 쓸 때 다른 사람이 쓴 글이나 자료, 아이디어 등을 끌어 쓰는 것을 '　　㉠　　'이라고 한다. 인용을 하는 경우, 그 출처를 정확하게 밝혀야 한다. 그러지 않고 다른 사람의 글이나 자료, 아이디어의 일부 또는 전체를 베껴 쓰는 것은 비윤리적 행위이다. 이와 같은 행위를 '　　㉡　　'이라고 한다. 또 하나의 글이 아니라 두 개 이상의 글을 이리저리 쪼개고 붙여서 마치 자신이 쓴 글처럼 속이는 것도 표절인데, 이를 보통 '　　㉢　　'라 한다.

나 둘째, 관찰·조사·실험의 과정과 결과를 사실에 근거하여 기술해야 한다. 이는 관찰·조사·실험을 하지 않고도 마치 한 것처럼 속여서 글을 쓰거나, 실험이나 관찰 또는 조사의 과정이나 결과를 자신에게 유리하도록 조작해서는 안 된다는 뜻이다. 어떤 학생이 관찰 보고서나 조사 보고서 등을 쓸 때 실제로 관찰이나 조사를 하지 않고도 한 것처럼 글을 쓰거나 그 과정과 결과를 사실과 다르게 쓴다면 그 학생은 이 규범을 어긴 것이다.

다 사실을 왜곡하거나, 거짓을 사실인 것처럼 꾸미는 행위, 남을 욕하거나 비방하는 것도 건강한 의사소통을 해치는 것이다. 객관적인 근거를 바탕으로 하여 다른 사람의 잘못을 비판하는 것은 바람직하므로 민주 사회에서 권장되어야 하지만, 이 경우에도 상대방을 대하는 태도와 언어 사용에서 예의를 지켜야 한다. 상대방의 생각이 자신의 생각과 맞지 않는다고 하여 조롱하거나 배척하는 태도를 보이는 것, 거친 표현을 사용하는 것 등은 옳지 않다.

　　　　　　　　　　　－ 이수형, 〈쓰기 윤리에 대하여〉에서

10 ㉠~㉢에 들어갈 말이 바르게 짝지어진 것은?

	㉠	㉡	㉢
①	짜깁기	인용	표절
②	인용	표절	짜깁기
③	인용	짜깁기	표절
④	짜깁기	표절	인용
⑤	표절	인용	짜깁기

11 이 글을 참고할 때, 선호의 문제점으로 가장 적절한 것은?

> 진우: 선호야, 학급 문집에 수록된 네 글에서 마지막 문장이 참 인상적이더라.
>
> 선호: 아, 그 문장? 멋있지? 전에 다른 글에서 본 문장인데 인상적이어서 나도 써 봤어.
>
> 진우: 다른 사람의 글이었어? 출처가 없어 당연히 네가 만든 문장인 줄 알았잖아.

전송

① 사실을 왜곡하고 자료를 조작하였다.
② 인터넷 누리집이나 게시판에 악성 댓글을 달았다.
③ 다른 사람의 글을 짜깁기하여 자신이 쓴 글로 발표하였다.
④ 다른 사람의 글이나 자료를 끌어 쓰면서 출처를 밝히지 않았다.
⑤ 관찰이나 실험·조사를 하지 않았는데 자신이 직접 한 것처럼 보고서를 꾸며 썼다.

12~14 다음 글을 읽고, 물음에 답하시오.

가 우리는 읽기를 통해 지식과 정보를 얻기도 하고, 다른 사람의 생각이나 다른 사회의 문화(文化)를 이해하기도 하며, 삶의 지혜를 배우기도 한다. 읽기 능력이 뛰어나면 뛰어날수록 이런 일을 더욱 효율적으로 수행할 수 있을 것이다.

높은 수준의 읽기 능력을 갖추려면 글을 읽는 동안 자신의 읽기 과정을 점검하고 조정할 수 있어야 한다. 지금부터 읽기 과정이 무엇인지, 이를 점검하고 조정하는 방법이 무엇인지 알아보자.

나 '읽기 전' 단계에서는 먼저 ㉠읽기 목적을 정하는 것이 좋다. 예를 들어 시험공부를 위해 읽는 것인지, 교양을 쌓으려고 읽는 것인지, 여가를 보내려고 읽는 것인지 등을 정하는 것이다. 그리고 ㉡글의 제목이나 차례를 훑어보면서 글의 내용을 예측해 본다. 또 그것들과 관련된 자신의 경험을 떠올리면서 ㉢배경지식을 활성화한다. 그리고 궁금한 점, 알고 싶은 점 등을 중심으로 하여 질문을 만들어 볼 수도 있다.

'읽기 중' 단계에서는 글을 읽기 전에 예측한 내용이 맞는지 확인하고, 자신이 미리 만들어 놓은 질문의 답을 찾는다. 또한 ㉣글을 읽어 나가면서 각 부분의 중심 내용을 파악한다. 나아가 글쓴이의 의도를 추론하고, 글쓴이의 주장에 공감기도 하고 그것을 비판하기도 하면서 글의 의미를 이해해 나간다.

'읽기 후' 단계에서는 글 전체의 내용을 간단하게 요약하여 정리한다. 또 새롭게 알게 된 내용을 정리해 보고 ㉤더 알고 싶은 내용은 없는지 생각해 본다. 그리고 자신이 글을 잘 읽었는지, 부족한 부분은 없는지 평가한다.

지금까지 살펴본 읽기의 과정별 활동이 반드시 그 과정에서만 이루어져야 하는 것은 아니다. 예를 들어 예측하거나 질문 만들기는 읽기 중에도 얼마든지 할 수 있는 활동이다. 독자는 자신의 읽기 상황에 따라 적절한 활동을 하면 된다.

12 (가)에 나타난 읽기의 가치가 <u>아닌</u> 것은?

① 삶의 지혜를 배울 수 있다.
② 지식과 정보를 얻을 수 있다.
③ 다른 사람의 생각을 이해할 수 있다.
④ 다른 사회의 문화를 이해할 수 있다.
⑤ 글을 쓰는 능력을 향상시킬 수 있다.

서술형

13 (나)를 참고할 때, 읽기 과정의 각 단계에서 수행하는 활동을 <u>잘못</u> 이해한 학생이 누구인지 쓰시오.

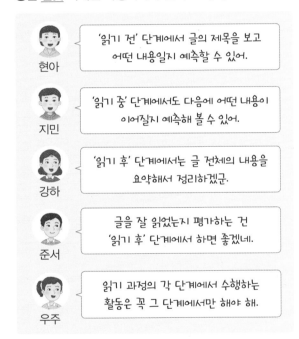

현아: '읽기 전' 단계에서 글의 제목을 보고 어떤 내용일지 예측할 수 있어.

지민: '읽기 중' 단계에서도 다음에 어떤 내용이 이어질지 예측해 볼 수 있어.

강하: '읽기 후' 단계에서는 글 전체의 내용을 요약해서 정리하겠군.

준서: 글을 잘 읽었는지 평가하는 건 '읽기 후' 단계에서 하면 좋겠네.

우주: 읽기 과정의 각 단계에서 수행하는 활동은 꼭 그 단계에서만 해야 해.

14 ㉠~㉤ 중, 〈보기〉와 관련 있는 것은?

보기
나는 조선 시대의 역사에 관한 글을 읽기 전, 역사 시간에 조선 시대에 대해 배웠던 내용과 박물관을 갔던 경험을 떠올려 보았다.

① ㉠ ② ㉡ ③ ㉢ ④ ㉣ ⑤ ㉤

15~16 다음 글을 읽고, 물음에 답하시오.

가 절로 뛰어들게 만드는 씨름판의 풍경

▲ 김홍도, 〈씨름도〉

그림을 보면 구경꾼은 모두 열아홉 명이나 되는데 한 복판의 두 씨름꾼에게서 적당한 간격을 두고 둥글게 빙 둘러앉았다. 오른편 위로부터 시계 반대 방향으로 살펴보면 사람 따라 보는 태도도 참으로 각양각색이다. 우선 땅에 놓인 위가 뾰족한 말뚝벙거지는 마부나 구종이 쓰는 모자다. 상투잡이 둘 가운데 한 사람이 마부였던 모양이다. 수염 난 중년 사내는 좋아라 입을 헤 벌리고 앞으로 윗몸을 기울이느라 두 손을 땅에 짚었다. 막 끝나려는 씨름 판세가 반대편으로 넘어갈 듯해서다. 인물이 준수한 젊은이는 팔을 베고 아예 비스듬히 누워 부채를 무릎에 얹었다. 씨름판이 꽤 됐는지 앉아 있기에도 진력이 난 것이다.

나 읽기 과정을 점검하려면 독자는 글을 읽는 도중에 자신에게 질문을 하고 이에 답해 보는 것이 좋다. [중략] 이 밖에도 '나의 읽기 목적은 무엇인가?', '이 글의 내용은 나의 읽기 목적에 맞고 읽기 수준에 적합한가?' 등의 질문을 할 수 있는데, 이 과정에서 문제점을 발견하면 그것을 해결하기 위해 읽기 과정을 조정해야 한다.

읽기 과정의 점검과 조정은 독자가 읽기 과정에서 수행하는 정신적 활동의 점검과 조정만을 말하는 것은 아니다. 읽기 상황을 구성하는 독자, 글, 독서 환경 등은 모두 점검과 조정의 대상이 될 수 있다. 위에서 학생이 잠시 쉬었다가 글을 다시 읽은 것처럼 육체적 피로 때문에 집중력이 떨어졌다면 잠시 읽기 활동을 멈추고 쉬었다가 다시 시작할 수도 있다. 또 글이 지나치게 어렵거나 읽기 목적에 맞지 않는다면 좀 더 쉬운 글이나 자신의 읽기 목적에 맞는 글을 찾아 읽을 수도 있다. 외부의 소음 때문에 읽기에 집중할 수 없을 때에는 소음을 차단하거나 음악을 틀거나 하여 자신의 읽기 환경을 조정할 수도 있다.

15 (가)를 읽은 학생이 '읽기 전' 단계에서 생각했을 내용으로 적절한 것은?

① 제목으로 미루어 볼 때 씨름판의 매력에 관한 글일 것 같아.

② 이 글을 읽고 그림 속 인물들의 모습을 잘 이해하게 되었어.

③ 어제 늦게 잤더니 피곤해서 읽기 힘드네. 잠깐 쉬어야겠다.

④ '구종'이 뭐지? 국어사전을 찾아봐야겠다.

⑤ 그림에 관해 알아보았으니 다음에는 김홍도에 관한 글을 찾아 읽어 봐야겠다.

16 읽기 과정을 점검하고 조정하는 방법의 예로 적절하지 않은 것은?

① 글을 읽을 때 피곤하면 잠시 쉬었다가 읽는다.

② 글이 읽기 목적에 맞지 않으면 읽기 목적에 맞는 글을 찾아 읽는다.

③ 소음 때문에 읽기에 집중하기 어려우면 창문을 닫아 소음을 차단한다.

④ 글이 자신의 읽기 수준보다 어려워도 읽기 목적에 맞으면 계속 읽는다.

⑤ 읽기 목적에 적합한 방법으로 읽고 있는지 점검하고 적합하지 않으면 방법을 조정한다.

17~18 다음 만화를 보고, 물음에 답하시오.

서술형

17 〈보기〉를 참고할 때, 연우가 '생체 모방 기술'이라는 말을 쉽게 풀어 말하려 한 까닭을 서술하시오.

┌ 보기 ┐
　　말할 내용을 선정할 때에는 청중의 흥미나 관심사, 지식수준과 경험, 성격이나 가치관, 화자와 청중의 친밀도 등을 고려해야 한다.

┌ 조건 ┐
• '청중인 반 친구들의 ~을 고려하였다.' 형식의 한 문장으로 쓸 것

18 다음은 연우가 인터넷 게시판에 올린 고민이다. 이에 대한 조언으로 적절하지 **않은** 것은?

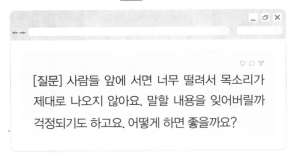

[질문] 사람들 앞에 서면 너무 떨려서 목소리가 제대로 나오지 않아요. 말할 내용을 잊어버릴까 걱정되기도 하고요. 어떻게 하면 좋을까요?

① 말하기와 관련된 책을 찾아보세요. 도서관이나 서점에 가면 많이 있어요.

② 주변에 발표를 잘하는 친구에게 조언을 구해 보세요. 조언이 도움이 될 거예요.

③ 발표나 강연 영상을 찾아서 보세요. 다른 사람의 말하기를 보는 것이 도움이 돼요.

④ 거울을 보며 연습해 보세요. 연습을 하면 말할 때 느끼는 두려움을 줄일 수 있어요.

⑤ 말하기 불안을 자연스럽게 받아들이세요. 타고나는 것이라 연습해도 극복할 수 없어요.

19~20 다음 만화를 보고, 물음에 답하시오.

19 이 만화에서 연우가 말하기 불안에 대처하기 위해 한 일로 적절하지 <u>않은</u> 것은?

① 눈을 감고 심호흡을 하였다.

② 거울을 보며 발표 연습을 하였다.

③ 실수를 하지 않겠다고 다짐하였다.

④ 발표를 잘 마친 모습을 상상하였다.

⑤ 발표를 잘할 거라고 긍정적으로 생각하였다.

[서술형]

20 다음은 연우가 한 발표를 정리한 것이다. 빈칸에 들어갈 알맞은 말을 3어절로 쓰시오.

<blockquote>
친구들에게 질문을 던짐.

⬇

시간을 두고 친구들의 반응을 기다림.

⬇

주삿바늘의 굵기를 설명함.

⬇

친구들이 내용을 이해하기 어려워한다고 생각함.

⬇

주삿바늘의 굵기를 (　　　　　　)하여 설명함.
</blockquote>

01 문장 성분에 대한 설명으로 적절하지 **않은** 것은?

① 주성분에는 주어, 목적어, 서술어, 보어가 있다.

② 부속 성분은 주성분의 내용을 자세하게 꾸며 준다.

③ 목적어는 동작, 상태 등의 주체가 되는 문장 성분이다.

④ 관형어는 체언을, 부사어는 주로 용언을 꾸며 주는 문장 성분이다.

⑤ 독립 성분은 문장의 다른 성분과 관계를 맺지 않고 독립적으로 쓰인다.

02 다음 문장에서 ㉠~㉣의 문장 성분이 무엇인지 쓰시오.

> 다현이가 큰 돌멩이를 번쩍 들었다.
> ㉠   ㉡   ㉢   ㉣

㉠: _____   ㉡: _____

㉢: _____   ㉣: _____

03 ㉠에 해당하는 문장으로 적절한 것은?

> 주어와 서술어의 관계가 한 번만 나타나는 문장은 '홑문장', 주어와 서술어의 관계가 두 번 이상 나타나는 문장은 '㉠겹문장'이야.

① 아기가 빙그레 웃었다.

② 주룩주룩 비가 내렸다.

③ 지후는 일찍 학교에 갔다.

④ 혜리가 드디어 회장이 되었다.

⑤ 나는 오빠가 선물한 옷을 입었다.

04 〈보기〉를 활용하여 겹문장을 만드시오.

> **보기**
> • 유민이는 책을 빌렸다.
> • 유민이는 도서관에 갔다.

> **조건**
> 1. 이어진문장을 만들 것
> 2. 연결 어미 '-려고'를 사용하여 만들 것

05 문장의 밑줄 친 부분이 어떤 절인지 **잘못** 파악한 것은?

① 내 짝은 <u>마음이 넓다</u>. ➡ 서술절

② 민후는 <u>땀이 나게</u> 뛰었다. ➡ 관형절

③ 우리는 <u>밤이 깊도록</u> 토론하였다. ➡ 부사절

④ 범서는 <u>환희가 멋있다고</u> 말했다. ➡ 인용절

⑤ 나는 <u>윤제가 돌아왔음</u>을 알았다. ➡ 명사절

06 아래는 〈보기〉의 문장을 보고 나눈 대화이다. 빈칸에 들어갈 알맞은 말을 순서대로 쓰시오.

> **보기**
> ㉠ 진우가 "교실에 누가 있냐?"라고 물었다.
> ㉡ 진우가 교실에 누가 있냐고 물었다.

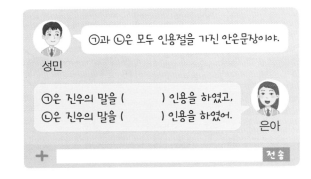

성민: ㉠과 ㉡은 모두 인용절을 가진 안은문장이야.

은아: ㉠은 진우의 말을 ( ) 인용을 하였고, ㉡은 진우의 말을 ( ) 인용을 하였어.

07 ~ 08 다음 글을 읽고, 물음에 답하시오.

가 **1** **설문 조사 결과**

(1) 스마트폰 보유율

이 설문 조사에서 스마트폰을 가지고 있다는 것은 자기 소유의 스마트폰이 있음을 뜻한다. 스마트폰을 가지고 있느냐는 질문에 95.5%가 '그렇다', 4.5%가 '아니다'라고 답하였다. 뒤에 이어지는 내용은 '그렇다'라고 대답한 학생들을 대상으로 하여 진행한 설문의 결과이다.

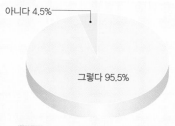

아니다 4.5%
그렇다 95.5%

질문 ① 스마트폰을 가지고 있나요?

나 **(2) 스마트폰 하루 사용 시간**

하루에 스마트폰을 몇 시간 사용하느냐는 질문에 평일은 '두 시간 이상 세 시간 미만'이라는 대답이 27.6%로 가장 많았다. '세 시간 이상 네 시간 미만'(23.8%), '한 시간 이상 두 시간 미만'(22.9%), '네 시간 이상 다섯 시간 미만'(11.4%), '다섯 시간 이상'(10%), '한 시간 미만'(4.3%)이 그 뒤를 이었다. 주말은 '네 시간 이상 다섯 시간 미만'이라는 대답이 29.1%로 가장 많았다. 그 뒤로는 '세 시간 이상 네 시간 미만'(22.4%), '두 시간 이상 세 시간 미만'(20.5%), '다섯 시간 이상'(15.2%), '한 시간 이상 두 시간 미만'(11.4%), '한 시간 미만'(1.4%) 순이었다.

구분	한 시간 미만	한 시간 이상 두 시간 미만	두 시간 이상 세 시간 미만	세 시간 이상 네 시간 미만	네 시간 이상 다섯 시간 미만	다섯 시간 이상
평일	4.3	22.9	27.6	23.8	11.4	10
주말	1.4	11.4	20.5	22.4	29.1	15.2

(단위: %)

질문 ② 하루에 스마트폰을 몇 시간 사용하나요?

다 **2** **결과 종합 분석**

우리 학교 학생의 스마트폰 보유율은 95.5%인데, 이 결과

는 정보통신정책연구원에서 조사한 우리나라 중학생의 스마트폰 보유율인 92%보다 조금 더 높았다.

스마트폰 하루 사용 시간은 평일의 경우 '두 시간 이상 세 시간 미만' 사용한다는 대답이 27.6%로 가장 높았고, 주말의 경우 '네 시간 이상 다섯 시간 미만' 사용한다는 대답이 29.1%로 가장 높았다. 평일과 주말 사용 시간의 차이는 학교에 가는 날인가 아닌가가 영향을 끼친 것으로 보인다. 주목할 점은 15.2%의 학생이 주말에 다섯 시간 이상 사용한다고 응답한 것이다. 만약 스마트폰 사용 시간을 스스로 조절하기 어려워지면 스마트폰 과의존이 될 위험이 있으므로, 이 수치는 조금 염려되는 부분이다.

라 **3. 맺음말**

우리는 이 조사를 통해 많은 학생이 스마트폰을 가지고 있고, 스마트폰을 사용하는 데 적지 않은 시간을 보내고 있음을 알 수 있었다. 그리고 스마트폰 때문에 생길 수 있는 문제를 걱정하거나, 이미 문제를 겪고 있는 학생들이 있음을 알 수 있었다.

스마트폰으로 재미를 좇고, 스트레스를 풀고, 새로운 정보를 얻는 것도 좋지만 스마트폰 때문에 중요한 것을 놓치고 있는 것은 아닌지 돌아볼 필요가 있다. 자신의 스마트폰 사용 습관을 점검해 보고, 스마트폰을 적절하게 잘 활용하기를 바란다.

마 **참고 자료**

• 과학기술정보통신부 · 한국정보화진흥원, 〈2017년 스마트폰 과의존 실태 조사 최종 보고서〉, 2018.
• 스마트쉼센터 누리집
• 정보통신정책연구원, 〈KISDI STAT Report〉 Vol. 17-23, 2017.

07 이 글을 읽은 독자의 평가 가운데 내용이 적절하지 <u>않은</u> 것은?

서연 참고한 자료의 출처를 제시하여 쓰기 윤리를 지켰군. ·······①

지유 설문 조사 결과와 결과 종합 분석을 나누어 내용을 전개하고 있군. ······②

주승 설문 조사 결과를 표나 그래프로 제시하여 한눈에 파악하기 쉽군. ······③

민기 공신력 있는 기관에서 조사한 자료를 참고하여 객관성을 높였군. ·····④

해인 인터넷 자료 검색, 전문가 인터뷰, 견학 등 다양한 방법을 활용하여 자료를 수집하였군. ···········⑤

08 (가)와 (나)의 조사 결과를 바탕으로 하여 (다)에서 분석한 내용과 일치하지 <u>않는</u> 것은?

① 등교 여부에 따라 스마트폰 하루 사용 시간에 차이가 있다.

② 스마트폰 사용 시간 조절 능력이 떨어지면 스마트폰 과의존이 될 수 있다.

③ 주말의 경우 스마트폰을 네 시간 이상 사용하는 학생의 비율은 44.3%이다.

④ 우리 학교 학생의 스마트폰 보유율은 우리나라 중학생의 스마트폰 보유율보다 높다.

⑤ 평일의 경우 스마트폰을 '네 시간 이상 다섯 시간 미만' 사용하는 학생의 비율이 가장 높다.

09 다음 만화를 보고, 물음에 답하시오.

09 이 만화를 통해 알 수 있는, 보고서를 쓸 때 주의할 점으로 적절하지 <u>않은</u> 것은?

① 짜깁기를 하지 않는다.

② 자료의 내용이 정확한지 확인한다.

③ 다른 사람을 비방하는 글을 쓰지 않는다.

④ 조사 결과를 왜곡하지 않고 사실에 근거하여 쓴다.

⑤ 다른 사람의 글이나 자료를 인용할 때 출처를 꼭 밝힌다.

10~11 다음 글을 읽고, 물음에 답하시오.

가 글을 쓰는 과정에서 지켜야 하는 윤리적 규범을 '쓰기 윤리'라고 한다. 이때 '글을 쓰는 과정'이라는 말은 글로 표현하는 단계만을 가리키는 것이 아니라, 쓰기를 계획하고 글의 내용을 마련하고 조직하는 단계, 그리고 고쳐 쓰는 단계에 이르는, 쓰기의 모든 과정을 가리키는 말이다.

나 첫째, 다른 사람의 글이나 자료 그리고 아이디어 등을 표절하지 않고 올바르게 인용해야 한다. 글을 쓸 때 다른 사람이 쓴 글이나 자료, 아이디어 등을 끌어 쓰는 것을 '인용'이라고 한다. 인용을 하는 경우, 그 출처를 정확하게 밝혀야 한다.

다 둘째, 관찰·조사·실험의 과정과 결과를 사실에 근거하여 기술해야 한다. 이는 관찰·조사·실험을 하지 않고도 마치 한 것처럼 속여서 글을 쓰거나, 실험이나 관찰 또는 조사의 과정이나 결과를 자신에게 유리하도록 조작해서는 안 된다는 뜻이다. 어떤 학생이 관찰 보고서나 조사 보고서 등을 쓸 때 실제로 관찰이나 조사를 하지 않고도 한 것처럼 글을 쓰거나 그 과정과 결과를 사실과 다르게 쓴다면 그 학생은 이 규범을 어긴 것이다.

라 셋째, 고의로 허위 내용을 퍼트리지 말아야 하고, 남을 욕하거나 비방하지 말아야 하며, 예의를 지켜 언어를 사용해야 한다. 글은 의사소통에 없어서는 안 될 중요한 수단이다. 그런데 이처럼 중요한 글의 내용이 진실과는 거리가 먼 허위라면 건강한 의사소통을 기대할 수 없을 것이다.

마 물론 글을 잘 쓰는 것도 중요하지만, 쓰기 윤리를 지켜 글을 쓰는 것도 중요하다. 우리가 모두 위에서 살펴본 ㉠쓰기 윤리를 지키고자 노력한다면 글을 매개로 한 의사소통 문화는 훨씬 건강해질 것이다.

　　　　　　　　　　　　　－ 이수형, 〈쓰기 윤리에 대하여〉에서

10 이 글의 내용과 일치하는 것은?

① 의사소통은 글이 아니라 말을 통해 이루어진다.
② 실험의 과정과 결과는 사실에 근거하여 기술해야 한다.
③ 쓰기 윤리는 글을 쓰는 과정 중, 글로 표현하는 단계에서만 지키면 된다.
④ 쓰기 윤리를 지켜 글을 쓰는 것보다 멋을 부려 글을 쓰는 것이 더 중요하다.
⑤ '표절'은 글을 쓸 때 다른 사람이 쓴 글이나 자료, 아이디어 등을 끌어 쓰는 것을 말한다.

11 ㉠에 해당하지 <u>않는</u> 사람은?

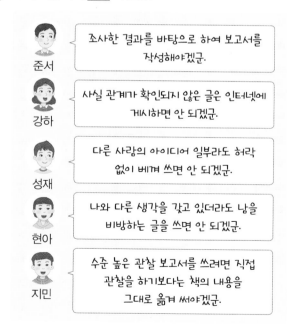

준서: 조사한 결과를 바탕으로 하여 보고서를 작성해야겠군.

강하: 사실 관계가 확인되지 않은 글은 인터넷에 게시하면 안 되겠군.

성재: 다른 사람의 아이디어 일부라도 허락 없이 베껴 쓰면 안 되겠군.

현아: 나와 다른 생각을 갖고 있더라도 남을 비방하는 글을 쓰면 안 되겠군.

지민: 수준 높은 관찰 보고서를 쓰려면 직접 관찰을 하기보다는 책의 내용을 그대로 옮겨 써야겠군.

① 준서　　　② 강하　　　③ 성재
④ 현아　　　⑤ 지민

12~15 다음 글을 읽고, 물음에 답하시오.

가 '읽기 전' 단계에서는 먼저 읽기 목적을 정하는 것이 좋다. 예를 들어 시험공부를 위해 읽는 것인지, 교양을 쌓으려고 읽는 것인지, 여가를 보내려고 읽는 것인지 등을 정하는 것이다. 그리고 글의 제목이나 차례를 훑어보면서 글의 내용을 예측해 본다. 또 그것들과 관련된 자신의 경험을 떠올리면서 배경지식을 활성화한다. 그리고 궁금한 점, 알고 싶은 점 등을 중심으로 하여 질문을 만들어 볼 수도 있다.

'읽기 중' 단계에서는 글을 읽기 전에 예측한 내용이 맞는지 확인하고, 자신이 미리 만들어 놓은 질문의 답을 찾는다. 또한 글을 읽어 나가면서 각 부분의 중심 내용을 파악한다. 나아가 글쓴이의 의도를 추론하고, 글쓴이의 주장에 공감하기도 하고 그것을 ⓐ ㉠ ⓑ 하기도 하면서 글의 의미를 이해해 나간다.

'읽기 후' 단계에서는 글 전체의 내용을 간단하게 ⓐ ㉡ ⓑ 하여 정리한다. 또 새롭게 알게 된 내용을 정리해 보고 더 알고 싶은 내용은 없는지 생각해 본다. 그리고 자신이 글을 잘 읽었는지, 부족한 부분은 없는지 평가한다. 글을 통해 새롭게 알게 된 내용을 자신의 상황에 적용해 볼 수도 있고, 필요한 글을 더 찾아 읽을 수도 있다.

나 **많이 만들수록 줄어드는 생산비의 비밀**

기업이 재화를 생산하는 데 드는 비용은 크게 두 가지로 나뉜다. / 첫째는 기업이 재화를 몇 개 생산하든지 간에 항상 일정하게 지불해야 하는 '고정 비용'이다. 근로자들에게 지급하는 임금, 공장과 사무실 임차료 등이 이에 해당한다. 한 달에 물건을 5천 개 생산하든 만 개 생산하든 기업은 매월 직원에게 약속한 임금을 주어야 하며, 건물 주인에게 정해진 임차료를 지급해야 한다.

둘째는 생산량에 비례해서 늘어나는 '변동 비용'이다. 재화 생산에 들어가는 원료나 부품 구입비, 기계를 가동하는 데 드는 전기 요금 등이 변동 비용에 해당한다. 생산량이 늘어날수록 원료 구입비나 전기 요금은 증가한다.

고정 비용과 변동 비용을 합하면 기업이 재화 생산을 위해 지출하는 비용 곧 총생산 비용이 된다. 총생산 비용을 생산량으로 나누면 재화 한 개를 생산하는 데 드는 비용을 구할 수 있는데, 기업이 재화를 많이 생산할수록 개당 생산비는 감소한다.

스파게티 식당의 사례로 자세히 살펴보자. 식당 주인은 가게 임차료와 인건비로 한 달에 3백만 원씩 지출한다. 하루에 십만 원씩 드는 셈인데, 하루에 손님이 몇 명 오는지에 관계없이 나가는 고정 비용이다. 그리고 스파게티 1인분을 만드는 데에는 면, 소스 등의 재료비와 가스 요금과 같은 조리비로 3천 원의 변동 비용이 든다.

만약 하루에 한 명의 고객만이 이 식당을 찾는다면 식당 주인이 스파게티 1인분을 만드는 데 드는 비용은 무려 10만 3천 원이다. 두 명의 고객이 방문한다면 2인분을 만드는 데 10만 6천 원이 드니까, 1인분 생산비는 5만 3천 원으로 감소한다. 이런 식으로 식당 손님이 증가할수록 스파게티 1인분 생산비는 점점 감소한다. 생산량이 증가할수록 개당 생산비가 감소해 경제적이 되는 '규모의 경제' 현상이 나타나는 것이다.

규모의 경제는 판매 가격에도 영향을 준다. 앞에서 예로 든 스파게티 식당의 경우 하루에 1인분밖에 팔지 못한다고 할 때 손해를 보지 않으려면 스파게티 1인분 가격을 10만 3천 원 이상으로 정해야 한다. 그러나 하루에 스파게티를 20인분 판다면 전체 생산 비용은 16만 원이고 1인분 생산비는 8천 원이 된다. 이때 2천 원의 이윤을 더해 스파게티 1인분 가격을 만 원으로 정할 수 있을 것이다. 장사가 잘되어 스파게티 생산량이 늘어나면 1인분 생산비는 더욱 낮아질 것이고, 이에 따라 가격을 더 낮출 수도 있다.

12 다음 중 '읽기 전' 단계에 수행할 수 있는 활동으로 적절하지 <u>않은</u> 것은?

① 글을 읽는 목적을 정한다.
② 글의 제목을 보며 내용을 예측한다.
③ 궁금하고 알고 싶은 점을 질문으로 만든다.
④ 자신이 미리 만들어 놓은 질문의 답을 찾는다.
⑤ 자신의 경험을 떠올리며 배경지식을 활성화한다.

서술형
13 (가)의 ㉠과 ㉡에 들어갈 알맞은 말을 〈보기〉에서 고르시오.

┌ 보기 ┐
비난   비판   요약   보충   예측

14 〈보기〉는 (나)를 읽기 전 제목을 보고 만든 질문이다. 질문의 답으로 적절한 것은?

┌ 보기 ┐

물건을 많이 만들면 물건값이 싸질까?

① 물건을 많이 만들면 변동 비용이 감소하니까 물건값이 싸지겠구나.
② 물건을 많이 만들면 고정 비용이 감소하니까 물건값이 싸지겠구나.
③ 물건을 많이 만들수록 개당 생산비가 감소하니까 물건값이 싸지겠구나.
④ 물건을 얼마나 만들든 고정 비용이 발생하니까 물건값은 변함이 없겠구나.
⑤ 물건을 많이 만들면 총생산 비용이 증가하니까 물건값이 오히려 비싸지겠구나.

15 다음은 (나)를 읽고 작성한 메모이다. 내용이 적절하지 <u>않은</u> 것은?

새로 알게 된 내용
· 물건을 생산할 때, 고정 비용과 변동 비용이 든다. ······························ ①
· 변동 비용에는 원료나 부품 구입비 등이 있다. ······························ ②

더 알고 싶은 내용
· 임금과 임차료 외에 또 어떤 것들이 고정 비용에 해당될까? ······················ ③
· 스파게티 식당의 고정 비용이 손님의 수에 따라 달라지는 까닭은 무엇일까? ······· ④
· 판매 가격을 정할 때, 고정 비용과 변동 비용 외에 영향을 주는 요소가 있을까? ··· ⑤

서술형
16 읽기 과정에서 〈보기 1〉과 같은 문제에 부딪힌 학생에게 할 수 있는 조언을 〈보기 2〉를 참고하여 쓰시오.

┌ 보기 1 ┐

오늘 학교에서 배구 연습을 해서 그런가? 피곤해서 집중력이 떨어졌어.

┌ 보기 2 ┐
자신의 읽기 과정에서 문제가 발생하였다면 이를 여러 가지 방법으로 조정할 수 있다. 예를 들어 육체적 피로 때문에 집중력이 떨어졌다면 잠시 읽기 활동을 멈추고 쉬었다가 다시 시작할 수도 있다.

17~18 다음 만화를 보고, 물음에 답하시오.

17 연우가 주제를 정할 때 고려한 것으로 적절한 것은?

① 자신의 관심과 흥미
② 친구들의 관심과 흥미
③ 자신의 성격과 가치관
④ 친구들의 성격과 가치관
⑤ 발표하는 데 걸리는 시간

18 다음은 연우가 발표를 준비하는 과정에서 떠올린 생각이다. ㉠~㉤ 중 발표에 나타나지 <u>않은</u> 것은?

> 국어 시간에 '생체 모방 기술로 만든 물건'에 대해 발표하려고 해. ㉠<u>내용을 예측하며 들을 수 있도록 발표 순서를 안내하고 발표를 시작해야 겠어.</u> '생체 모방 기술'이라는 말은 친구들에게 어려울 것 같아. ㉡<u>'생명체에서 아이디어를 얻어 새로운 제품을 만드는 기술'이라고 쉽게 풀어 말하는 게 좋겠어.</u> 그리고 ㉢<u>발표를 할 때 친구들의 반응도 같이 살피면서 그에 따라 말하기 방법도 조정해야겠어.</u> 발표 중간에는 ㉣<u>친구들이 잘 이해할 수 있도록 시각 자료를 활용해야지.</u> 발표 끝에서는 ㉤<u>평소 주변을 관심 있게 살펴보라는</u> 말로 마무리해야겠어.

① ㉠　　② ㉡　　③ ㉢　　④ ㉣　　⑤ ㉤

19~20 다음 만화를 보고, 물음에 답하시오.

19 연우가 발표를 앞두고 불안해하는 까닭으로 적절한 것 끼리 짝지은 것은?

> ㄱ. 말할 때 실수할까 봐 걱정돼서
> ㄴ. 말할 내용을 잊어버릴 것 같아서
> ㄷ. 말할 내용을 충분히 준비하지 못해서
> ㄹ. 자신이 말할 내용에 확신이 서지 않아서
> ㅁ. 친구들이 말을 집중해서 듣지 않을 것 같아서

① ㄱ, ㄴ, ㄷ   ② ㄱ, ㄴ, ㅁ   ③ ㄱ, ㄷ, ㄹ
④ ㄴ, ㄷ, ㄹ   ⑤ ㄷ, ㄹ, ㅁ

서술형

20 다음은 언니가 연우에게 알려 준 말하기 불안에 대처하는 방법을 정리한 것이다. 빈칸에 들어갈 알맞은 말을 순서대로 쓰시오.

> 말하기 불안에 대처하는 방법
> • 말하기 (   )을 많이 한다.
> • 심호흡을 반복하고 몸을 가볍게 풀어 준다.
> • 부정적인 생각보다는 (   )인 생각을 한다.
> • 작은 종이에 말하고자 하는 주요 내용을 적어 둔다.

memo

핵심 정리 01 　문장의 기본 구조와 문장 성분

● 문장의 기본 구조

주어		서술어		서술어의 특성
누가/무엇이	+	❶ ○ㅉㅎㄷ		대상의 움직임을 나타냄.
누가/무엇이	+	❷ ○ㄸㅎㄷ		대상의 상태나 성질을 나타냄.
누가/무엇이	+	무엇이다		대상을 지정함.

● 문장 성분

문장 안에서 일정한 문법적 기능을 하는 부분

우리말 문장의 기본 구조는 서술어의 종류에 따라 세 가지 유형으로 나눌 수 있어.

답 ❶ 어찌하다 ❷ 어떠하다

핵심 정리 02 　문장의 주성분

● 주성분

문장을 이루는 데 기본적으로 필요한 성분

❶ ㅈㅇ	동작이나 작용, 상태나 성질 등의 주체가 되는 문장 성분 예 하늘이 맑다.
서술어	주어의 동작이나 작용, 상태나 성질 등을 풀이하는 문장 성분 예 영수가 꽃을 샀다.
❷ ㅁㅈㅇ	서술어가 나타내는 동작의 대상이 되는 문장 성분 예 선호가 숙제를 끝냈다.
보어	'되다', '아니다'와 같은 서술어가 주어 외에 요구하는 문장 성분 예 소미가 회장이 되었다.

답 ❶ 주어 ❷ 목적어

핵심 정리 03 　문장의 부속 성분, 독립 성분

● 부속 성분

주성분의 내용을 자세하게 꾸며 주는 역할을 하는 성분

❶ ㄱㅎㅇ	체언을 꾸며 주는 문장 성분 예 이 운동화가 멋지다.
부사어	주로 용언을 꾸며 주는 문장 성분 예 오빠가 설거지를 열심히 한다.

● 독립 성분

문장의 다른 성분과 관련 없이 독립적으로 쓰이는 성분

❷ ㄷㄹㅇ	독립적으로 쓰이며 부름, 감탄, 응답 등을 나타내는 문장 성분 예 우아, 밖에 눈이 펑펑 내리네!

답 ❶ 관형어 ❷ 독립어

핵심 정리 04 　홑문장과 겹문장

● 문장

생각이나 감정을 표현할 때 완결된 내용을 나타내는 가장 작은 단위

● 홑문장과 겹문장

❶ ㅎㅁㅈ	주어와 서술어의 관계가 한 번만 나타나는 문장
❷ ㄱㅁㅈ	주어와 서술어의 관계가 두 번 이상 나타나는 문장

홑문장과 겹문장은 주어와 서술어의 관계가 몇 번 나타나느냐에 따라 구분할 수 있어.

답 ❶ 홑문장 ❷ 겹문장

02 이것만은 꼭! 주성분으로만 이루어진 문장의 예

주어+ ❶ [ㅅㅅㅇ]	• 달이 밝다. 　주어 서술어 • 수호는 학생이다. 　주어　서술어
주어+목적어+서술어	• 경미가 과일을 먹는다. 　주어　목적어　서술어 • 광희는 현지를 기다렸다. 　주어　목적어　서술어
주어+ ❷ [ㅂㅇ] +서술어	• 물이 얼음이 되었다. 　주어　보어　서술어 • 동생은 유치원생이 아니다. 　주어　보어　서술어

'진우는 막내가 아니다.'는
'주어 + 보어 + 서술어'로 된 문장이야.

답 ❶ 서술어 ❷ 보어

01 이것만은 꼭! ❶ 기본 구조를 지닌 문장의 예

누가/무엇이+어찌하다	강아지가 달린다. 　주어　　서술어
누가/무엇이+어떠하다	시냇물이 깨끗하다. 　주어　　서술어
누가/무엇이+무엇이다	내일이 토요일이다. 　주어　　서술어

01 이것만은 꼭! ❷ '어찌하다'와 '어떠하다'의 구분

어찌하다	어떠하다
대상의 움직임을 나타냄.	대상의 상태나 성질을 나타냄.
⬇	⬇
❶ [ㄷㅅ]	❷ [ㅎㅇㅅ]

답 ❶ 동사 ❷ 형용사

04 이것만은 꼭! ❶ 홑문장의 예

- 제비꽃은 정말 예쁘다.
- 버스가 종점으로 달린다.
- 나는 어제 극장에서 친구를 만났다.

⬇

주어와 서술어의 관계가 ❶ [ㅎㅂ] 만 나타남.

04 이것만은 꼭! ❷ 겹문장의 예

- 지아는 비가 그치기를 간절히 바랐다.
- 나는 동생이 어지른 방을 치웠다.
- 정우는 영화를 보고 희수는 책을 읽는다.

⬇

주어와 서술어의 관계가 ❷ [ㄷㅂ] 이상 나타남.

답 ❶ 한번 ❷ 두번

03 이것만은 꼭! ❶ 부속 성분이 쓰인 문장의 예

관형어가 쓰인 문장	• 찬미가 새 모자를 썼다. → '모자'를 꾸며 줌. • 가을은 독서의 계절이다. → '계절'을 꾸며 줌. • 할머니께서 옛 친구를 만나셨다. 　　　　　　　　　　→ '친구'를 꾸며 줌.
❶ [ㅂㅅㅇ]가 쓰인 문장	• 장미꽃이 참 예쁘다. → 용언을 꾸며 줌. • 현수가 아주 헌 책을 발견하였다. 　　　　　　　　　　→ 관형어를 꾸며 줌. • 시간이 매우 빨리 흐른다. 　→ '매우'는 부사어를, '빨리'는 용언을 꾸며 줌. • 과연 그는 훌륭한 예술가로구나. 　　　　　　　　　→ 문장 전체를 꾸며 줌.

03 이것만은 꼭! ❷ 독립 성분이 쓰인 문장의 예

❷ [ㄷㄹㅇ]가 쓰인 문장	• 경식아, 저 강아지 정말 귀엽다. → '부름'을 나타냄. • 세상에, 이게 무슨 일이야? → '감탄'을 나타냄. • 응, 나 여기에 있어. → '응답'을 나타냄.

답 ❶ 부사어 ❷ 독립어

● 이어진문장

> 둘 이상의 홑문장이 대등하게 이어지거나 종속적으로 이어지는 문장

● 이어진문장의 종류

대등하게 이어진문장	• 앞 절과 뒤 절의 ❶ □□ ㄱㄱ 가 대등한 의미 관계에 있는 문장 • 대등적 연결 어미를 사용함.
종속적으로 이어진문장	• 앞 절과 뒤 절의 의미 관계가 대등하지 못하고 종속적인 의미 관계에 있는 문장 • 종속적 ❷ ㅇㄱ ㅇㅁ 를 사용함.

> 이어진문장은 앞 절과 뒤 절의 의미 관계에 따라 구분할 수 있어.

답 ❶ 의미 관계 ❷ 연결 어미

● 안은문장

> 한 문장이 다른 문장을 하나의 문장 성분처럼 안고 있는 문장

● 안은문장의 종류

명사절을 가진 안은문장	명사형 어미가 붙어 문장에서 주어, 목적어 등의 기능을 하는 ❶ ㅁㅅㅈ 을 안고 있는 문장
관형절을 가진 안은문장	관형사형 어미가 붙어 문장에서 관형어의 기능을 하는 관형절을 안고 있는 문장
부사절을 가진 안은문장	부사형 어미가 붙어 문장에서 부사어의 기능을 하는 ❷ ㅂㅅㅈ 을 안고 있는 문장
서술절을 가진 안은문장	문장에서 서술어의 기능을 하는 서술절을 안고 있는 문장
인용절을 가진 안은문장	다른 사람의 말을 인용한 것이 절의 형식으로 안긴 인용절을 안고 있는 문장

답 ❶ 명사절 ❷ 부사절

● 개념

> 글을 쓰는 과정에서 지켜야 하는 ❶ ㅇㄹㅈ 규범

● 쓰기 윤리

올바르게 인용하기	• 다른 사람의 글이나 자료, 아이디어 등을 베껴 쓰면 안 됨. • 두 개 이상의 글을 쪼개고 붙여서 자신이 쓴 글처럼 속이면 안 됨. • 인용을 하는 경우 출처를 정확하게 밝혀야 함.
사실에 근거하여 기술하기	• 관찰·조사·실험을 하지 않고 한 것처럼 속여서 글을 쓰면 안 됨. • 관찰·조사·실험의 결과를 자신에게 유리하도록 ❷ ㅈㅈ 하면 안 됨.
예의를 지켜 언어 사용하기	• 남을 욕하거나 비방하지 말아야 함. • 자신의 생각과 맞지 않는다고 조롱하거나 배척하지 말아야 함.

답 ❶ 윤리적 ❷ 조작

● 제재 개관

갈래	만화
주제	글을 쓸 때 지켜야 하는 ❶ ㅆㄱ ㅇㄹ
특징	① 실제 학교생활에서 있을 법한 상황을 다룸. ② 글의 ❷ ㅈㄹ 와 관계없이 쓰기 윤리를 지키는 것이 중요함을 강조함.

답 ❶ 쓰기 윤리 ❷ 종류

06 이것만은 꼭! 안은문장의 예

명사절을 가진 안은문장	• 농부는 <u>농사가 잘되기를</u> 바란다. • <u>지수가 그 일을 해냈음이</u> 분명하다.
❶ ㄱㅎㅈ 을 가진 안은문장	• 나는 아기가 <u>우는</u> 소리를 들었다. • 이것은 <u>내가 읽은</u> 소설책이다.
부사절을 가진 안은문장	• 민후는 <u>땀이 나게</u> 뛰었다. • 빙수는 <u>이가 시리도록</u> 차가웠다.
❷ ㅅㅅㅈ 을 가진 안은문장	• 승재는 <u>마음씨가 곱다.</u> • 토끼는 <u>앞발이 짧다.</u>
인용절을 가진 안은문장	• 민재는 <u>"혁수의 말이 옳다."라고</u> 말하였다. • 남주는 <u>할아버지께서 취미로 화초를 기르신다고</u> 말하였다.

답 ❶ 관형절 ❷ 서술절

05 이것만은 꼭! 이어진문장의 예

❶ ㄷㄷ 하게 이어진문장	• 인생은 짧고 예술은 길다. → 나열 • 윤지는 웃었지만 민서는 울었다. → 대조 • 진하는 주말에 쉬거나 글을 쓴다. → 선택
❷ ㅈㅅㅈ 으로 이어진문장	• 길이 너무 좁아서 차가 못 지나간다. → 원인 • 동생은 운동을 하려고 일찍 일어난다. → 의도 • 산이 높으면 골짜기가 깊다. → 조건

종속적으로 이어진문장은 결합한 홑문장의 순서를 바꾸면 문장의 의미가 자연스럽지 않아.

답 ❶ 대등 ❷ 종속

08 이것만은 꼭! 쓰기 윤리와 관련하여 ㉮에 나타난 사례

"인터넷에서 관련 자료를 여러 개 찾아서 적당히 ❶ ㅉㄱㄱ 했어."	→	• 다른 사람이 만든 자료를 그대로 갖다 쓰면 안 됨. • 여러 자료를 짜깁기하면 안 됨.
"자료를 정리할 때 출처도 같이 적어 두었어."	→	다른 사람의 글이나 자료를 인용할 때에는 출처를 반드시 밝혀야 함.
"우리가 예상했던 것과 다르네. 설문 조사 결과를 조금 고칠까?"	→	조사 결과를 왜곡하지 않고 ❷ ㅅㅅ 에 근거해서 써야 함.

답 ❶ 짜깁기 ❷ 사실

07 이것만은 꼭! ❶ 인용과 표절

❶ ○○	• 글을 쓸 때 다른 사람이 쓴 글이나 자료, 아이디어 등을 끌어다 쓰는 것 • 출처를 분명히 밝힘.
❷ ㅍㅈ	• 다른 사람이 쓴 글이나 자료, 아이디어 등의 일부나 전부를 허락 없이 가져와 자신이 쓴 것처럼 쓰는 것 • 출처를 밝히지 않음.

07 이것만은 꼭! ❷ 쓰기 윤리를 지켜야 하는 까닭

• 자신과 다른 사람의 저작권을 지킬 수 있다.
• 독자나 사회에 혼란을 주는 것을 피할 수 있다.
• 자신과 다른 생각을 존중하는 자세를 기를 수 있다.
• 바람직한 의사소통 문화를 형성할 수 있다.

답 ❶ 인용 ❷ 표절

핵심 정리 09 보고서 쓰기

● 보고서

> 어떤 목적을 갖고 실시한 관찰·❶ [ㅈㅅ]·실험 등의 절차와
> 결과를 정리하여 ❷ [ㅂㄱ]할 목적으로 쓴 글

● 보고서 쓰기의 과정

```
주제 정하기  →  계획 세우기  →  관찰·조사·
                              실험하기   →
```

```
자료 정리·        보고서 쓰기   →  평가하기
분석하기    →
```

> 보고서의 종류에는 관찰 보고서,
> 조사 보고서, 답사 보고서,
> 실험 보고서 등이 있어.

핵심 정리 10 ㉯ <우리 학교 학생들의 스마트폰 사용 실태>의 개관

● 제재 개관

갈래	보고서(조사 보고서)
주제	우리 학교 학생들의 ❶ [ㅅㅁㅌㅍ] 사용 실태
특징	① 학생들에게 친숙한 주제를 다룸. ② 머리말, 본문, ❷ [ㅁㅇㅁ]에 소제목을 붙여 글의 구성을 한눈에 알아볼 수 있게 함. ③ 설문 조사 결과를 표와 그래프로 제시하여 보고서를 읽는 사람의 이해를 도움.

> 이 보고서는 같은 학교 학생들의
> 스마트폰 사용 실태를 조사하여
> 쓴 보고서야.

핵심 정리 11 더 읽어 보기 <쓰기 윤리에 대하여>

● 제재 개관

갈래	설명문
제재	쓰기 윤리의 개념과 내용
주제	쓰기 윤리의 ❶ [ㅈㅇㅅ]을 알고, 쓰기 윤리를 지키면서 글을 써야 한다.
특징	① 쓰기 윤리를 세 가지로 나누어 설명하고 있음. ② 쓰기 윤리를 지키지 않은 학생의 ❷ [ㅅㄹ]를 들어 흥미를 유발함.

핵심 정리 12 읽기 과정의 점검과 조정 ①

● 읽기 과정의 각 단계에서 주로 수행하는 활동

읽기 전	• 읽기 목적 정하기 • 제목이나 차례를 보며 내용 예측하기 • 자신의 ❶ [ㅂㄱㅈㅅ] 활성화하기 • 궁금한 점, 알고 싶은 점 등으로 질문 만들기
읽기 중	• 예측한 내용이 맞는지 확인하기 • 자신이 미리 만들어 놓은 질문의 답 찾기 • 각 부분의 ❷ [ㅈㅅㄴㅇ] 파악하기 • 글쓴이의 의도가 무엇인지 추론하기 • 공감하거나 비판하며 글의 의미 이해하기
읽기 후	• 글 전체의 내용을 요약하여 정리하기 • 새롭게 알게 된 내용을 정리하고, 더 알고 싶은 내용 생각해 보기 • 자신의 읽기 활동을 평가하고, 새롭게 알게 된 내용을 자신의 상황에 적용해 보기 • 필요한 글을 더 찾아 읽기

10 이것만은 꼭! ㉯ 보고서의 짜임

머리말	• 조사 목적: 같은 학교 학생들의 스마트폰 사용 실태, 스마트폰 사용에 관한 인식을 조사하고자 함. • 조사 방법: ❶ [ㅅㅁ ㅈㅅ], 자료 조사
본문	• 설문 조사 결과: 문항별로 나누어 정리하고, 표와 ❷ [ㄱㄹㅍ]를 함께 제시하여 독자의 이해를 돕고 결과가 한눈에 들어오게 함. • 결과 종합 분석: 조사한 자료의 내용을 참고하여 설문 조사 결과를 종합적으로 분석함.
맺음말	• 내용 요약: 많은 학생이 스마트폰을 가지고 있고 적지 않은 시간 스마트폰을 사용하고 있으며, 문제를 겪고 있는 경우도 있음. • 조사자의 당부: 스마트폰 사용 습관을 점검해 보고, 스마트폰을 적절하게 활용하기를 바람. • 맺음말 뒤에 참고 자료의 출처를 밝힘.

답 ❶ 설문 조사 ❷ 그래프

09 이것만은 꼭! ❶ 보고서의 특성

• 정확성, ❶ [ㄱㄱㅅ]을 갖추어야 하며 간결하고 명확해야 한다.
• 목적과 필요성, 기간, 대상, 방법, 결과 등을 자세히 밝혀야 한다.

09 이것만은 꼭! ❷ 자료의 수집·정리·분석

자료 수집하기	• 메모나 복사, 녹음, 녹화 등의 방법을 활용하여 내용을 기록해 두어야 함. • 실험이나 관찰을 할 때에는 과정과 결과를 정확하게 기록해야 함.
자료 정리하기	• 수치나 통계는 ❷ [ㅍ]나 그래프로 제시함. • 그림이나 사진 자료를 활용할 수 있음.
자료 분석하기	• 자료를 객관적으로 분석해야 함. • 모둠 보고서의 경우 모둠원들과 충분히 토의하여 결론을 이끌어 내야 함.

답 ❶ 객관성 ❷ 표

12 이것만은 꼭! ❶ 읽기의 가치

• 지식과 ❶ [ㅈㅂ]를 얻을 수 있음.
• 다른 사람의 생각이나 다른 사회의 ❷ [ㅁㅎ]를 이해할 수 있음.
• 삶의 지혜를 배울 수 있음.

12 이것만은 꼭! ❷ 읽기 과정에 따라 읽을 때 주의할 점

• 읽기의 과정별 활동이 반드시 그 과정에서만 이루어져야 하는 것은 아님.
• 독자는 자신의 읽기 상황에 따라 읽기의 과정별 활동을 유연하게 적용할 수 있음.

읽기 과정을 점검하고
조정하는 습관을 가지면 글을
좀 더 효율적으로 읽을 수 있어.

답 ❶ 정보 ❷ 문화

11 이것만은 꼭! 이 글에서 설명하는 쓰기 윤리

올바르게 인용하기	• 다른 사람의 글이나 자료, 아이디어 등을 표절해서는 안 됨. • 인용할 때에는 ❶ [ㅊㅊ]를 정확하게 밝혀야 함. • 다른 사람들의 글을 짜깁기하거나 자기 표절을 하면 안 됨.
사실에 근거하여 기술하기	• 관찰·조사·실험을 한 것처럼 속여서 글을 쓰면 안 됨. • 과정과 결과를 조작해서는 안 됨.
예의를 지켜 언어 사용하기	• 허위 사실 유포, 욕설, 비방 등을 하지 않음. • 다른 사람을 비판할 때에도 언어 사용에 ❷ [ㅇㅇ]를 지켜야 함. • 다른 의견을 조롱하거나 배척하면 안 됨.

답 ❶ 출처 ❷ 예의

핵심 정리 13 읽기 과정의 점검과 조정 ②

● 읽기 과정을 점검할 때 할 수 있는 질문

- 나의 읽기 목적은 무엇이며, 적합한 방법으로 읽고 있는가?
- 글이 읽기 목적에 맞고 나의 읽기 수준에 적합한가?
- 글의 중심 내용을 파악하며 읽고 있는가?
- 글을 읽는 ❶ ㅎㄱ 과 상황이 적절한가?

● 읽기 과정을 점검하고 조정하는 방법의 예

문제	조정 방법
글이 ❷ ㅇㄱㅁㅈ 에 맞지 않음.	읽기 목적에 맞는 글을 찾아 읽음.
글의 내용이 읽기 수준에 맞지 않음.	읽기 수준에 맞는 글을 찾아 읽음.
피곤해서 집중력이 떨어짐.	잠시 쉬었다가 다시 읽음.
소음 때문에 읽기에 집중할 수 없음.	소음을 차단하거나 음악을 틀.

답 ❶환경 ❷읽기 목적

핵심 정리 14 청중 고려하기

● 청중 고려하기

말하기 전	청중의 흥미나 관심사, 지식수준과 경험, 성격이나 ❶ ㄱㅊㄱ, 화자와 청중의 친밀도 등을 고려하여 말할 내용을 선정함.
말하기 중	청중의 ❷ ㅂㅇ 을 살피고, 그에 따라 말할 양이나 말하기 순서, 방법 등을 조절할 수 있음.

'생체 모방 기술'이라는 말은 '생명체에서 아이디어를 얻어 새로운 제품을 만드는 기술'이라고 쉽게 풀어 말하는 게 더 좋겠어.

답 ❶가치관 ❷반응

핵심 정리 15 말하기 불안

● 개념

여러 사람 앞에서 말을 하기에 앞서 또는 말을 하는 과정에서 경험하는 ❶ ㅂㅇ 증상

● 말하기 불안을 느끼는 까닭의 예

- 청중 앞에서 말한 경험이 많지 않아서
- 말하기 ❷ ㅈㅂ 를 충분하게 하지 못해서
- 실수 없이 완벽하게 발표해야 한다고 생각해서
- 청중이 낯설거나 말하기 환경에 익숙하지 않아서

● 말하기 불안에 대처하는 데 도움이 되는 방법

- 긍정적인 생각을 한다.
- 종이에 주요 내용을 적어 둔다.
- 말하기 연습을 많이 한다.
- 심호흡을 하고 몸을 가볍게 풀어 준다.

답 ❶불안 ❷준비

핵심 정리 16 더 읽어 보기 <발표하기 무서워요!>

● 작품 개관

갈래	동화
주제	준비를 잘하면 말하기 불안을 극복하고 ❶ ㅂㅍ 를 잘할 수 있다.
특징	① 한 아이가 ❷ ㅁㅎㄱ 불안을 극복하는 과정을 담고 있음. ② 일상생활에서 보거나 겪을 수 있는 일을 소재로 하여 현실감을 높임.

답 ❶발표 ❷말하기

14 이것만은 꼭! 연우가 '소개하는 말하기'에서 청중을 고려한 부분

연우의 청중	반 친구들

말하기 전	• 친구들의 흥미와 관심을 고려하여 생체 모방 기술로 만든 물건을 주제로 정함. • 물건의 **❶** [ㅅㅈ] 을 보여 주고자 함. • 용어를 쉬운 말로 바꿈.	→ 청중의 관심과 흥미, 지식수준 등을 고려함.
말하기 중	• 시간을 두고 친구들의 반응을 기다림. • 주삿바늘의 굵기를 머리카락 **❷** [ㄱㄱ] 와 비교하여 설명함.	→ 청중의 반응을 살피고, 그에 따라 말하기 방법 등을 조절함.

답 ❶ 사진 ❷ 굵기

---

13 이것만은 꼭! 본문에 나타난 읽기 과정의 점검과 조정

학생이 읽은 글	<절로 뛰어들게 만드는 씨름판의 풍경>
❶ [ㅇㄱ ㅁㅈ]	김홍도의 그림 <씨름도>에 관해 알아보기

↓

학생의 생각	읽기 과정의 점검과 조정
'본새'가 뭐지? 국어사전을 찾아봐야겠다.	• 단어의 뜻을 모르는 문제에 부딪힘. • 국어사전을 찾아보기로 함.
지금 나는 읽기 목적에 맞게 읽고 있나? <씨름도>에 관해 알아보려고 읽는 거니까 메모하며 읽으면 더 좋겠어.	• 읽기 목적에 맞는 방법으로 읽고 있는지 점검함. • 메모하며 글을 읽는 것으로 방법을 조정함.
어제 늦게 잤더니 피곤해서 읽기 힘드네. 잠깐 쉬어야겠다.	• 피곤을 느낌. • 잠깐 **❷** [ㅎㅅ] 을 취함.

답 ❶ 읽기 목적 ❷ 휴식

---

16 이것만은 꼭! 알프레드의 말하기 불안 극복

매일 **❶** [ㄷㅇ ㄱㄹ] 에 관한 정보를 찾으면서 발표해야 한다는 사실 때문에 긴장하던 것을 잊음.	→ 말할 내용을 조사하고 준비하는 것은 말하기 불안을 극복하는 데 도움이 됨.
친구들이 진지한 눈빛으로 자신을 보고 있음을 깨닫고 조금씩 용기가 솟아나는 것을 느낌.	→ 청중의 **❷** [ㄱㅈㅈ] 태도는 화자의 말하기 불안 극복에 도움이 됨.
• 말을 하면 할수록 자신감이 생기는 것을 느낌. • 앞머리를 옆으로 넘기고 대왕 고래의 노랫소리를 흉내 냄.	→ 말하기 불안은 대체로 화자가 말하기 시작하면 점차 줄어들고, 화자가 말하기에 적응하면 해소됨.

답 ❶ 대왕 고래 ❷ 긍정적

---

15 이것만은 꼭! ❶ 연우가 느낀 말하기 불안

연우가 느낀 말하기 불안	언니의 조언(대처 방법)
• 말할 때 실수할까 봐 걱정된다. • 말할 내용을 잊어버릴 것 같다. • 친구들이 내 말을 집중해서 듣지 않을 것 같다.	• 긍정적인 생각을 한다. • 말하기 **❶** [ㅇㅅ] 을 많이 한다. • 종이에 주요 내용을 적어 둔다. • 심호흡을 반복하고 몸을 가볍게 풀어 준다.

15 이것만은 꼭! ❷ 말하기 불안을 느끼는 화자를 대하는 청중의 태도

화자의 노력도 중요하지만, **❷** [ㅊㅈ] 이 화자에게 긍정적으로 반응하는 것도 중요함.	→ 청중의 긍정적인 반응은 화자가 말하기 불안을 극복하는 데 도움이 됨.

답 ❶ 연습 ❷ 청중

고등 국어 교과서 공통 개념 기본서

다 품었다! 다 풀었다!

교과서 다:품

[고등 국어(공통)]

탄탄한 기초 완성

고등 국어 내신의 성공적인 시작!
11종 교과서의 필수 개념만 모아
기초를 탄탄하게 다져 주는 입문서

예습·복습에 최적

영역별 필수 내용을 개념으로 묶어
빠르게 끝낼 수 있는 분량 덕에
효율적인 예습·복습이 가능한 교재

단계별 구성

개념 학습 및 기초 문제부터
실제 출제 문제 유형까지
단계별 학습으로 자신감 상승

국어 내신의 시작!
교과서 개념 다 품은
11종 고등 국어 공통 입문서

교과서
다:품

김수학·문광·이정우

아자!
아자!

고등 국어 공통

국어가 쉬워진다.
시험에 강해진다!
중3(예비고)~고1

book.chunjae.co.kr

교재 내용 문의 ⋯⋯⋯⋯⋯⋯⋯⋯	교재 홈페이지 ▶ 중등 ▶ 교재상담	
교재 내용 외 문의 ⋯⋯⋯⋯⋯⋯⋯	교재 홈페이지 ▶ 고객센터 ▶ 1:1문의	
발간 후 발견되는 오류 ⋯⋯⋯⋯⋯	교재 홈페이지 ▶ 중등 ▶ 학습지원 ▶ 학습자료실	

7일 끝으로 끝내자!

중학 국어 3-2

BOOK 3

정답과 해설

7일 끝 중학 국어

차례

중간고사 대비

정답과 해설

1일 1. 문학과 삶
(1) 까마귀 눈비 맞아/들판이 적막하다

기초 확인 문제 | 9~11쪽

01 소미 **02** (1) 내용 (2) 삶 **03** 주체적 **04** ⑤ **05** 일편단심 **06** 부정적, 긍정적 **07** 단종 **08** (1) ⓒ (2) ㉠ **09** 진우 **10** 황금 고리 **11** (1) 메뚜기 (2) 환경/자연 **12** 긍정적, 부정적

01 문학 작품의 사회·문화적 배경은 작품에 직접 드러나기도 한다.

04 설의법은 의문문의 형식으로 전달하고자 하는 바를 강조하는 표현 방법이다. 이 시조는 설의법을 써서 임을 향한 마음이 변하지 않는다는 화자의 의지를 강조하고 있다.

05 이 시조의 종장에서는 임을 향한 변함없는 마음, 즉 '일편단심'을 노래하고 있다.

06 '까마귀'는 잠깐 흰 듯 보여도 결국은 검은 존재이므로 부정적 존재를 의미하고, '야광명월'은 밝게 빛나는 존재이므로 긍정적 존재를 의미한다.

07 1455년 수양 대군은 단종의 왕위를 빼앗고 왕이 되었다. 박팽년은 단종 복위 운동을 펼쳤는데, 이것이 발각되어 옥에서 죽음을 맞이하였다.

> **자료실** 단종(1441~1457)
> 조선 제6대 왕(재위 1452~1455)이다. 문종의 아들로 어린 나이에 왕위에 올랐으나 숙부인 수양 대군에게 왕위를 빼앗겼다. 이후 단종의 복위를 도모하던 성삼문, 박팽년 등이 죽자 서인(아무 벼슬이나 신분적 특권을 갖지 못한 일반 사람.)으로 강등되었고 결국 유배지에서 죽임을 당하였다.

09 이 시에는 가을 들판의 풍경이 나타나 있다.

12 '풍요로운 들판'을 보며 화자가 눈부시다고 말하고 있으므로 긍정적 이미지를 나타내고, '적막한 들판'을 보며 화자가 불길함을 느끼고 있으므로 부정적 이미지를 나타낸다.

교과서 기출 베스트 | 12~13쪽

01 ⑤ **02** 까마귀 **03** ② **04** ③ **05** ④ **06** ①
07 ⑤ **08** 생명의 황금 고리

01 종장에서 '변할 줄이 있으랴'라고 질문하는 형식을 사용하여 임을 향한 마음이 변하지 않는다는 화자의 의지를 강조하고 있다.

> **오답 풀이**
> ② 의미가 대비되는 '까마귀'와 '야광명월'을 제시하고 있다.
> ③ 시각적 심상이 드러나 있다.
> ④ 화자는 임을 향한 마음이 변하지 않을 것임을 강조하고 있으며, 자신에 상황에 만족하는 태도는 나타나 있지 않다.

02 이 시조에서 '까마귀'는 눈비를 맞아 일시적으로 하얗게 보일 수 있지만 결국 검을 수밖에 없는 부정적 존재를 의미한다.

03 〈보기〉는 수양 대군의 왕위 찬탈과 박팽년, 성삼문 등의 단종 복위 운동을 설명하고 있다. '일편단심'은 변하지 않는 마음으로, 〈보기〉를 바탕으로 하면 단종을 향한 마음을 의미한다고 해석할 수 있다.

> **자료실** 박팽년(1417~1456)
> 조선 시대의 문신. 세종 때 당대의 유망한 젊은 학자들과 집현전에서 일하였다. 1455년 수양 대군이 어린 조카인 단종의 왕위를 빼앗자 죽음을 각오하고 단종 복위 운동에 가담하였다. 하지만 이 일이 발각되어 심한 고문을 받고 1456년 옥에서 죽었다. 묘는 서울 노량진의 사육신 묘역에 있다.

04 수양 대군의 왕위 찬탈과 단종 복위 운동이라는 사회·문화적 배경을 고려할 때, 이 시조의 주제는 '단종을 향한 변함없는 충성심'이다.

05 이 시는 벼의 수확량을 늘리기 위해 사용한 농약 때문에 메뚜기가 사라져 생태계의 조화가 무너진 상황을 배경으로 하고 있다.

06 1연에 이 시의 계절적 배경이 가을이며, 화자가 들판에서 익어 가는 벼를 바라보고 있음이 드러나 있다.

오답 풀이

- 은아: 화자는 들판의 풍경을 바라보며 눈부신 풍요로움을 느꼈다가 적막함을 느끼고 있다.
- 진경: 화자는 느낌표를 사용하여 메뚜기가 없다는 사실을 깨달은 충격을 강조하여 드러내고 있다.

자료실 〈들판이 적막하다〉에 쓰인 문장 부호의 효과

문장 부호	효과
쉼표(,)	풍요로운 가을 들판에서 문득 느껴지는 것이 있음을 드러내며 긴장감을 줌.
줄표(—)	들판의 적막함과 고요함이 주는 당혹스러움을 강조함.
느낌표(!)	메뚜기가 없다는 사실을 깨달은 충격을 강조하여 드러냄.
말줄임표(……)	생태계의 조화가 무너진 데에 대한 안타까움을 드러냄.

07 이 시는 '그런데'라는 시어를 중심으로 하여 풍요로운 긍정적 분위기에서 적막한 부정적 분위기로 전환되고 있다.

08 이 시에서는 먹이 사슬을 통한 생명체들 사이의 유기적인 연결, 즉 생태계의 조화를 '생명의 황금 고리'라고 표현하고 있다.

2일 1. 문학과 삶 (2)꺼삐딴 리

기초 확인 문제 | 17~19쪽

01 ㉠: 소재/제재, ㉡: 대화 **02** 진우 **03** ④ **04** (1) 기회주의자 (2) 현재 (3) 풍자 **05** 강하 **06** (1) ㉢, ㉠, ㉡ (2) ② **07** 우주 **08** (1) 춘석 (2) 스텐코프 (3) 브라운

02 '1945년 팔월 하순', '해방의 감격'이라는 표현을 바탕으로 할 때 사회·문화적 배경이 해방 직후임을 알 수 있다.

03 오늘날의 삶에 비추어 소설을 감상할 때 과거의 가치가 오늘날의 관점에서 새롭게 평가될 수 있지만, 오늘날에도 변하지 않는 가치가 있음도 확인할 수 있다.

05 이 소설의 공간적 배경은 한반도의 북쪽과 남쪽이다. 이인국은 일제 강점기부터 해방 직후 소련군 주둔 시기까지 한반도 북쪽에서 살았지만, 6·25 전쟁 중 남한으로 내려와서 자리를 잡는다.

06 (1) 일제 강점기에 친일을 하며 부와 권력을 누린 이인국은 해방 후, 북쪽에 소련군이 들어오자 친일 행적 때문에 불안해하면서도 막연히 괜찮지 않을까 기대한다. 결국 이인국은 친일을 한 죄로 치안대에 끌려가 문초를 받지만 감방에 전염병이 돌자 응급 치료실에서 일하게 되고, 소련군 장교 스텐코프의 혹을 수술로 제거해 주면서 처벌받지 않고 풀려난다. 그 뒤로 소련과 가깝게 지내며 부와 권력을 누리다 6·25 전쟁 중에 남쪽으로 내려온 이인국은 미국과 가깝게 지내며 부와 권력을 누린다.
(2) 〈보기〉는 6·25 전쟁 중에 일어난 사건이다. 따라서 소련군 주둔 시기와 6·25 전쟁이 끝난 후 사이에 해당하는 ②가 적절하다.

07 이인국은 소련군 주둔 시기에는 소련과 가깝게 지냈지만, 6·25 전쟁 중에 남한으로 온 뒤로는 미국과 가깝게 지냈다.

01 이 소설의 서술자는 주인공이 아니다. 서술자는 이야기 밖에서 인물의 행동과 심리 등을 전달하고 있다.

오답 풀이

① 이인국의 삶을 소재로 하고 있다.

② 해방이라는 역사적 사실이 나타나 있다.

③ (가)의 '이인국 박사는 이 며칠 동안 불안과 초조에 휘몰려 잠도 제대로 자지 못했다.'처럼 인물의 심리가 직접적으로 드러나 있다.

⑤ (가)의 '1945년 팔월 하순'처럼 사회·문화적 배경을 짐작할 수 있는 표현이 있다.

02 (가)를 통해 이인국이 일제 강점기부터 입원실이 있는 병원을 운영하고 있는 의사임을 알 수 있다.

오답 풀이

② (가)를 통해 이인국이 일제 강점기 때부터 의사 일을 하였음을 알 수 있다.

③ 이인국은 일제 강점기에 친일했기 때문에 불안을 느끼고 있다.

④ (가)에서 이인국이 방을 일본식으로 꾸미고 옷도 일본식으로 입은 것을 확인할 수 있다.

⑤ (가)에서 해방 후 이인국의 병원에는 환자가 없다는 내용을 확인할 수 있다.

03 '친일파, 민족 반역자를 타도하자.'라는 구절에서 친일파를 찾아서 처벌하고자 한 당시의 시대 상황을 짐작할 수 있다.

04 (가)에서 이인국이 사상범에게 응급 치료만 한 것은 그의 입원을 꺼렸기 때문이다. 일제 강점기에 입원 치료를 하지 않고 응급 치료만 하였다는 것은 알 수 없다.

오답 풀이

② (가)의 '관선 시의원이라는 체면', '자타가 공인하는 모범적인 황국 신민', (나)의 '국어 상용의 가' 등을 통해 이인국이 일제의 정책을 적극적으로 따랐음을 알 수 있다.

③ (가)에서 일본인 간부급들이 이인국의 병원에 자기 집처럼 들락날락하였음을 알 수 있다.

④ (가)에서 사상범 환자를 입원시키면 자신에게 불이익이 생길까 봐 이인국이 핑계를 대고 입원을 거절하였음을 알 수 있다.

05 해방 후 친일파를 처벌하고자 하는 사회적 분위기 때문에 이인국은 자신이 친일하였음을 보여 주는 증거가 되는 '국어 상용의 가' 종이를 찢었다.

06 〈보기〉를 통해 해방 후 삼팔선 남쪽에는 미군이, 북쪽에는 소련군이 들어왔음을 알 수 있다. (가)에 소련군이 들어오는 모습이 나타나 있으므로 이인국이 있는 곳은 삼팔선 북쪽이다.

오답 풀이

① 이인국은 소련군이 자기와 아무 관련도 없는 이방 부대라고 느끼고 있다.

④ 미군이 들어오지 않아 이인국이 실망하였다는 내용은 나타나 있지 않다.

07 ㉠에서 뉘우침이나 가책이 있을 수 없다고 하였으므로, 이인국이 자신의 친일 행적을 반성하지 않는다는 것을 알 수 있다.

08 (가)의 시간적 배경은 현재(6·25전쟁 이후)이고 (나)~(다)의 시간적 배경은 과거(소련군 주둔 시기)이다. 이를 통해 현재와 과거를 오가는 구성이 나타나 있음을 알 수 있다.

오답 풀이

② (가)의 공간적 배경은 한반도 남쪽이고, (나)~(다)의 공간적 배경은 한반도 북쪽이다.

⑤ (가)의 시간적 배경은 현재, (나)~(다)의 시간적 배경은 과거이다. 따라서 사건이 일어난 시간 순서에 따라 서술하고 있지 않다.

09 (다)에서 아들과의 연락이 두절되었다고 했으므로 무사히 소련에서 유학을 마치고 집으로 돌아왔다는 성민이의 말은 적절하지 않다. 이인국은 6·25 전쟁 후로 소련으로 유학 보낸 아들의 생사를 알지 못한다.

오답 풀이

• 진경: (다)의 '괜한 소리', '걱정하는 마누라를 우격다

짐으로 무마하고'라는 표현을 통해 이인국의 아내는 아들의 소련 유학에 찬성하지 않았음을 알 수 있다.

- 은아: (다)에서 '그 다음 해에 사변이 터졌다.'라고 서술하고 있으므로 아들이 소련으로 유학을 떠난 다음 해에 6·25 전쟁이 일어났음을 알 수 있다.

10 이인국은 소련군의 영향이 큰 한반도 북쪽에서 출세하려면 노어가 도움이 된다고 생각했기 때문에 아들에게 노어 공부를 열심히 하라고 말하였다.

3일 1. 문학과 삶
(2) 꺼삐딴 리

기초 확인 문제 | 27~29쪽

01 진경	**02** 친일파	**03** 소련 **04** ⑤ **05** 현아

06 (1) ㄹ (2) ㄴ, ㅁ (3) ㄱ, ㄷ **07** (1) ㄴ (2) ㄷ (3) ㄱ **08**
⑤ **09** 기회주의자 **10** 꺼삐딴 **11** ④

01 '국어 상용의 가'에서 '국어'는 일본어를 가리킨다. 일제 강점기에 일제는 우리말을 쓰지 않고 일본어를 쓰는 가정에 상을 주었다.

03 〈보기〉에는 해방 이후 삼팔선 북쪽에서는 소련의 영향력이 컸다는 사회·문화적 배경이 드러나 있다.

04 〈보기〉에는 자신의 이익을 위해 외국인에게 문화재를 선물하는 일이 있었으며, 이 때문에 우리나라 문화재가 국외로 유출되었음이 나타나 있다.

05 이인국은 소련군 주둔 시기에 치안대에 끌려가 문초를 받지만, 기회를 잡아 처벌받지 않고 풀려난 뒤 소련군과 친분을 쌓으며 부와 권력을 얻고자 노력한다.

06 (1) 이인국은 일제 강점기에 모범적인 황국 신민으로 살며 일제에 적극적으로 협조하였다.
(2) 이인국은 소련군 주둔 시기에 감방에서 노어를 공부하고, 아들을 소련으로 유학을 보내는 등 소련과 가깝게 지내며 부와 권력을 추구하였다.
(3) 이인국은 6·25 전쟁 이후 영어를 공부하고, 딸을 미국으로 유학을 보내는 등 미국과 가깝게 지내며 부와 권력을 추구하였다.

08 이인국은 권력을 가진 세력을 따르며 부와 권력을 갖기 위해 노력하였으므로 사람들의 눈에 띄지 않는 평범한 삶을 추구한다는 설명은 적절하지 않다.

09 작가는 시대마다 권력을 가진 세력에 붙어 부와 권력을 누리는 이인국의 삶을 통해 도덕이나 인의와 관계없이 이익만 추구하는 기회주의자의 삶을 풍자하고 있다.

11 이인국은 일제 강점기에 적극적으로 일제에 협조하며 친일파로 살았다. 따라서 독립운동가에서 친일파로

삶의 태도를 바꾼 까닭을 묻는 ④의 질문은 적절하지 않다.

---

01 ④ 02 ① 03 소련 병사/소련군 병사 04 ④ 05 ⑤ 06 스텐코프의 혹 07 ② 08 ③ 09 ② 10 기회주의자 11 ②

01 (다)에서 병사가 이인국의 손을 뿌리치면서 시계를 채어 냈다고 서술하고 있다. 이인국은 시계를 뇌물로 바친 것이 아니라 빼앗긴 것이다.

02 '치안대'는 해방 직후 삼팔선 이북에서 치안을 유지하기 위해 조직된 공산주의 계열의 단체이므로 사회·문화적 배경이 해방 직후의 소련군 주둔 시기라는 것을 짐작할 수 있다.

03 (가)~(다)의 사회·문화적 배경은 소련군 주둔 시기이므로, ㉠은 소련 병사이다.

04 ㉠에서 '하늘이 무너져도'는 어려운 상황에 처하는 것을 뜻하는데, 여기에서는 친일 행위로 치안대에 끌려온 것을 뜻한다.

오답 풀이
①, ③ 하늘이 무너져도 솟아날 구멍이 있다: 아무리 어려운 경우에 처하더라도 살아 나갈 방도가 생긴다는 말.

05 이인국은 소련군과 노어로 의사소통하여 처벌을 받지 않고 감방에서 풀려날 기회를 얻고자 노어 공부를 열심히 한 것이다.

06 이인국은 스텐코프의 혹을 제거하는 수술에 성공하면 자신이 감방에서 완전히 풀려날 수 있다고 생각했기 때문에 스텐코프에게 수술을 제안하였다.

07 (가)에서 마음의 감옥에서 해방된 것만 같았다고 하였으므로 이인국은 스텐코프가 퇴원하는 날이 되어서야 마음을 놓을 수 있었음을 알 수 있다(지민). (나)에서 스텐코프가 "내일부터는 집에서 통근해도 좋소."라고 말

했으므로 이인국이 처벌을 받지 않고 감방에서 풀려났음을 알 수 있다(준서).

오답 풀이
• 성재: (나)에서 스텐코프가 이인국을 자기 방으로 불렀다고 서술하고 있으므로 적절하지 않다.
• 선호: 혹을 제거하는 수술이 성공적으로 끝나자 스텐코프는 이인국을 신뢰하였다.
• 진우: 이인국은 감방에서 풀려나면서 집과 응급 치료실을 오가며 일하게 되었다. 자신의 병원에서 일하게 된 것이 아니다.

08 이인국은 부탁이 없냐는 스텐코프의 말에 소련 병사에게 빼앗긴 시계를 떠올렸는데, 그 이야기를 하면 스텐코프와의 좋은 분위기에 부정적인 영향이 있을까 봐 잠시 고민하였다.

09 (가)~(나)에 6·25 전쟁 때 북한으로 사람들이 이동하였다는 내용은 나타나 있지 않다. 그리고 이인국은 북한에서 남한으로 이동한 인물이다.

오답 풀이
①, ⑤ (나)를 통해 우리나라 문화재가 외국인들의 수집, 선물 등의 방식으로 유출되었음을 알 수 있다.
③, ④ 이인국이 딸을 미국으로 유학 보낸 점, 브라운이 문화재를 많이 가지고 있는 점을 통해 6·25 전쟁 후 남한에서 미국의 영향력이 커졌으며, 이 때문에 미국에 잘 보이려는 사람들이 있었음을 알 수 있다.

10 이인국은 상황에 따라 그때 권력을 가지고 있는 세력을 따르는 기회주의자의 삶을 살았다.

11 이인국은 잠시 어려움을 겪기도 했지만 계속 부와 권력을 누렸으므로, 경제적으로 어려운 사람이라고 보기 어렵다.

2. 논증과 설득 전략
(1) 논증 방법 파악하며 읽기

기초 확인 문제 | 37~39쪽

01 논증 02 (1) 귀납 (2) 유추 (3) 연역 03 (1) 연역 (2) 귀납 (3) 유추 04 현아 05 (1) 서론 (2) 배달 속도 (3) 택배 기사 06 귀납, 연역 07 진경 08 ㉠: 배달 구조, ㉡: 배송 시간, ㉢: 노동 환경 09 연역

01 주장과 근거 사이의 관계 또는 하나 이상의 명제를 근거로 들어서 주장을 펼치는 것을 논증이라고 한다.

03 (1) 모든 동물은 죽는다는 일반적인 사실로부터 사람은 죽는다는 개별적인 사실을 이끌어 내고 있으므로 연역이 사용되었다.
(2) 사자와 원숭이가 새끼를 낳는 포유류라는 개별적인 사실에서 모든 포유류가 새끼를 낳는다는 일반적인 명제를 이끌어 내고 있으므로 귀납이 사용되었다.
(3) 베트남이 태국처럼 강수량과 일조량이 많기 때문에 벼농사가 잘될 것이라고 추론하고 있으므로 유추가 사용되었다.

04 이 글은 논증 방법 가운데 귀납과 연역을 사용하였다.

06 이 글의 본론에는 '귀납'이 사용되었고, 결론에는 '연역'이 사용되었다.

07 이 글의 본론에는 '귀납'이 사용되었다. 귀납은 개별적인 특수한 사실에서 일반적인 명제를 이끌어 내는 논증 방법이므로, 특징을 바르게 설명한 학생은 진경이다.

08 '본론'에서는 배달 구조가 빠른 속도를 강요하는 구조이기 때문에 교통사고가 많이 발생한다는 점, 정해진 배송 시간을 지키려고 택배 기사들이 과도한 노동을 하고 있다는 점, 택배 시장의 규모는 커졌지만 택배 기사들의 수입은 달라지지 않았다는 점을 바탕으로 하여 택배 기사들이 열악한 노동 환경에 처해 있다는 내용을 이끌어 내고 있다.

09 일반적이고 보편적인 사실에서 개별적인 사실을 이끌어 내는 논증 방법은 연역이다.

교과서 기출 베스트 | 40~41쪽

01 ④ 02 ② 03 통계 자료 04 ③ 05 잘못 06 ⑤

01 (라)에서 글쓴이는 택배 기사들이 열악한 노동 환경에 처해 있다고 서술하고 있다.

02 택배 기사들이 겪고 있는 여러 개의 개별적인 문제점으로부터 택배 기사들의 노동 환경이 열악하다는 보편적인 사실을 이끌어 내고 있으므로 귀납이 사용되었다.

오답 풀이
① 연역에 대한 설명이다.
④ 유추에 대한 설명이다.

03 (가)~(나)에서 통계 자료를 활용하여 택배 기사들이 교통사고의 위험에 노출되어 있으며, 과도하게 노동을 하고 있음을 드러내고 있다.

04 (가)에는 연역이 사용되었다. 연역이 사용된 것은 ③이다.

오답 풀이
①, ②, ④ 귀납이 사용되었다.
⑤ 유추가 사용되었다.

05 (나)의 글쓴이는 행랑채가 퇴락하여 수리한 경험을 바탕으로 하여 사람도 잘못을 알았을 때 바로 고쳐야 한다고 서술하고 있다.

자료실 〈이옥설〉

• 작품 개관

갈래	설(說)
제재	집을 수리한 경험
주제	잘못을 알았을 때에는 바로 고쳐야 한다.
특징	① 유추를 사용하여 주장을 이끌어 내고 있음. ② 글쓴이의 경험을 먼저 제시하고 이를 통해 얻은 깨달음을 덧붙이는 방식으로 내용을 전개함.

06 (나)에는 두 대상이 여러 면에서 유사하다는 것을 근거로 하여 다른 속성도 유사할 것이라고 추론하는 유추가 사용되었다.

오답 풀이
① 연역에 대한 설명이다.
② 귀납에 대한 설명이다.

5일 2. 논증과 설득 전략
(2) 설득 전략 비판적으로 분석하며 듣기

01 연설　**02** 진우　**03** (1) 감성적 (2) 이성적 (3) 인성적
04 (1) 인성적 (2) 이성적 (3) 감성적　**05** 타당성　**06** (1) 청자 (2) 인종 차별 (3) 설득　**07** 소미　**08** (1) 감성적 (2) 이성적　**09** ㉠: 노예 해방 선언, ㉡: 흑인 인권 운동

01 연설은 여러 사람 앞에서 주장이나 생각을 말하는 것으로, 대중 앞에서 이루어지는 공식적인 말하기이다.

02 연설은 내용과 함께 화자의 인물됨과 태도가 청자에게 미치는 영향이 크다.

04 (1) 지구 온난화 현상을 연구하는 과학자가 지구 온난화의 심각성에 관해 말할 것임을 밝히고 있다. 말할 내용에 관한 화자의 전문성이 드러나 있으므로 인성적 설득 전략이 사용되었다.
(2) 세계 평균 기온과 해수면의 변화를 객관적이고 구체적인 수치를 통해 드러내고 있으므로 이성적 설득 전략이 사용되었다.
(3) 해수면 상승으로 나라가 없어질 위기에 처한 투발루를 예로 들어 청중의 불안감을 자극하고 있으므로 감성적 설득 전략이 사용되었다.

05 설득 전략을 비판적으로 분석하며 듣고자 할 때에는 화자가 사용한 설득 전략이 무엇인지 파악하고 그 타당성을 판단해야 한다.

07 마틴 루서 킹은 비폭력 정신을 바탕으로 한 흑인 인권 운동을 이끈 인물로, 그의 경험과 전문성은 청자에게 신뢰감을 주고 주장의 설득력을 높이고 있다.

08 (1) 오랜 시간이 지났지만 흑인을 향한 인종 차별이 사라지지 않았음을 비유적 표현을 사용해 드러냄으로써 청중의 감정을 자극하고 있다. 따라서 감성적 설득 전략이 사용되었다.
(2) 건국 신조라는 역사적 사실을 근거로 들고 있으며,

모든 인간은 평등하게 태어난다는 사실을 바탕으로 하여 흑인 또한 평등하게 태어났다는 내용을 이끌어 내고 있다. 따라서 이성적 설득 전략이 사용되었다.

09 화자는 백 년 전에 〈노예 해방 선언〉이 선포되었으나 여전히 흑인들이 차별받고 있으며, 이러한 차별이 없어질 때까지 흑인 인권 운동을 계속해야 한다고 말하고 있다.

01 ②　**02** ③　**03** 비폭력　**04** ④　**05** ⑤　**06** 우리는 (결코) 만족할 수 없습니다.　**07** ⑤　**08** ④　**09** 역사적 사실　**10** ③　**11** 2018년 동계 올림픽은 평창에서 개최되어야 한다.　**12** 인성적 설득 전략

01 이 연설에서 통계 자료를 활용하여 주장을 뒷받침하는 부분은 나타나 있지 않다.

오답 풀이
③ '희망의 등불', '노예 생활의 기나긴 밤을 걷어 내는 환희의 새벽' 등 비유적 표현을 사용하여 생각을 효과적으로 드러내고 있다.

④, ⑤ 화자는 흑인이 차별받고 있는 사회의 상황이 문제임을 지적하며, 흑인이 평등하게 대우받는 사회를 만들어야 함을 말하고 있다.

02 화자는 흑인들의 권리가 보장될 때까지 흑인 인권 운동이 계속되어야 한다고 말하고 있으므로, 흑인에게 현재에 만족할 것을 요구하고 있다는 내용은 적절하지 않다.

오답 풀이

①, ④ (가)에서 백 년 전에 링컨 대통령이 〈노예 해방 선언〉에 서명하였음을 말하고 있는데, 이는 역사적 사실을 근거로 들어 설득하는 이성적 설득 전략이 사용된 것이다.

⑤ (다)에서 흑인의 권리가 보장될 때까지 안정도, 평온도 없을 것이며 흑인의 저항이 미국의 기반을 흔들 것이라고 말하고 있는데, 이는 흑인을 차별하는 사람들의 불안감을 자극하는 감성적 설득 전략이 사용된 것이다.

03 (라)에서 화자는 흑인 인권 운동을 물리적 폭력으로 더럽혀서는 안 된다고 말하고 있다. 이를 참고할 때 화자는 흑인 인권 운동이 비폭력 정신을 바탕으로 하여 이루어져야 한다고 말하고 있음을 알 수 있다.

04 (가)에서 화자는 흑인 인권 운동이 백인의 불신을 받는 일은 없어야 한다고 말하고 있으므로, ④의 내용은 적절하지 않다.

오답 풀이

② (나)의 "흑인이 이사할 수 있는 곳이 … 큰 빈민가 정도밖에 되지 않는 한"에서 확인할 수 있다.

③ (나)의 "미시시피에 사는 흑인이 … 투표해야 할 이유를 찾지 못하는 한"에서 확인할 수 있다.

⑤ (가)의 "오늘 이 자리에 함께한 백인 형제들이 … 단단히 얽혀 있다는 사실 역시 잘 알고 있습니다."에서 확인할 수 있다.

05 (나)에서 화자는 흑인이 겪는 차별을 제시하고 있다. 이를 통해 흑인에게 동정심을 갖게 하고 문제 상황에 대한 분노를 유발함으로써 청중의 마음을 움직이고 있는데, 이는 감성적 설득 전략을 사용한 것이다.

06 (나)에서 화자는 "우리는 (결코) 만족할 수 없습니다."라는 표현을 반복함으로써 흑인 인권 운동을 멈추지 않고

계속하겠다는 의지를 강하게 드러내고 있다.

07 (나)에서 화자는 흑인과 백인이 평등하게 살아가는 세상을 꿈꾸고 있음을 밝히고 있다.

08 (가)의 ㉠ '구원'은 흑인이 백인과 평등하게 대우받는 것을 의미한다. 이와 의미가 통하는 표현은 ⓑ, ⓓ이다.

오답 풀이

ⓐ, ⓒ 흑인을 향한 인종 차별을 의미한다.

09 (나)에서 화자는 역사적 사실인 미국의 건국 신조를 제시하여 미국은 건국될 때부터 평등이라는 가치를 지향했음을 드러내고 있다. 그리고 이를 통해 흑인이 차별을 받지 않고 평등하게 대우받으며 살 권리가 있음을 주장하고 있다.

10 (나)에서 화자는 자신이 한국에 훈련 시절과 코치들이 갖추어져 있는 동계 종목을 선택할 수 있었다고 말하고 있다.

오답 풀이

② (나)에서 '올림픽에서 저의 메달을 포함하여'라고 말하고 있으므로, 올림픽에 출전한 경험이 있음을 확인할 수 있다.

④ (나)에서 한국이 밴쿠버 올림픽에서 14개의 메달을 획득하였다는 내용을 확인할 수 있다.

⑤ (가)에서 국제 올림픽 위원회 위원장과 위원들에게 인사를 하며 연설을 시작하고 있다.

11 화자는 다양한 설득 전략을 사용하여 2018년 동계 올림픽이 평창에서 개최되어야 한다고 설득하고 있다.

12 화자의 경험과 전문성을 바탕으로 하여 신뢰성을 판단하고 있으므로, 인성적 설득 전략에 관한 대화이다.

📺 **자료실** 〈평창 동계 올림픽 유치 연설〉

• 제재 개관

갈래	연설
제재	평창 동계 올림픽 유치
주제	2018년 동계 올림픽은 평창에서 개최되어야 한다.
특징	① 화자의 경험과 생각을 진솔하게 표현함. ② 올림픽이 많은 젊은이에게 성공과 성취의 기회가 될 것임을 강조함.

누구나 100점 테스트 1회 | 52~55쪽

| 01 ① | 02 그런데 | 03 ② | 04 ⑤ | 05 ④ | 06 상황, 권력 | 07 ③ | 08 ⓐ, ⓓ, ⓒ, ⓑ | 09 ⑤ | 10 ④ |

01 창작된 사회·문화적 배경을 고려하였을 때, (가)는 단종을 향한 변함없는 충성심을 노래하고 있는 시조이다. 따라서 두 임금을 모시는 신하의 어려움을 노래하고 있는 시조라는 ①의 내용은 적절하지 않다.

02 (나)는 '그런데'를 기준으로 하여 풍요로운 가을 들판의 눈부심에서 메뚜기가 없는 적막한 들판의 불길함으로 시의 분위기가 전환되고 있다.

03 (가)의 화자는 임을 향한 변하지 않는 마음을 노래하고 있으므로 ②의 감상은 적절하지 않다.

　　오답 풀이

　　① 배신을 쉽게 생각하는 사람들은 자신의 마음이 변하지 않는다고 노래하는 (가)의 화자를 보고 자신을 성찰할 수 있으므로 적절한 감상이다.
　　③ (가)에 반영된 과거의 삶이 오늘날과 다름을 인식하면서 보편적으로 받아들일 수 있는 가치를 이끌어 내고 있으므로 적절한 감상이다.
　　④, ⑤ (나)는 생태계의 위기를 노래하고 있으므로 적절한 감상이다.

04 이인국은 불안과 초조 때문에 잠도 제대로 자지 못하고, 닥쳐올 사태를 떨면서 대기하는 상태이다. 따라서 이인국의 심리가 앞으로 사회 상황이 어떻게 변화할지 알 수 없어 불안한 상태라는 것을 짐작할 수 있다.

05 '국어 상용의 가' 종이는 이인국이 일제 강점기에 적극적으로 친일하였음을 보여 주는 확실한 증거이다. 이인국은 친일한 사실을 숨기기 위해 종이를 찢은 것이다.

06 (다)의 "고기가 물을 떠나서 살 수 없는 바에야 그 물속에서 살 방도를 궁리해야지."라는 말을 통해 이인국은 출세하려면 상황에 순응하여 권력을 따르며 살아야 한다고 생각하고 있음을 알 수 있다.

07 이인국은 통역의 말을 듣고 뜻밖의 기적이라고 생각하였으므로, 기회를 이용하면 감방에서 풀려날 수도 있겠다고 생각하는 ③이 가장 적절하다.

08 감방에 전염병이 발생하자 의사 출신인 이인국은 응급 치료실에 근무하게 된다. 그 뒤 이인국은 소련군 장교인 스텐코프의 혹을 제거하는 수술을 하게 되고, 그 수술이 성공적으로 끝나면서 이인국은 스텐코프의 감사와 신뢰를 받게 된다.

09 (가)에 이인국이 허공을 바라보며 힘껏 소리치는 장면은 나타나 있지 않다(ⓒ). 이인국의 뜻대로 일이 풀리고 있으므로 "반도 호텔로……."라는 대사는 근심에 찬 목소리와 어울리지 않는다(ⓔ).

　　오답 풀이

　　㉠ "문득 딸 나미와 … 휘몰아 왔다."라는 구절이 있으므로 적절하다.
　　㉡ '어디 나두 뎅겨오구 나면 보자!'에는 미국에 다녀온 경험을 이용하여 출세하겠다는 이인국의 의지가 나타나 있으므로 적절하다.
　　㉢ "차창을 거쳐 보이는 맑은 가을 하늘"이라는 구절이 있으므로 적절하다.

10 파르한의 "보수는 적어도 많은 것을 배울 거예요."라는 말을 통해 파르한이 원하는 직업은 공학자보다 돈을 많이 벌기 어려운 직업임을 짐작할 수 있다.

💻 **자료실** 〈세 얼간이〉

• 작품 개관

갈래	시나리오
배경	• 시간: 현대　　• 공간: 인도의 어느 대학
제재	세 대학생이 처한 현실과 꿈을 향한 그들의 도전
주제	사회가 요구하는 대로 살지 말고 자신이 원하는 일을 하며 살아야 함.
특징	① 현실에 대응하는 인물들의 다양한 모습을 보여 줌. ② 어려움을 극복해 나가는 인물들의 모습을 유쾌하게 표현함. ③ 창의성과 개성을 무시한 획일적인 교육 제도와 출세 지상주의를 비판함.

누구나 100점 테스트 2회 | 56~59쪽

01 ②	02 택배 기사들이 열악한 노동 환경에 처해 있다.
03 ①	04 ④ 05 ⑤ 06 백 년이 지났지만 07
③ 08 ②	09 ①: 정치, ⓒ: 유추 10 ⑤

01 이 글은 주장하는 글로, '서론-본론-결론'으로 구성되어 있다. (가)는 문제를 제기하는 서론, (나)~(다)는 구체적인 주장과 주장을 뒷받침하는 근거를 제시하는 본론, (라)는 내용을 종합하고 주장을 강조하는 결론이다.

02 (나)와 (다)는 택배 기사들이 처한 열악한 노동 환경의 사례에 해당한다. 따라서 택배 기사들이 열악한 노동 환경에 처해 있다는 사실을 이끌어 낼 수 있다.

03 (라)에는 일반적인 사실로부터 개별적인 사실을 이끌어 내는 연역이 사용되었다.

> 오답 풀이
> ③ 귀납에 대한 설명이다.
> ⑤ 유추에 대한 설명이다.

04 이 연설에 전문성을 가진 유명인과의 면담을 인용한 내용은 나타나 있지 않다.

> 오답 풀이
> ② (다)에 흑인이 겪고 있는 차별의 여러 사례가 나타나 있다.
> ③ (가)에서 역사적 사실인 〈노예 해방 선언〉을 언급하고 있다.
> ⑤ (가)에서 〈노예 해방 선언〉이 흑인들에게 '희망의 등불'이고 '환희의 새벽'이었다고 표현하여 흑인이 평등하게 대우받아야 함을 강조하고 있다.

05 (다)는 흑인이 받는 차별의 사례를 제시하여 흑인에게 동정심을 갖게 하고 문제 상황에 대한 분노를 유발하는 감성적 설득 전략을 사용하였다.

> 오답 풀이
> ①, ② (가)는 역사적 사실인 〈노예 해방 선언〉을 근거로 들어 설득하는 이성적 설득 전략을 사용하였다.
> ③, ④ (나)는 흑인의 현재 상황이 비참하다는 것을 드러내어 슬픔과 분노를 유발하는 감성적 설득 전략을 사용하였다.

06 (나)에서 화자는 '백 년이 지났지만'을 반복하여 〈노예 해방 선언〉이 선포되고 오랜 시간이 흘렀지만 여전히 흑인을 향한 인종 차별이 사라지지 않았음을 강조하고 있다.

07 (가)에서 글쓴이는 객관적인 통계 자료를 근거로 활용하여(소미) 택배 기사들이 배송 시간을 지키려고 과도한 노동을 하고 있다(준서)고 서술하고 있다.

> 오답 풀이
> • 우주: 시간은 한정되어 있고, 배달해야 할 물건이 많다고 서술하고 있으므로 적절하지 않다.
> • 성재: 택배 기사들의 노동 시간은 3,848시간으로 우리나라의 평균 노동 시간 2,024시간보다 1,824시간 많다고 서술하고 있으므로 적절하지 않다.

08 (나)에서 화자는 흑인 인권 운동은 원칙을 지켜 비폭력 운동으로 이루어져야 한다고 당부하고 있다.

09 (가)는 집의 경우와 정치의 경우가 유사함을 바탕으로 하여 잘못을 알았을 때에는 바로 고쳐야 한다는 사실을 이끌어 내고 있다. 따라서 사용된 논증 방법은 유추이다.

10 (나)는 구체적인 수치를 제시하는 이성적 설득 전략, 감정을 자극하는 자막과 음성, 시각 이미지를 제시하는 감성적 설득 전략을 사용하여 해양 쓰레기를 줄여야 함을 주장하고 있다.

> 📺 **자료실** 〈바다를 지켜 주세요〉
> • 제재 개관
>
> | 갈래 | 공익 광고 |
> |---|---|
> | 제재 | 해양 오염 |
> | 주제 | 해양 오염을 일으키는 해양 쓰레기를 줄여야 한다. |
> | 특징 | ① 해양 쓰레기 발생량, 해양 쓰레기 처리 비용을 구체적인 수치로 제시하여 해양 오염의 심각성을 보여줌.
② 자막과 음성, 오염된 바다의 모습을 담은 시각 이미지를 활용하여 주장을 효과적으로 전달함. |

정답과 해설

01 충신은 두 임금을 섬기지 않는다.

02 생태계의 조화가 무너졌다./먹이 사슬이 깨졌다./생명체들 사이의 유기적인 연결이 끊어졌다. 등

03 사람들이 버린 쓰레기 때문에 해변이 파괴되고 있다.

04 일제를 따르며 부와 권력을 누리는 사람들이 있었다.

05 그때 상황에 따라 권력을 가진 세력을 파악하여 따르는 것입니다.

06 재영이는 옆 반에서 인기 있는 친구일 것이다.

07 (1) 진기는 초콜릿을 좋아합니다. 진기는 라면도 좋아합니다. 그러므로 진기는 초콜릿을 넣은 라면도 좋아할 것입니다. (2) 저는 이어달리기 선수로 초희를 추천합니다. 초희는 학교에 늘 일찍 옵니다. 그리고 팔씨름도 잘합니다. (3) 저희 할머니는 설탕을 많이 드시는데 치아가 건강합니다. 그러므로 설탕을 많이 먹는 것은 치아 건강에 도움이 됩니다.

08 나에게는 꿈이 있습니다.

09 흑인은 인간이다.

01 박팽년은 세조에 맞서 단종의 복위 운동을 펼치다가 옥에서 죽었다. 따라서 화자의 삶의 태도는 두 임금을 섬기지 않는 충신의 태도라고 해석할 수 있다.

평가 요소	확인
(가)에 나타난 화자의 삶의 태도를 왕을 섬기는 태도와 관련하여 바르게 파악하였다.	
한 문장으로 서술하였다.	

02 생명체들은 유기적으로 연결되어 있기 때문에 한 생명체에게 문제가 생기면 관련된 다른 생명체들에게도 영향이 있을 수밖에 없다. ㉠은 이러한 생태계의 조화와 먹이 사슬이 무너진 것을 의미한다.

평가 요소	확인
㉠의 의미를 바르게 파악하였다.	
완결된 한 문장으로 서술하였다.	

03 모방시는 해변이 화려하다는 반어적 표현을 통해 사람들이 버린 쓰레기 때문에 해변이 파괴되고 있는 문제 상황을 드러내고 있다.

평가 요소	확인
모방시에서 문제 삼고 있는 상황을 바르게 파악하였다.	
한 문장으로 서술하였다.	

04 (가)에는 일본어만 쓰던 이인국의 가정이 일제로부터 상을 받는 모습이 나타나 있다. 이를 통해 일제 강점기에 일제의 정책에 적극 협조하며 부와 권력을 누리는 사람들이 있었음을 알 수 있다.

평가 요소	확인
(가)의 사회·문화적 배경을 바르게 파악하였다.	
한 문장으로 서술하였다.	

05 이인국은 상황에 따라 일제, 소련, 미국 등 권력을 가진 세력을 파악하고, 적극적으로 그 세력을 따르고 있다.

평가 요소	확인
이인국의 처세술을 바르게 파악하였다.	
인터뷰의 형식에 맞게 대화체로 서술하였다.	

06 연우는 모두에게 친절하고 말을 재미있게 하고 운동을 잘해서 인기 있는데, 재영이는 연우와 비슷하다. 이러한 유사성을 바탕으로 하여 재영이가 옆 반에서 인기 있는 친구일 것이라는 결론을 이끌어 낼 수 있다.

평가 요소	확인
유추를 활용하였다.	
재영이의 인기와 관련한 결론을 바르게 이끌어 내었다.	
한 문장으로 서술하였다.	

07 (1) 초콜릿과 라면을 좋아해도 두 개를 합친 것을 반드시 좋아한다고 볼 수 없다.
(2) 초희를 이어달리기 선수로 추천하는 이유가 근거로

적절하지 않다.

(3) 하나의 사례를 바탕으로 하여 일반화된 결과를 이끌어 내고 있다.

[평가 기준]

평가 요소	확인
(1) 결합의 오류에 해당하는 예를 〈보기 2〉에서 바르게 찾아 썼다.	
(2) 논점 일탈의 오류에 해당하는 예를 〈보기 2〉에서 바르게 찾아 썼다.	
(3) 성급한 일반화의 오류에 해당하는 예를 〈보기 2〉에서 바르게 찾아 썼다.	

08 화자는 "나에게는 꿈이 있습니다."라는 말을 반복하면서 백인과 흑인이 평등하게 살아가는 사회의 모습을 상상하고 있다. 이는 감성적 설득 전략을 사용한 부분이다.

[평가 기준]

평가 요소	확인
화자가 반복하여 사용하고 있는 표현을 바르게 파악하였다.	

09 ㉠은 모든 인간은 평등하게 태어나는데, 흑인은 인간이므로 백인과 마찬가지로 흑인도 평등하게 태어났다는 의미를 담고 있다.

[평가 기준]

평가 요소	확인
연역이 일반적인 사실로부터 개별적인 사실을 이끌어 내는 논증 방법임을 이해하였다.	
빈칸에 들어갈 내용을 바르게 파악하였다.	
한 문장으로 서술하였다.	

01 ④   02 ②   03 메뚜기, 황금 고리   04 ⑤   05 ④
06 위로함, 불안함   07 ①   08 해방(광복), 소련군   09
②   10 ③   11 ②   12 ②   13 ⑤   14 ②   15 ③
16 ④   17 잘못을 알았을 때에는 바로 고쳐야 한다.   18
이성적   19 ⑤   20 ③

01 (나)의 화자는 고향의 즐거웠던 추억을 떠올리고 있지 않다.

[오답 풀이]

① 까마귀가 눈비를 맞아 흰 듯 보여도 결국은 검다고 노래하고 있으므로 까마귀를 부정적으로 생각하고 있음을 알 수 있다.

02 (가)는 사육신 중 한 사람인 박팽년의 시조이다. '까마귀'는 세조의 편에 서서 세조의 왕위 찬탈에 동조한 이들, 즉 간신을 의미하고, '야광명월'은 박팽년과 함께 단종 복위 운동을 펼친 이들, 즉 충신을 의미한다. '임'은 단종을 의미한다.

03 (나)의 화자는 익어 가는 벼로 가득 찬 들판에 메뚜기가 없어 적막하다는 것을 깨닫는다. 그리고 생명의 황금 고리가 끊어졌다고 생각하며 생태계의 조화가 무너졌다는 위기감을 드러내고 있다.

04 '친일파, 민족 반역자를 타도하자.'라는 문구는 해방 직후에 일제 강점기 동안 일제에 협력한 사람들을 벌주어야 한다는 사회적 인식이 높았음을 보여 준다.

05 이인국이 전율을 느끼는 것은 자신이 타도의 대상인 친일파이기 때문이다. 이인국은 자신의 친일 행위 때문에 처벌을 받을까 두려워하고 있다.

06 이인국은 춘석을 보고 처벌을 받을지도 모른다는 불안함을 느끼지만, 자신에게 별일 없을 거라며 스스로를 위로한다.

07 이인국은 지배 권력에 적극 협조하며 자신의 이익을 추

구하는 인물이다. 그렇기 때문에 일제에 잘 보이려는 자신에게 부정적 영향을 줄 수도 있는 사상범 환자의 입원을 꺼리고 있다.

오답 풀이

③ 의사로서의 본질적 역할은 환자의 아픔을 덜어 주는 것, 즉 환자 치료라고 할 수 있다. 그러나 이인국 박사는 사상범이라는 이유로 환자의 입원을 꺼리고 있다.

08 〈보기〉에는 해방 직후 소련군 입성이 보도되었다는 내용이 있고, (나)에는 소련군의 입성을 환영하는 사람들의 모습이 제시되어 있다. 이를 통해 (나)에는 해방 직후 삼팔선 북쪽에 소련군이 들어왔던 사회·문화적 배경이 반영되어 있음을 알 수 있다.

09 '국어 상용의 가' 종이는 이인국이 일제 강점기 때 일제의 정책에 적극적으로 동조했음을 보여 주는 증거이다. 이인국은 친일을 한 사실이 발각되면 좋지 않은 일이 생길까 두려워서 자신이 친일하였음을 숨기려고 종이를 찢었다.

10 이인국은 자신의 친일 행적 때문에 불안해하면서도 자신의 잘못을 뉘우치거나 벌받을 각오를 하는 태도는 보이지 않고 있다.

11 이인국의 아내는 지배 권력에 기대어 부귀영화를 누리려는 이인국과 달리 보통으로, 표 나지 않게 살기를 바라고 있다.

12 (가)에서는 배달 속도는 무조건 빠른 것이 당연하다고 여기는 세태에 문제를 제기하고 있다. 느린 배달 속도의 문제점을 다루고 있지 않다.

오답 풀이

① (가)의 끝부분에서 "그러나 이러한 생각이 과연 옳은 것일까?"라는 질문을 통해 문제를 제기하고 있다.
③, ④ "음식은 물론이고 … 대행업체도 생겨났다.", "전국 어디서나 … 당일 배달도 가능하다." 등 우리나라의 배달 산업의 발달 현황을 구체적 예를 들어 제시하고 있다.
⑤ "우리는 배달은 무조건 빠른 것이 당연하다고 생각한다."에서 배달 속도에 대한 사람들의 일반적인 인식을 보여 주고 있다.

13 (나)에서 글쓴이는 택배 업종에서 교통사고가 많이 발생하는데, 이는 빠른 속도를 강요하는 배달 구조 때문임을 지적하고 있다.

14 (다)에서 글쓴이는 서울노동권익센터의 통계 자료를 활용하여 택배 기사들이 과도한 노동을 하고 있음을 드러내고 있다.

15 (나)~(라)에서 택배 기사들의 노동 환경과 관련된 문제점들을 각각 제시한 뒤, (마)에서 이를 바탕으로 하여 택배 기사들이 열악한 노동 환경에 처해 있음을 이끌어 내고 있다. 즉, 개별적이고 특수한 사실로부터 일반적이고 보편적인 명제를 이끌어 내는 귀납을 사용하였다.

오답 풀이

①, ② 연역에 대한 설명이다.
⑤ 유추에 대한 설명이다.

16 글쓴이는 비가 샌 집을 바로 고치지 않아 재목을 다시 쓸 수 없게 된 것이 사람이 잘못을 고치지 않아 나쁘게 된 것과 유사하다고 하였다.

17 글쓴이는 행랑채를 고친 경험에서 알게 된 점이 사람의 경우와 비슷함을 바탕으로 하여 잘못을 발견했을 때 바로 고치면 바로잡을 수 있다는 결론을 이끌어 내고 있다.

평가 기준

평가 요소	확인
글쓴이가 주장하는 바를 바르게 파악하였다.	
20자 내외의 한 문장으로 서술하였다.	

18 역사적 사실을 근거로 드는 것과 같이 화자가 논리적이고 이성적인 방법으로 자신의 주장을 뒷받침하는 전략을 이성적 설득 전략이라고 한다. 따라서 빈칸에 들어갈 말은 '이성적'이다.

19 (나)에는 흑인의 현재 상황이 비참하다는 것을 드러내어 슬픔과 분노를 유발하는 감성적 설득 전략이 사용되었다. (다)에는 흑인을 향한 인종 차별이 계속되면 나라의 기반이 흔들릴 것이라고 말하여 흑인 인권 운동을 반대하는 사람들의 불안감을 자극하는 감성적 설득 전략이 사용되었다.

오답 풀이

① '백 년이 지났지만'이라는 표현을 반복하여 인종 차

별이 사라지지 않았음을 강조하고 있다.

② "백 년이 지났지만 흑인은 여전히 인종 분리 정책이라는 족쇄와 … 추방당해 살고 있습니다."에서 흑인이 인종 차별 때문에 부당한 대우를 받으며 살고 있음이 드러나 있다.

③, ④ "흑인에게 시민으로서 … 미국의 기반을 뒤흔들 것입니다."에서 흑인 인권 운동이 계속될 것임을 밝히고 있다. 이를 통해 흑인 인권 운동을 반대하는 사람들의 불안감을 자극하고 있다.

20 (라)에서 화자는 흑인 인권 운동을 위엄과 원칙을 지키며 비폭력적으로 진행해야 한다고 강조하고 있다.

중간고사 **기본 테스트** 2회 　　　|72~79쪽

01 ④	02 ③	03 ④	04 생명의 황금 고리	05 ③

06 ⑤ 　 07 ㉠: 스텐코프, ㉡: 감방 　 08 ④ 　 09 ③ 　 10 ⑤ 　 11 기회주의자 　 12 ③ 　 13 ④ 　 14 ② 　 15 택배 기사들 역시 바람직한 환경에서 일할 권리를 보장받아야 한다 　 16 ⑤ 　 17 ② 　 18 인성적 　 19 ⑤ 　 20 (1) ㉠ (2) ㉡, ㉢

01 화자는 익어 가는 벼로 가득 찬 가을 들판을 바라보던 중, 그 들판에 메뚜기가 없다는 것을 깨닫고 놀라고 있다.

오답 풀이

① "임 향한 일편단심이야 변할 줄이 있으랴"는 '임을 향한 마음은 변하지 않는다.'라는 뜻이다. 설의법을 사용하여 이러한 화자의 의지를 강조하고 있다.

② (가)는 결국은 검게 보이는 까마귀와 언제나 밝은 야광명월을 대비함으로써 '임을 향한 변하지 않는 마음'이라는 주제를 강조하고 있다.

③ 풍요로운 가을 들판과 메뚜기 소리가 들리지 않는 적막한 들판의 대비를 통해 '적막한 들판에서 깨달은 생태계의 위기'라는 주제를 강조하고 있다.

⑤ (나)에는 인간의 이기심 때문에 생태계가 파괴된 현실이 반영되어 있다.

02 (가)의 화자는 종장에서 "임 향한 일편단심이야 변할 줄이 있으랴"라고 하며 임을 향한 자신의 마음은 변함이 없을 것임을 강조하고 있다.

오답 풀이

⑤ 사회·문화적 배경을 고려할 때 단종을 향한 충성심을 지니고 있다고 해석할 수 있다.

03 (나)는 쉼표, 줄표, 느낌표, 말줄임표 등을 사용하여 화자의 정서를 효과적으로 드러내고 있다.

04 (나)의 화자는 메뚜기가 사라지면서 생명체들 사이의 유기적인 연결, 생태계의 조화가 파괴된 것을 "생명의 황금 고리가 끊어졌느니……"라고 표현하고 있다. 따라서 '이것'은 생명체들 사이의 유기적인 연결, 생태계의 조화를 의미하는 시구인 '생명의 황금 고리'이다.

05 (가)에서 이인국은 '그럼, 어쩐단 말이야, … 흥, 다 그놈이 그놈이었지.'라며 자신이 일제 강점기에 친일한 것은 어쩔 수 없는 일이었으며, 자신만 친일한 것도 아니라고 합리화하고 있다. 따라서 자신의 잘못을 뉘우치며 괴로워하고 있다는 ③의 설명은 적절하지 않다.

06 이인국은 스텐코프를 비롯한 소련군의 호감을 얻어 처벌을 피하고 자유로운 몸이 되고자 노어를 열심히 공부하였다.

오답 풀이

③ 노어 교본 외에도 소련 공산당의 역사에 관한 독서가 허용되었다.

07 이인국은 친일 행적 때문에 감방에 갇힌다. 그러나 스텐코프의 혹을 제거하는 수술에 성공하면서 처벌을 받지 않고 풀려나 집에서 통근하게 된다.

08 이 글에 이인국이 죄수들을 자신의 병원에서 치료하여 많은 돈을 벌고자 하는 모습은 나타나 있지 않다.

09 미국인 브라운에게 잘 보이려고 선물을 하고, 미국에 다녀온 의사가 기세등등한 모습을 볼 때 6·25 전쟁 이후 남한에서 미국의 영향력이 커졌음을 알 수 있다.

10 브라운이 이미 많은 사람에게 귀한 문화재를 받았기 때문에 자신이 준비한 고려청자가 소중하고 달갑게 느껴지지 않을 수도 있다고 생각하여 얼굴이 화끈해진 것이다.

11 [A]에는 기회주의적인 삶의 태도를 합리화하는 이인국의 모습이 드러나 있다. 작가는 이런 이인국의 모습을 통해 도덕과 관계없이 시대와 상황에 따라 빠르게 변신하는 기회주의자의 삶을 비판하고 있다.

12 이 글은 주장하는 글로, 배달에 관한 정보가 담겨 있기는 하지만 정보 제공을 목적으로 하는 글은 아니다.

> [오답 풀이]
> ① (바)의 마지막 문장에서 택배 기사의 일할 권리를 위해 작은 불편은 감수하는 소비자가 되기를 당부하고 있다.
> ② (가)는 서론, (나)~(마)는 본론, (바)는 결론에 해당한다.
> ④ (다)에 서울 지역 택배 기사의 노동 시간을 조사한 통계 자료를 제시하고 있다.
> ⑤ (가)에서 배달은 무조건 빠른 것이 당연하다는 생각이 과연 옳은 것인지 문제를 제기하고 있다.

13 (라)에서 택배 기사 개인의 수입은 거의 달라지지 않았다고 하였으므로 ④는 적절하지 않다.

14 ㉠은 배달 속도가 빨라서 소비자는 편리함을 느끼지만, 이 때문에 문제도 발생하고 있음을 의미한다.

15 (바)에서는 모든 노동자는 바람직한 환경에서 일할 권리가 있다는 일반적이고 보편적인 사실에서 택배 기사들 역시 바람직한 환경에서 일할 권리를 보장받아야 한다는 개별적인 사실을 이끌어 내고 있다.(연역)

> [평가 기준]
>
> | 평가 요소 | 확인 |
> | --- | --- |
> | 일반적인 사실에서 개별적인 사실을 바르게 이끌어 내었다. | |
> | 빈칸에 들어갈 내용을 (바)에서 찾아 바르게 썼다. | |

16 (나)~(마)에는 개별적인 사실로부터 일반적이고 보편적인 명제를 이끌어 내는 '귀납'이 사용되었다. 귀납이 사용된 것은 ⑤이다.

> [오답 풀이]
> ①, ④ 연역이 사용되었다.
> ②, ③ 유추가 사용되었다.

17 (가)는 흑인 인종 차별 문제, (나)는 해양 쓰레기 문제를 지적하고 있지만 (다)는 사회의 문제점을 지적하고 있지 않다. (다)는 올림픽 유치를 목적으로 한 연설이다.

18 (가)와 (다)의 화자는 모두 주제와 관련하여 충분한 경험과 전문성을 지니고 있으므로 인성적 설득 전략이 사용되었다.

19 (가)의 화자는 이성이 아닌 감정에 호소하여 청중을 설득하고 있다.

20 ㉠은 통계 수치를 제시하여 해양 오염의 심각성을 보여 주는 것으로 이성적 설득 전략에 해당한다. ㉡과 ㉢은 공감을 불러일으키는 문구, 공포심을 자극하는 시각 이미지를 제시하여 감정을 자극하고 있으므로 감성적 설득 전략에 해당한다.

중간고사 대비

필수 어휘
모아 보기

단원별 개념어와 핵심 어휘로
어휘력을 길러 보세요!

(1)까마귀 눈비 맞아
/들판이 적막하다

야광명월

명사 밤에 밝게 빛나는 달. 또는 ❶ [ㅂ]에도 빛나는 구슬인 야광주와 명월주.

예 야광명월은 밤에도 밝게 빛난다.

---

❷ [ㅇㅍㄷㅅ]

명사 한 조각의 붉은 마음이라는 뜻으로, 진심에서 우러나오는 변치 아니하는 마음을 이르는 말.

예 너를 향한 나의 마음은 일편단심이야.

---

(2)꺼삐딴 리

꺼삐딴

명사 '까삐딴'이 와전된 표기. '까삐딴'은 영어의 'captain'에 해당하는 러시아어로 해방 후 북한에서 '우두머리', '❸ [ㅊㄱ]'의 뜻으로 많이 쓰였다.

예 스텐코프는 이인국을 '꺼삐딴 리'라고 불렀다.

---

❹ [ㅌㄷ]하다

동사 어떤 대상이나 세력을 쳐서 거꾸러뜨리다.

예 독재 정권을 타도하다.

---

❺ [ㅈㅇ]

명사 몹시 무섭거나 두려워 몸이 벌벌 떨림.

예 그 이야기는 나를 공포와 전율에 휩싸이게 했다.

일도양단하다

동사 어떤 일을 머뭇거리지 아니하고 선뜻 ❻ [ㄱㅈ]하다.

예 예정에 없던 일이 일어나도 회장은 당황하지 않고 일도양단하였다.

---

❼ [ㄷㅇ]

명사 어떤 사항에 대한 생각을 딱 잘라 결정함. 또는 그렇게 결정된 생각.

예 회의가 길어지자 미주는 단안을 내렸다.

답 ❶밤 ❷일편단심 ❸최고
❹타도 ❺전율 ❻결정 ❼단안

포도

명사 길바닥에 돌과 모래 따위를 깔고 그 위에 시멘트나 아스팔트 따위로 덮어 단단하게 다져 사람이나 자동차가 다닐 수 있도록 꾸민 비교적 넓은 길. ❶ ㅍㅈㄷㄹ .

예 넓어진 포도 위로 자동차들이 거침없이 달렸다.

---

❷ ㅅㅇ

명사 일상적으로 씀.

예 우리나라는 불과 이십 년 만에 컴퓨터와 인터넷 상용이 이루어졌다.

---

❸ ㅇㅇ

명사 강이나 하천 따위의 양쪽 기슭.

예 강의 양안으로는 느티나무가 늘어서 있다.

이방

명사 인정, ❹ ㅍㅅ 따위가 전혀 다른 남의 나라. 이국(異國).

예 나는 여행을 하면서 낯선 이방의 문화를 많이 체험했다.

---

❺ ㄸㄴㄱ

명사 ① 일정하게 사는 곳 없이 이리저리 떠돌아다니는 사람. ② 어쩌다가 간혹 하는 일.

예 나는 그냥 뜨내기로 틈틈이 외국어 공부를 하는 중이야.

관철하다

동사 어려움을 뚫고 나아가 ❻ ㅁㅈ 을 기어이 이루다.

예 연우는 주장을 관철하고 마는 성격이다.

사변

명사 한 나라가 상대국에 선전 포고도 없이 ❼ ㅊㅇ 하는 일.

예 갑자기 발생한 사변으로 많은 사람이 미처 대피하지 못하였다.

답 ❶ 포장도로 ❷ 상용 ❸ 양안
❹ 풍속 ❺ 뜨내기 ❻ 목적
❼ 침입

노기

명사 성난 ❶ [ㅇㄱㅂ]. 또는 그런 기색이나 기세.

예 우주는 입술을 앙다문 채 얼굴에 노기를 띠고 있었다.

❷ [ㄷㅍ]

명사 한 달이 조금 넘는 기간.

예 새집으로 이사한 지 달포가 지났다.

❸ [ㅁㅈ]

명사 남몰래 사정을 살핌. 또는 그런 사람.

예 장군은 적진에 밀정을 보내어 상황을 살폈다.

함구령

명사 어떤 일의 내용을 말하지 말라는 ❹ [ㅁㄹ].

예 왕은 그동안 벌어진 일에 대해 함구령을 내렸다.

고질

명사 ① 오랫동안 앓고 있어 고치기 어려운 ❺ [ㅂ]. ② 오래되어 바로잡기 어려운 나쁜 버릇.

예 환절기만 되면 도지는 목감기는 나의 고질이다.

❻ [ㅇㄹ]

명사 한 오리의 실이라는 뜻으로, 몹시 미약하거나 불확실하게 유지되는 상태를 이르는 말.

예 그녀는 끝까지 일루의 희망을 잃지 않았다.

문책

명사 잘못을 캐묻고 꾸짖음.

예 사고의 책임자는 관리 ❼ [ㅅㅎ]을 이유로 문책을 받았다.

답 ❶ 얼굴빛 ❷ 달포 ❸ 밀정
❹ 명령 ❺ 병 ❻ 일루 ❼ 소홀

표명하다

동사 의사나 ❶ □ㅌㄷ□ 를 분명하게 드러내다.

예 선아는 이번 사태에 대해 우려를 표명하였다.

❷ □ㅈㄷ□

명사 혼자 마음대로 결정하고 단행함.

예 전단은 문제를 가져올 수도 있으므로, 다른 사람들의 의견도 들어 보자.

헤살

명사 일을 짓궂게 ❸ □ㅎㅂ□ 함. 또는 그런 짓.

예 민규는 헤살을 부리다가 결국 혼났다.

경위

명사 일이 진행되어 온 ❹ □ㄱㅈ□.

예 경찰은 사건이 발생한 경위를 조사하였다.

공연하다

형용사 아무 까닭이나 ❺ □ㅅㅅ□ 이 없다.

예 준서는 공연한 걱정을 했다는 생각에 머쓱해졌다.

❻ □ㄱㄱㅁㅈ□ 하다

형용사 일이 뜻대로 잘될 때, 우쭐하여 뽐내는 기세가 대단하다.

예 그 팀을 상대로 처음 이겼으면서 태도가 너무 기고만장하다.

임상

명사 환자를 진료하거나 의학을 연구하기 위해 ❼ □ㅎㅈ□ 를 보는 일.

예 병원에서는 약물의 효과를 검증하기 위한 임상 환자를 모집하고 있다.

답 ❶ 태도 ❷ 전단 ❸ 훼방 ❹ 과정
❺ 실속 ❻ 기고만장 ❼ 환자

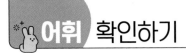

01 다음 단어와 뜻을 바르게 연결하시오.

(1) 야광명월 •

(2) 일편단심 •

• ㉠ 한 조각의 붉은 마음이라는 뜻으로, 진심에서 우러나오는 변치 아니하는 마음을 이르는 말.

• ㉡ 밤에 밝게 빛나는 달. 또는 밤에도 빛나는 구슬인 야광주와 명월주.

02 다음 설명에 해당하는 단어를 쓰시오.

> 영어 'captain'에 해당하는 러시아어로 해방 후 북한에서 '우두머리', '최고'라는 뜻으로 쓰인 '까삐딴'이 와전된 표기이다. 소설에서 스텐코프가 이인국을 '○○○ 리'라고 부른다.

03 괄호 안에서 문맥상 알맞은 단어를 고르시오.

(1) 할머니는 일제의 일본어 (상용/상비) 강요로 억지로 일본어를 배우셨다.

(2) 목줄이 풀린 대형견을 보고 (감격/전율)이 흘렀다.

04 빈칸에 들어갈 알맞은 단어를 〈보기〉에서 찾아 쓰시오.

┌ 보기 ┐
양안   이방   포도

(1) 우리나라도 (   ) 사람이 많이 사는 다문화 사회가 되었다.

(2) 이 길은 공사를 마치고 (   )가 되면서 통행이 훨씬 편리해졌다.

05 〈보기〉의 빈칸에 공통으로 들어갈 단어로 가장 적절한 것은?

┌ 보기 ┐
• 사람들은 그가 (   )라는 이유로 살갑게 대하지 않았다.
• 그 사람은 (   )로 장사해서 아직 제대로 자리를 잡지 못했다.

① 단골   ② 밀정   ③ 드잡이   ④ 뜨내기   ⑤ 새내기

06 다음 단어와 뜻을 바르게 연결하시오.

(1) 노기 •

(2) 달포 •

(3) 사변 •

• ㉠ 한 나라가 상대국에 선전 포고도 없이 침입하는 일.

• ㉡ 성난 얼굴빛. 또는 그런 기색이나 기세.

• ㉢ 한 달이 조금 넘는 시간.

07 다음 문장의 괄호 안에서 문맥상 알맞은 단어를 고르시오.

우리는 (공연한/필요한) 걱정은 하지 말아야 하며, 또한 우리의 계획을 끊임없이 (관철해야/질책해야) 한다.

08 〈보기〉의 빈칸에 공통으로 들어갈 단어로 가장 적절한 것은?

┌ 보기 ┐
• 동생은 조금만 무리해도 쓰러지는 (   ) 때문에 운동을 제대로 못 한다.
• 밤늦게 자고 아침에 늦게 일어나는 것이 (   )이 되었다.

① 고질　　　② 관습　　　③ 습관　　　④ 병환　　　⑤ 질병

09 다음 대화의 괄호에서 알맞은 단어를 고르시오.

민수: 오늘 축구 시합에 이긴 것은 정말 기분이 좋았어.
현영: 맞아. (의기소침한/기고만장한) 그 팀을 드디어 꺾은 거잖아.

10 다음 설명에 해당하는 단어를 쓰시오.

한 오리의 실이라는 뜻으로, 몹시 미약하거나 불확실하게 유지되는 상태를 이르는 말.

(1)논증 방법 파악하며 읽기

논증

명사 옳고 그름을 이유를 들어 밝힘. 또는 그 ❶ [ㄱㄱ]나 이유.

예 내 생각에 경수는 처음부터 잘못된 논증을 내세웠어.

❷ [ㅌㄷ]하다

형용사 일의 이치로 보아 옳다.

예 우리 반 회장의 주장은 매우 타당하고 합리적이었다.

❸ [ㅇㅁ]

명사 ① 물체의 뒤쪽 면. ② 겉으로 나타나거나 눈에 보이지 않는 부분.

예 그 사건의 이면에는 우리가 몰랐던 사실이 있었다.

재해

명사 재앙으로 말미암아 받는 ❹ [ㅍㅎ]. 지진, 태풍, 홍수, 가뭄, 해일, 화재, 전염병 따위에 의하여 받게 되는 피해를 이른다.

예 오늘날에는 환경 파괴와 관련된 재해가 늘어나고 있다.

한정되다

동사 수량이나 범위 따위가 ❺ [ㅈㅎ]되어 정해지다.

예 우리가 걱정하는 것은 돈 문제에만 한정되는 게 아니다.

권익

명사 권리와 그에 따르는 ❻ [ㅇㅇ].

예 국회에서는 노동자의 권익을 보호하는 법을 통과시켰다.

❼ [ㅎㅁ]

명사 직무를 보지 아니하고 하루 또는 한동안 쉼.

예 매장은 매주 토요일 휴무입니다.

답 ❶ 근거 ❷ 타당 ❸ 이면 ❹ 피해 ❺ 제한 ❻ 이익 ❼ 휴무

위협

명사 힘으로 으르고 협박함.

예 도시의 자연환경은 극심한 ❶ [ㄱㅎ] 로 생존의 위협을 받고 있다.

❷ [ㅈㅅ] 하다

동사 ① 어떤 일에 마음과 힘을 다하다. ② 어떤 일을 일삼아서 하다. ③ 어떤 사람을 좇아 섬기다.

예 사촌 누나는 금융업에 종사하고 있다.

과열

명사 ① 지나치게 뜨거워짐. 또는 그런 열. ② 지나치게 ❸ [ㅎㄱ] 를 띰. ③ 경기가 지나치게 상승함.

예 가게들은 서로 손님을 모으려고 과열 경쟁을 하고 있다.

❹ [ㅈㄹ] 하다

형용사 물건 따위의 값이 싸다.

예 농장에 가서 직접 사면 저렴한 가격에 품질 좋은 물건을 얻을 수 있다.

열악하다

형용사 품질이나 ❺ [ㄴㄹ], 시설 따위가 매우 떨어지고 나쁘다.

예 환경이 조금 열악하고 시설이 부족하지만 이곳이 마음에 든다.

떠안다

동사 일이나 ❻ [ㅊㅇ] 등을 모두 맡다.

예 명수는 혼자서 일을 떠안고 끙끙대고 있다.

(2)설득 전략 비판적으로 분석하며 듣기

답 ❶공해 ❷종사 ❸활기 ❹저렴 ❺능력 ❻책임 ❼환희

❼ [ㅎㅎ]

명사 매우 기뻐함. 또는 큰 기쁨.

예 상장을 받은 소미는 환희에 차서 환하게 웃었다.

후미지다

형용사 ① 물가나 <u>ㅅㄱ</u>❶ 이 휘어서 굽어 들어간 곳이 매우 깊다. ② 아주 구석지고 으슥하다.

예 그곳은 지나다니는 사람조차 없을 정도로 후미졌다.

---

❷ <u>ㅂㅌ</u>

명사 몹시 슬퍼하면서 탄식함. 또는 그 탄식.

예 농부는 폭우에 쓰러진 벼를 보며 비탄에 잠겼다.

---

❸ <u>ㅇㅇ</u>

명사 존경할 만한 위세가 있어 엄숙한 태도나 분위기.

예 담임 선생님은 모든 학생이 존경할 만큼 위엄이 있다.

자명하다

형용사 설명하거나 증명하지 아니하여도 저절로 알 만큼 ❹ <u>ㅁㅂ</u> 하다.

예 평소에 연습을 하지 않았으므로 경기에서 진 것은 자명한 일이었다.

신조

명사 굳게 믿어 지키고 있는 ❺ <u>ㅅㄱ</u> .

예 약속 시간에는 절대 늦지 말자는 것이 민지의 신조이다.

---

❻ <u>ㅂㄷ</u> 하다

형용사 이치에 맞지 아니하다.

예 부당한 대우를 받고 싶은 사람은 이 세상에 아무도 없다.

족쇄

명사 ① 죄인의 발목에 채우던 ❼ <u>ㅅㅅㅅ</u> . ② 자유를 구속하는 대상을 비유적으로 이르는 말.

예 주변의 지나친 기대가 현우에게는 족쇄로 작용하였다.

답 ❶ 산길 ❷ 비탄 ❸ 위엄 ❹ 명백
❺ 생각 ❻ 부당 ❼ 쇠사슬

❶ | ㄱㄹ | **되다**

(동사) 다른 사람과 어울리어 사귀지 아니하거나 도움을 받지 못하여 외톨이로 되다.

(예) 이 소설은 인간이 사회로부터 고립되어 가는 모습을 잘 표현하고 있다.

달갑다

(형용사) 거리낌이나 **❷** | ㅂㅁ | 이 없어 마음이 흡족하다.

(예) 윤후는 늦게 잠들었기 때문에 날이 밝는 것이 달갑지 않았다.

그릇되다

(동사) ① 어떤 일이 **❸** | ㅅㄹ | 에 맞지 아니하다. ② 어떤 일이나 형편이 잘못되다. ③ 어떤 상태나 조건이 좋지 아니하다.

(예) 삼촌은 문기가 그릇된 길에 빠지지 않게 엄하게 타일렀다.

---

❹ | ㅁㅎ |

(명사) 야만스러운 행위.

(예) 그들은 온갖 만행을 저지르고도 사과 한마디 없었다.

역경

(명사) 일이 순조롭지 않아 매우 어렵게 된 처지나 **❺** | ㅎㄱ | .

(예) 그 선수는 역경을 딛고 일어나 결국 국가 대표가 되었다.

---

❻ | ㅂㅎ |

(명사) 못살게 굴어서 해롭게 함.

(예) 식민지 백성들은 군인들에게 온갖 박해와 고초를 당하였다.

울분

(명사) 답답하고 분함. 또는 그런 마음.

답 ❶ 고립 ❷ 불만 ❸ 사리 ❹ 만행
❺ 환경 ❻ 박해 ❼ 설움

(예) 그는 독립운동을 하던 동지들에게 나라를 빼앗긴 **❼** | ㅅㅇ | 과 울분을 토했다.

01 다음 단어와 뜻을 바르게 연결하시오.

(1) 부당하다 •

(2) 타당하다 •

(3) 자명하다 •

• ㉠ 일의 이치로 보아 옳다.

• ㉡ 이치에 맞지 아니하다.

• ㉢ 설명하거나 증명하지 아니하여도 저절로 알 만큼 명백하다.

02 다음 설명에 해당하는 단어를 쓰시오.

> 옳고 그름을 이유를 들어 밝힘. 또는 그 근거나 이유.

03 괄호 안에서 문맥상 알맞은 단어를 고르시오.

(1) 홍수는 여름에 발생하는 대표적인 (상해/재해)이다.

(2) 그 사건의 (이면/표면)에는 인종 차별적인 인식이 숨어 있다.

04 〈보기〉의 빈칸에 공통으로 들어갈 단어로 가장 적절한 것은?

> 보기
> • 우리 단체는 장애인의 (   )을 위해 노력하고 있다.
> • 이곳에서는 소비자의 (   )을 보호하기 위해 기업 감시 활동을 한다.

① 권익   ② 역경   ③ 위협   ④ 의무   ⑤ 휴무

05 빈칸에 들어갈 알맞은 단어를 〈보기〉에서 찾아 쓰시오.

> 보기
> 떠안은   열악한   저렴한

(1) 이번 승리는 (   ) 환경에서도 끊임없이 노력하여 얻은 값진 결과이다.

(2) 진수는 여럿이 해야 할 일을 혼자 (   ) 바람에 고생하고 있다.

06 다음 단어와 뜻을 바르게 연결하시오.

(1) 환희 •

(2) 비탄 •

(3) 역경 •

• ㉠ 일이 순조롭지 않아 매우 어렵게 된 처지나 환경.

• ㉡ 몹시 슬퍼하면서 탄식함. 또는 그 탄식.

• ㉢ 매우 기뻐함. 또는 큰 기쁨.

07 다음 문장의 괄호 안에서 문맥상 알맞은 말을 고르시오.

독립운동가들은 일제의 모진 (박해/권유) 속에서도 (위선/위엄)을 잃지 않았다.

08 〈보기〉의 빈칸에 공통으로 들어갈 단어로 가장 적절한 것은?

보기
• 감옥에 들어서자 그의 발목에는 (   )가 채워졌다.
• 어린 시절의 나쁜 습관이 인생의 (   )가 될 수도 있으니 조심해야 한다.

① 골무   ② 수갑   ③ 열쇠   ④ 발찌   ⑤ 족쇄

09 다음 대화의 빈칸에 들어갈 알맞은 단어를 〈보기〉에서 찾아 쓰시오.

진경: 오랜만에 우리가 살던 동네에 갔었어. 기분이 남다르더라.
성민: 우리가 놀던 골목도 그대로 있어? (   ) 곳이지만 축구하기 좋았는데.

보기
고립된   후미진   그릇된

10 다음 설명에 해당하는 단어를 쓰시오.

굳게 믿어 지키고 있는 생각.

정답과 해설

1. 문학과 삶

01 (1) ㉡ (2) ㉠　02 꺼삐딴　03 (1) 상용 (2) 전율　04
(1) 이방 (2) 포도　05 ④　06 (1) ㉡ (2) ㉢ (3) ㉠　07 공
연한, 관철해야　08 ①　09 기고만장한　10 일루

02 '꺼삐딴'은 '까삐딴'이 와전된 표기이다. 영어 'captain'
에 해당하는 러시아어로 해방 후 북한에서 '우두머리',
'최고'라는 뜻으로 쓰였다.

03 '상용'은 '일상적으로 씀.'을 뜻하고, '전율'은 '몹시 무섭
거나 두려워 몸이 벌벌 떨림.'을 뜻한다.

오답 풀이

• 상비: 필요할 때에 쓸 수 있게 늘 갖추어 둠.
• 감격: ① 마음에 깊이 느끼어 크게 감동함. 또는 그
감동. ② 고마움을 깊이 느낌.

04 '이방'은 '인정, 풍속 따위가 전혀 다른 남의 나라. 이국.'
을 뜻한다. '포도'는 '길바닥에 돌과 모래 따위를 깔고
그 위에 시멘트나 아스팔트 따위로 덮어 단단하게 다져
사람이나 자동차가 다닐 수 있도록 꾸민 비교적 넓은
길.'을 뜻한다.

05 빈칸에는 '일정하게 사는 곳 없이 이리저리 떠돌아다니
는 사람.', '어쩌다가 간혹 하는 일.'을 뜻하는 '뜨내기'가
공통으로 들어가는 것이 적절하다. 〈보기〉의 앞 문장에
서는 첫 번째 뜻으로 쓰였고, 뒤 문장에서는 두 번째 뜻
으로 쓰였다.

오답 풀이

• 드잡이: ① 서로 머리나 멱살을 움켜잡고 싸우는 짓.
② 빚을 못 갚은 사람의 가마나 솥 따위를 떼어 가거
나 세간을 가져가는 일.
• 새내기: 대학이나 직장 등에 새로 갓 들어온 사람.

07 '공연하다'는 '아무 까닭이나 실속이 없다.'라는 뜻이고,
'관철하다'는 '어려움을 뚫고 나아가 목적을 기어이 이
루다.'라는 뜻이다.

오답 풀이

• 질책하다: 꾸짖어 바로잡다.

08 '고질'은 '오랫동안 앓고 있어 고치기 어려운 병.', '오래
되어 바로잡기 어려운 나쁜 버릇.'을 뜻한다. 〈보기〉의
앞 문장에서는 첫 번째 뜻으로 쓰였고, 뒤 문장에서는
두 번째 뜻으로 쓰였다.

09 '기고만장하다'는 '일이 뜻대로 잘될 때, 우쭐하여 뽐내
는 기세가 대단하다.'라는 뜻이다.

오답 풀이

• 의기소침하다: 기운이 없어지고 풀이 죽은 상태이다.

10 '한 오리의 실이라는 뜻으로, 몹시 미약하거나 불확실
하게 유지되는 상태를 이르는 말.'을 뜻하는 단어는 '일
루'이다. '일'은 '하나'를 뜻하고, '루'는 '실'을 뜻한다.

2. 논증과 설득 전략

01 (1) ㉡ (2) ㉠ (3) ㉢　02 논증　03 (1) 재해 (2) 이면　04 ① 　05 (1) 열악한 (2) 떠안은　06 (1) ㉢ (2) ㉡ (3) ㉠　07 박해, 위엄　08 ⑤　09 후미진　10 신조

02 '옳고 그름을 이유를 들어 밝힘. 또는 그 근거나 이유.' 를 뜻하는 단어는 '논증'이다.

03 '재해'는 '재앙으로 말미암아 받은 피해.'를 뜻하고, '이 면'은 '물체의 뒤쪽 면.' 또는 '겉으로 나타나거나 눈에 보이지 않는 부분.'을 뜻한다.

　오답 풀이
- 상해: 남의 몸에 상처를 내어 해를 끼침.
- 표면: ① 사물의 가장 바깥쪽. 또는 가장 윗부분. ② 겉으로 나타나거나 눈에 띄는 부분.

04 빈칸에는 '권리와 그에 따르는 이익.'을 뜻하는 '권익'이 공통으로 들어가는 것이 적절하다.

05 '열악하다'는 '품질이나 능력, 시설 따위가 매우 떨어지 고 나쁘다.'라는 뜻이고, '떠안다'는 '일이나 책임 등을 모두 맡다.'라는 뜻이다.

07 '박해'는 '못살게 굴어서 해롭게 함.'을 뜻하고, '위엄'은 '존경할 만한 위세가 있어 엄숙한 태도나 분위기.'를 뜻 한다.

　오답 풀이
- 권유: 어떤 일 따위를 하도록 권함.
- 위선: 겉으로만 착한 체함. 또는 그런 짓이나 일.

08 '족쇄'는 '죄인의 발목에 채우던 쇠사슬.', '자유를 구속 하는 대상을 비유적으로 이르는 말.'을 뜻하므로 빈칸 에 공통으로 들어갈 단어로 적절하다.

　오답 풀이
- 골무: 바느질할 때 바늘귀를 밀기 위하여 손가락에 끼는 도구. 두겁(가늘고 긴 물건의 끝에 씌우는 물 건.)처럼 만든 것은 손가락 끝에 씌워 끼우며 반지처 럼 만든 것은 손가락에 끼운다. 헝겊, 가죽, 쇠붙이 따위로 만든다.

09 빈칸에는 '아주 구석지고 으슥하다.'라는 뜻을 가진 '후 미지다'가 들어가는 것이 적절하다.

10 '굳게 믿어 지키고 있는 생각.'을 뜻하는 단어는 '신조' 이다.

memo

기말고사 대비

정답과 해설

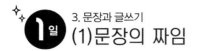

정답과 해설

✦ 1일 3. 문장과 글쓰기
(1) 문장의 짜임

기초 확인 문제 | 7~9쪽

01 문장 성분　**02** (1) ㉠ (2) ㉠ (3) ㉢　**03** (1) ㉢ (2) ㉠ (3)
㉠　**04** (1) 주어 (2) 서술어 (3) 목적어 (4) 보어　**05** 선호
06 (1) 주성분 (2) 독립적　**07** (1) ㉠ (2) ㉢　**08** (1) 새 (2) 부
지런히　**09** 우주　**10** 응　**11** (1) 응답 (2) 감탄 (3) 부름

01 문장 안에서 일정한 문법적 기능을 하는 부분을 문장
성분이라고 한다.

03 (1) '토요일이다'는 대상을 지정하는 말이므로 '내일이
토요일이다.'는 '누가/무엇이+무엇이다'의 구조를 지닌
문장이다.
(2) '깨끗하다'는 대상의 상태나 성질을 나타내는 말이
므로 '시냇물이 깨끗하다.'는 '누가/무엇이+어떠하다'
의 구조를 지닌 문장이다.
(3) '달린다(달리다)'는 대상의 움직임을 나타내는 말이
므로 '강아지가 달린다.'는 '누가/무엇이+어찌하다'의
구조를 지닌 문장이다.

05 '동생은 유치원생이 아니다.'는 '주어(동생은)+보어(유
치원생이)+서술어(아니다)'로 이루어진 문장이다. 따라
서 '유치원생이'는 목적어가 아니라 보어이다.

08 (1) '새'는 체언 '모자'를 꾸며 주는 관형어이다.
(2) '부지런히'는 용언 '나른다(나르다)'를 꾸며 주는 부
사어이다.

09 '범수가 모든 유리창을 깨끗이 닦았다.'는 '주어(범수
가)+관형어(모든)+목적어(유리창을)+부사어(깨끗
이)+서술어(닦았다)'로 이루어진 문장이다. '모든'은 관
형어이고, '깨끗이'는 부사어이다.

10 독립 성분은 문장의 다른 성분과 직접적인 관계를 맺지
않고 독립적으로 쓰이는 성분이다. '응'은 다른 성분과
직접적인 관계를 맺지 않고 독립적으로 쓰이면서 응답
을 나타내고 있다.

교과서 기출 베스트 | 10~11쪽

01 ①　**02** ③　**03** ㉠: 주어, ㉡: 목적어, ㉢: 서술어　**04**
④　**05** ④　**06** ㉠: 관형어, ㉡: 부사어　**07** ②　**08**
④　**09** 체언, 용언　**10** ③　**11** ②

01 '바람이 시원하다.'는 '누가/무엇이+어떠하다'의 구조
를 지닌 문장이다.

02 〈보기〉는 '누가/무엇이+어찌하다'의 구조를 지닌 문장
이다. 이와 구조가 같은 문장은 '견후가 걷는다.'이다.
> **오답 풀이**
> ①, ② 누가/무엇이+어떠하다
> ④, ⑤ 누가/무엇이+무엇이다

03 '우리는 공원에서 작은 토끼를 보았다.'는 '주어+부사어
+관형어+목적어+서술어'로 이루어진 문장이다. 따라
서 ㉠ '우리는'은 주어, ㉡ '토끼를'은 목적어, ㉢ '보았다
(보다)'는 서술어이다.

04 ㉡에서 '회장이'는 보어로, 서술어 '되었다(되다)'가 주
어 외에 요구하는 문장 성분이므로 생략하면 문장이 온
전하지 않다.

> 🖥 **자료실** 문장의 주성분을 생략할 때 생기는 문제점
>
> 문장의 주성분을 생략하면 문장이 온전하지 않고, 의미가 분명
> 하지 않다.
> 📷 선호가 숙제를 끝냈다.
> → 숙제를 끝냈다. (주어 생략, 문장이 온전하지 않음.)
> → 선호가 끝냈다. (목적어 생략, 문장이 온전하지 않음.)
> → 선호가 숙제를. (서술어 생략, 문장이 온전하지 않음.)

05 ④ '그는 범인이 아니다.'의 '범인이'는 보어이고, 다른
문장의 밑줄 친 부분은 주어이다.
> **오답 풀이**
> ① 주어(하늘이)+서술어(맑다)
> ② 주어(연서는)+서술어(학생이다)
> ③ 주어(반죽이)+보어(빵이)+서술어(되었다)
> ⑤ 주어(승우는)+목적어(진하를)+서술어(기다렸다)

06 ㉠ '이'는 문장에서 '영화'를 꾸며 주고 있는데, '영화'는
체언이므로 '이'는 관형어이다. ㉡ '정말'은 문장에서 '재

미있다'를 꾸며 주고 있는데, '재미있다'는 용언이므로 '정말'은 부사어이다.

07 ②의 '매우'는 용언 '성실하다'를 꾸며 주고 있으므로 부사어이다. 다른 문장의 밑줄 친 부분은 체언을 꾸며 주는 관형어이다.

> [오답 풀이]
> ① '커다란'은 체언 '꽃'을 꾸며 준다.
> ③ '새'는 체언 '신발'을 꾸며 준다.
> ④ '귀여운'은 체언 '강아지'를 꾸며 준다.
> ⑤ '모든'은 체언 '음식'을 꾸며 준다.

08 부사어는 부속 성분이므로 생략해도 문장이 이루어진다.
> [오답 풀이]
> ③ '보글보글'은 용언 '끓는다(끓다)'를 꾸며 주고 있다.
> ⑤ 부사어는 꾸며 주는 역할을 하므로, 있을 때 문장의 의미가 더 자세하고 구체적이다.

09 '붉은'은 관형어로, 문장에서 체언 '노을'을 꾸며 주고 있다. '열심히'는 부사어로, 문장에서 용언 '하다'를 꾸며 주고 있다.

10 문장에서 다른 성분과 직접적인 관계를 맺지 않고 독립적으로 쓰이는 말은 독립 성분인 독립어이다. ③은 '독립어+주어+부사어+서술어'로 이루어진 문장으로, 감탄을 나타내는 독립어 '저런'이 쓰였다.
> [오답 풀이]
> ① 주어+부사어+부사어+서술어
> ② 관형어+주어+부사어+서술어
> ④ 주어+관형어+목적어+부사어+서술어
> ⑤ 부사어+주어+관형어+서술어

11 주성분에는 '주어, 목적어, 서술어, 보어'가 있고, 부속 성분에는 '관형어, 부사어'가 있고, 독립 성분에는 '독립어'가 있다. 따라서 ㉠에는 목적어, ㉡에는 관형어, ㉢에는 독립어가 들어간다.

2일 3. 문장과 글쓰기 (1) 문장의 짜임

기초 확인 문제 | 15~17쪽

01 홑문장, 겹문장 02 (1) 겹문장 (2) 홑문장 (3) 겹문장
03 (1) ㉡ (2) ㉠ 04 (1) 대등하게 (2) 종속적으로 05 (1) 대 (2) 종 (3) 대 06 안긴문장, 안은문장 07 (1) 이가 시리도록 (2) 친구가 노래하는 08 (1) 관형절 (2) 부사절 (3) 서술절 (4) 명사절 (5) 인용절 09 진경 10 (1) 관형절 (2) 명사절 11 (1) 간접 인용 (2) 직접 인용

02 (1) '윤기는 동생이 어지른 방을 치웠다.'는 주어와 서술어의 관계가 두 번 나타나므로 겹문장이다. 윤기는-치웠다(치우다), 동생이-어지른(어지르다)
(2) '나는 어제 극장에서 친구를 만났다.'는 주어와 서술어의 관계가 한 번 나타나므로 홑문장이다. 나는-만났다(만나다)
(3) '지아는 비가 그치기를 간절히 바랐다.'는 주어와 서술어의 관계가 두 번 나타나므로 겹문장이다. 지아는-바랐다(바라다), 비가-그치기(그치다)

04 앞 절과 뒤 절의 의미 관계가 대등한 관계에 있는 문장은 대등하게 이어진문장, 앞 절과 뒤 절의 의미 관계가 종속적인 관계에 있는 문장은 종속적으로 이어진문장이다.

05 (1) '사과는 빨갛고 레몬은 노랗다.'는 앞 절과 뒤 절이 나열을 나타내는 연결 어미 '-고'를 사용하여 대등하게 이어져 있다.
(2) '산이 높으면 골짜기가 깊다.'는 앞 절과 뒤 절이 조건을 나타내는 연결 어미 '-으면'을 사용하여 종속적으로 이어져 있다.
(3) '윤지는 웃었지만 민서는 울었다.'는 앞 절과 뒤 절이 대조를 나타내는 연결 어미 '-지만'을 사용하여 대등하게 이어져 있다.

06 문장에 절의 형태로 들어가 하나의 문장 성분처럼 쓰이는 문장은 안긴문장, 안긴문장을 하나의 문장 성분처럼 안고 있는 전체의 문장은 안은문장이다.

07 (1) 안긴문장은 '이가 시리도록'이며, 용언 '차가웠다(차 갑다)'를 꾸며 주는 부사절이다.

(2) 안긴문장은 '친구가 노래하는'이며, 체언 '모습'을 꾸며 주는 관형절이다.

09 '동생은 마음씨가 곱다.'는 서술절을 가진 안은문장으로, '마음씨가 곱다'가 서술절이다.

> 오답 풀이
>
> • 승재는 땀이 나게 뛰었다. → '땀이 나게'가 용언 '뛰었다(뛰다)'를 꾸며 주는 부사절이다.

10 (1) '아기가 우는'은 체언 '소리'를 꾸며 주는 관형절이다. '아빠는 아기가 우는 소리를 들었다.'는 관형절을 가진 안은문장이다.

(2) '연미가 그 일을 해냈음'은 조사 '이'와 결합하여 문장에서 주어의 기능을 하는 명사절이다. '연미가 그 일을 해냈음이 분명하다.'는 명사절을 가진 안은문장이다.

11 (1) 인용한 말 뒤에 조사 '고'가 붙었으므로 간접 인용이다.

(2) 인용한 말 뒤에 조사 '라고'가 붙었으므로 직접 인용이다.

교과서 기출 베스트 | 18~19쪽

01 ⑤ **02** ② **03** 밝은-덥다, 실내는-시원하다 **04** ②
05 ④ **06** 신우가 연극을 보러 극장에 가다./신우가 연극을 보려고 극장에 가다. **07** ④ **08** 자연스럽지 않다, 마음이 넓다 **09** ⑤ **10** ③

01 '바람이 불어서 나무가 흔들린다.'는 주어와 서술어의 관계가 두 번 나타나 있으므로 겹문장이다. 바람이-불어서(불다), 나무가-흔들린다(흔들리다)

> 오답 풀이
>
> ① 우리는-출발했다(출발하다)
> ② 케이크는-맛있다
> ③ 연우는-왔다(오다)
> ④ 관객들이-앉았다(앉다)

02 '은이는 바닥에 편안히 누웠다.'는 주어와 서술어의 관계가 한 번만 나타나는 홑문장이다. 은이는-누웠다(눕다)

> 오답 풀이
>
> ① 비가-오면(오다), 약속이-취소된다(취소되다) → 종속적으로 이어진문장
> ③ 화가는-그렸다(그리다), 밤이-새도록(새다) → 부사절을 가진 안은문장
> ④ 지아는-바랐다(바라다), 눈이-오기(오다) → 명사절을 가진 안은문장
> ⑤ 승규는-자고(자다), 동생은-읽는다(읽다) → 대등하게 이어진문장

03 '밖은 덥지만 실내는 시원하다.'는 주어와 서술어의 관계가 두 번 나타나는 겹문장이다. 밖은-덥지만(덥다), 실내는-시원하다

04 ② '나는 언니가 걸어가는 모습을 보았다.'는 안은문장 (관형절을 가진 안은문장)이고, 나머지는 이어진문장이다.

> 오답 풀이
>
> ① 나열을 나타내는 연결 어미 '-고'를 사용한 대등하게 이어진문장
> ③ 원인을 나타내는 연결 어미 '-니'를 사용한 종속적으로 이어진문장
> ④ 조건을 나타내는 연결 어미 '-거든'을 사용한 종속적으로 이어진문장
> ⑤ 조건을 나타내는 연결 어미 '-면'을 사용한 종속적으로 이어진문장

05 ④ '원재는 춤을 잘 추고 아라는 노래를 잘 부른다.'는 나열을 나타내는 연결 어미 '-고'를 사용한 대등하게 이어진문장이고, 나머지는 종속적으로 이어진문장이다.

> 오답 풀이
>
> ① 원인을 나타내는 연결 어미 '-어서'를 사용한 종속적으로 이어진문장
> ② 조건을 나타내는 연결 어미 '-면'을 사용한 종속적으로 이어진문장
> ③ 조건을 나타내는 연결 어미 '-거든'을 사용한 종속적으로 이어진문장
> ⑤ 의도를 나타내는 연결 어미 '-려고'를 사용한 종속적

으로 이어진문장

06 목적·의도를 나타내는 연결 어미는 '–(으)러, –(으)려고'이므로, 이를 활용하여 종속적으로 이어진문장을 만들 수 있다. ㉠이 행위의 목적이나 의도가 되도록 하려면 ㉠에 연결 어미를 결합하여 '신우가 연극을 보러 극장에 가다.', '신우가 연극을 보려고 극장에 가다.'라는 문장을 만들 수 있다.

07 '네가 기뻐할 일이 생겼다.'에서 '네가 기뻐할'은 체언 '일'을 꾸며 주는 관형절이다.

[오답 풀이]
① '아침이 밝았음'은 조사 '을'과 결합하여 목적어의 기능을 하는 명사절이다.
② '신이 닳도록'은 용언 '돌아다녔다(돌아다니다)'를 꾸며 주는 부사절이다.
③ '새싹이 튼'은 체언 '화분'을 꾸며 주는 관형절이다.
⑤ '코가 길다'는 서술어의 기능을 하는 서술절이다.

08 서술절을 가진 안은문장은 서술절 안에 주어와 서술어의 관계가 나타나며, 서술절이 문장에서 서술어의 기능을 한다.

09 ㉢ '은우가 노래를 부른다고'는 부사절이 아니라 인용한 말에 조사 '고'가 붙어 만들어진 인용절이다.

💻 **자료실** 전성 어미
① 명사형 어미: –(으)ㅁ, –기 등
② 관형사형 어미: –(으)ㄴ, –는 등
③ 부사형 어미: –게, –도록 등

10 '외할머니께서 "귀염둥이가 왔구나!"라고 말씀하셨다.'는 외할머니의 말을 직접 인용을 한 인용절을 가진 안은문장이다.

3일 3. 문장과 글쓰기
(2)쓰기 윤리와 보고서 쓰기

기초 확인 문제 | 23~25쪽

01 쓰기 윤리 **02** (1) ㉡, ㉢, ㉣ (2) ㉢, ㉧ (3) ㉠, ㉣ **03** 자기 표절 **04** (1) ㉠ (2) ㉡ (3) ㉢ **05** 성민 **06** 설문 조사 **07** ㉣, ㉤ **08** 원그래프 **09** 조사 보고서 **10** ②

03 자신이 쓴 글을 새로 쓴 글처럼 다시 발표하는 것, 전에 쓴 글의 일부를 전에 쓴 글이라는 점을 밝히지 않고 새 글에 넣는 것도 표절이다. 이처럼 자신의 글과 관련된 표절을 자기 표절이라고 한다.

05 ❹는 같은 학교 학생들의 스마트폰 사용 실태를 조사하여 쓴 보고서이다.

06 ❹의 조사자는 설문 조사와 자료 조사를 진행하였다.

💻 **자료실** 여러 가지 조사 방법

설문 조사	많은 사람의 의견을 알아보고자 할 때 사용함.
현장 조사	실제로 체험하고 확인하고 싶을 때 사용함.
자료 조사	여러 분야의 내용 가운데 필요한 내용을 수집하고 싶을 때 사용함.
면담 조사	조사 대상의 의견이나 생각을 깊게 조사하고자 할 때 사용함.

07 ㉠~㉢은 스마트폰 사용 실태와 관련된 질문이고, ㉣과 ㉤은 스마트폰 사용 인식과 관련된 질문이다.

08 제시되어 있는 그래프는 원그래프이다. 원그래프는 부분과 전체, 부분과 부분의 비율을 한눈에 확인할 수 있다.

💻 **자료실** 그래프의 특성
① 각각의 데이터를 비교하여 이해할 수 있음.
② 자료의 내용을 한눈에 파악하여 쉽게 이해할 수 있음.
③ 수량의 변화 양상이나 상관관계 등을 파악할 수 있음.

09 ❹는 같은 학교 학생들의 스마트폰 사용 실태와 스마트폰에 관한 인식을 조사하여 쓴 조사 보고서이다.

10 학생들은 활동의 목적과 기간, 역할 분담을 정하고 있는데, 이를 정하는 단계는 '계획 세우기'이다.

📺 **자료실** 보고서 쓰기의 과정

주제 정하기	어떤 종류의 보고서를 쓸지, 주제를 무엇으로 할지를 정함.
계획 세우기	목적, 대상, 기간, 방법, 모둠원의 역할 분담 등을 정함.
관찰·조사·실험하기	주제, 목적과 관련하여 관찰·조사·실험을 함.
자료 정리·분석하기	자료를 목적에 맞게 항목별로 정리한 뒤, 독자가 잘 이해할 수 있도록 정리하고 분석함.
보고서 쓰기	보고서 형식에 맞추어 간단명료하고 충실하게 보고서를 씀.
평가하기	보고서의 요소를 갖추어 객관적으로 썼는지, 쓰기 윤리를 지켰는지 등을 평가함.

교과서 기출 베스트 | 26~29쪽

01 ③	02 ①	03 쓰기 윤리	04 ④	05 ②	06 ④
07 ②	08 막대그래프	09 ①	10 ③	11 출처	

01 글을 쓸 때에는 사실을 왜곡하지 않도록 주의해야 한다.

02 〈보기〉의 진우는 다른 사람이 쓴 글을 쪼개고 붙여서 자신이 쓴 것처럼 속이는 짜깁기를 하였다. 이와 관련 있는 내용은 ㉠이다.

오답 풀이

ⓒ, ⓜ: 자료의 출처 확인과 관련한 내용이다.

ⓒ, ⓔ: 사실에 근거한 기술과 관련한 내용이다.

03 글을 쓰는 과정에서 지켜야 하는 윤리적 규범을 '쓰기 윤리'라고 한다.

04 (가)에서 조사자는 같은 학교 학생들의 스마트폰 사용 실태와 스마트폰 사용에 관한 인식을 파악하는 것이 조사 목적임을 밝히고 있다.

05 (나)에서 조사자는 조사 방법으로 설문 조사, 인터넷을 활용한 자료 조사를 하였음을 밝히고 있다.

06 (다)에서 스마트폰으로 누리 소통망을 하는 학생이 게임을 하는 학생보다 많음을 알 수 있다.

오답 풀이

① (가)에서 95.5%의 학생이 자기 소유의 스마트폰이 있다고 답하였음을 알 수 있다.

② (나)에서 평일에 스마트폰을 하루 한 시간 미만 사용한다고 답한 학생이 4.3%로 가장 적음을 알 수 있다.

③ (다)에서 스마트폰의 용도로 '동영상 시청·음악 감상'이라고 답한 비율이 32.2%로 가장 높음을 알 수 있다.

⑤ (나)에서 '두 시간 이상 세 시간 미만'이라는 대답이 27.6%, '세 시간 이상 네 시간 미만'이 23.8%, '네 시간 이상 다섯 시간 미만'이 11.4%, '다섯 시간 이상'이 10%임을 확인할 수 있다. 이를 모두 더하면 72.8%이므로 70%가 넘는다.

07 (나)는 스마트폰 하루 사용 시간에 관해 설문 조사를 한 결과를 정리한 부분이므로 '하루에 스마트폰을 몇 시간 사용하느냐'가 가장 적절하다.

08 (다)에서는 결과를 막대그래프로 제시하여 스마트폰의 용도로 많이 응답한 순서를 한눈에 파악할 수 있다.

09 (가)에 전문가의 말을 인용하여 제시한 부분은 나타나 있지 않다.

오답 풀이

④ 스마트쉼센터 누리집의 자료를 참고하여 스마트폰 사용 시간을 스스로 조절하기 어려워지면 스마트폰 과의존이 될 위험이 있다고 분석하고 있다.

⑤ 정보통신정책연구원에서 조사하여 발표한 보고서를 참고하여 학교 학생들의 스마트폰 보유율은 우리나라 중학생의 스마트폰 보유율보다 조금 더 높다고 분석하고 있다.

10 (나)는 맺음말이다. 조사자는 조사를 통해 알게 된 점을 요약하고, 독자에게 바라는 점을 제시하고 있다.

11 보고서를 쓸 때 참고하거나 인용한 자료의 출처는 정확하게 밝혀야 한다.

4일 4. 점검과 조정
(1) 읽기 과정을 점검하며 읽기

기초 확인 문제 | 33~35쪽

01 해미   02 ㉠: 예측, ㉡: 질문, ㉢: 의도, ㉣: 평가   03 읽기 목적   04 (1) ㉠ (2) ㉢ (3) ㉡   05 (1) 읽기 중 (2) 효율적   06 (1) 읽기 전 (2) 읽기 중 (3) 읽기 후   07 (1) ㉡ (2) ㉠   08 ①

01 읽기 과정에서 수행하는 활동은 독자의 읽기 상황에 따라 다른 단계에서도 수행할 수 있다.

02 '읽기 전' 단계에서는 제목이나 차례를 보며 내용을 예측하고, 궁금한 점이나 알고 싶은 점 등을 중심으로 하여 질문을 만들 수 있다. '읽기 중' 단계에서는 각 부분의 중심 내용을 파악하고, 글쓴이의 의도를 추론한다. '읽기 후' 단계에서는 자신의 읽기 활동을 평가한다.

03 글을 효율적으로 읽으려면 읽기 전에 읽기 목적을 명확하게 정하고, 읽기 중에 자신이 읽기 목적에 맞게 읽는지, 읽기 목적에 적합한 방법으로 읽는지를 점검하면서 문제가 있을 경우 조정해야 한다.

06 (1) '먼저 제목을 살펴보자.'라고 생각하고 있으므로 읽기 전 단계에 해당한다.
(2) 지금까지 읽은 내용을 정리하고, 이어질 내용을 예측하고 있으므로 읽기 중 단계에 해당한다.
(3) 새롭게 알게 된 내용이 무엇인지 정리하고, 다른 글을 더 찾아 읽고자 하고 있으므로 읽기 후 단계에 해당한다.

07 (1) 단어의 뜻을 모르는 문제에 부딪혔으므로 국어사전에서 단어의 뜻을 찾아 확인하는 것이 적절하다.
(2) 피로를 느껴 글을 계속하여 읽기가 어려운 상황이므로 읽기를 멈추고 잠시 쉬는 것이 적절하다.

08 학생은 피로를 느꼈을 때 읽기를 멈추고 쉬어야겠다고 생각했으므로 자신의 생리적 상태도 점검하고 조정하였다.

교과서 기출 베스트 | 36~39쪽

01 지혜   02 ①   03 ④   04 ③   05 ㉡, ㉣   06 ③
07 ⑤   08 글을 좀 더 효율적으로 읽을 수 있다.   09 ④
10 고정 비용, 변동 비용

01 (가)에서 읽기의 가치로 삶의 지혜를 배울 수 있다는 내용을 제시하고 있다.

02 '읽기 전' 단계에서는 먼저 읽기 목적을 정하는 것이 좋다. 그리고 글의 내용과 관련된 자신의 경험을 떠올리면서 배경지식을 활성화한다.

03 글 전체의 내용을 요약하고 정리하려면 글을 전부 읽어야 하므로, '읽기 후' 단계에서 수행할 수 있는 활동이다.

04 이 글에 〈씨름도〉 속 엿장수가 김홍도를 상징한다고 볼 수 있는 근거는 제시되어 있지 않다.
오답 풀이
① (다)에서 요즘 흔히 하는 씨름이 왼씨름이라는 내용을 확인할 수 있다.
② (가)에서 〈씨름도〉 속 구경꾼들이 젊은이부터 노인까지 나이가 다양하다는 내용을 확인할 수 있다.
④ (나)에서 세시 풍속으로 단오에는 부채를 만들어서 윗사람이 아랫사람에게 선물하였다는 내용을 확인할 수 있다.
⑤ (다)에서 바 씨름은 서울, 경기 일원에서만 했던 씨름이라는 내용을 확인할 수 있다.

05 학생은 글 전체의 내용이 〈씨름도〉 속 구경꾼과 씨름꾼의 모습에 대한 설명이라고 정리하였다. 그리고 그림 속 씨름이 바 씨름이라는 점을 새롭게 알게 되었으며, 더 알고 싶은 내용을 생각하여 김홍도에 관한 글을 찾아 읽어 봐야겠다고 생각하고 있다.

06 다른 독자들의 읽기 목적이 무엇인지 확인하는 것은 자신의 읽기 과정을 점검하고 조정할 때 할 수 있는 질문으로 적절하지 않다.

07 내용이 읽기 목적에 맞지 않을 때에는 읽기 목적에 맞는 글을 찾아 읽는 것이 적절하다.

08 (다)에서 읽기 과정을 점검하고 조정하는 습관을 가진 다면 글을 좀 더 효율적으로 읽을 수 있다고 서술하고 있다.

09 (라)에서 고정 비용과 변동 비용을 합하면 총생산 비용이 되고, 총생산 비용을 생산량으로 나누면 개당 생산비가 된다고 설명하고 있다. 글에서 확인할 수 있는 내용이므로 ④는 더 알아보고 싶은 것에 관한 내용으로 적절하지 않다.

📺 **자료실** 〈많이 만들수록 줄어드는 생산비의 비밀〉

• 제재 개관

갈래	설명문
주제	규모의 경제는 재화의 가격 형성에 영향을 준다.
특징	① 일상생활에서 겪을 수 있는 상황을 예로 들어 독자의 흥미를 유발함. ② 스파게티 식당의 사례를 제시하여 독자의 이해를 도움.

10 가게 임차료와 인건비는 손님의 수와 관계없이 지출하는 고정 비용이고, 재료비와 조리비는 손님의 수에 따라 달라지는 변동 비용이다.

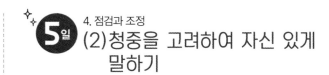
5일 4. 점검과 조정
(2)청중을 고려하여 자신 있게 말하기

기초 확인 문제 | 43~45쪽

01 (1) 친밀도 (2) 반응　**02** ⑤　**03** 말하기 불안　**04** (1) ㉃ (2) ㉁ (3) ㉠　**05** 부정적인, 긍정적인　**06** (1) 반/학급 (2) 말하기 불안　**07** (1) ㉃ (2) ㉃　**08** (1) ㉁ (2) ㉃ (3) ㉠ **09** 반응

02 학생은 조카가 이해할 수 있도록 쉬운 표현을 사용하여 말하였으므로 지식수준을 고려한 것이다.

04 (1) 여러 사람 앞에서 말을 해 본 일이 거의 없는 것은 청중 앞에서 말을 한 경험이 많지 않은 것이다. 경험이 부족하면 말하기 불안을 느낄 수 있다.
(2) 사람들이 자신의 말을 듣고 어떻게 생각하고 평가할지를 걱정하는 것은 청중의 평가를 걱정하는 것이다.
(3) 말할 내용을 준비한 것이 부족한 것은 말하기 준비를 충분히 하지 못한 것이다. 준비가 부족하면 말하기 불안을 느낄 수 있다.

07 (1) 연우는 과학 선생님의 이야기에 반 친구들이 관심을 보였던 것을 떠올려 말하기 주제를 정하였다. 따라서 청중의 관심사를 고려한 것이다.
(2) 연우는 '생체 모방 기술'이라는 용어가 친구들에게 어려울 수 있다고 생각하여 쉽게 풀어 말하기로 하였다. 따라서 청중의 지식수준을 고려한 것이다.

09 말하기 중에는 청중의 반응을 살피고, 그에 따라 말할 양이나 말하기 순서, 방법 등을 조절해야 한다.

교과서 기출 베스트 | 46~47쪽

01 ③　**02** ①　**03** 관심사　**04** ⑤　**05** ④　**06** ㉠: 찍찍이(벨크로 테이프), ㉡: 모기의 침

01 연우가 할 말하기의 청중은 같은 반 친구들이다.

오답 풀이

① 7번째 컷에서 연우가 사회 시간에 발표한 경험이 있음을 알 수 있다.

② 1번째 컷에서 선생님이 '소개하는 말하기'를 하겠다고 말하고 있다.

④ 5번째 컷에서 연우는 친구들의 이해를 돕기 위해 생체 모방 기술로 만든 물건들의 사진을 찾고 있다.

⑤ 10~11번째 컷에서 언니는 말하기 불안을 느끼는 연우에게 조언을 해 주고 있다.

02 7번째 컷에서 연우는 발표 자료를 만들었다고 말하고 있으므로, ①은 말하기 불안을 느끼는 까닭으로 적절하지 않다.

오답 풀이

② 7번째 컷의 "친구들 앞에서 말할 생각을 하니 너무 떨려."에서 확인할 수 있다.

③, ④, ⑤ 9번째 컷의 "실수하면 어쩌지? … 내 말을 집중해서 잘 들어 줄까?"에서 확인할 수 있다.

03 연우는 찍찍이 개발 이야기에 친구들이 관심을 보였던 것을 떠올리고, 생체 모방 기술로 만든 물건들을 소개하기로 결정하였다. 따라서 청중의 관심사와 흥미를 고려한 것이다.

04 연습하는 모습을 영상으로 촬영하고 고쳐야 할 부분을 찾는 것은 말하기 불안에 대처하는 데 도움이 될 수 있는 방법이지만 이 만화에는 나타나 있지 않다.

05 연우는 말하기를 시작할 때 찍찍이가 있는 필통을 보여 주면서 질문을 던져 발표를 듣는 친구들의 흥미를 이끌어 내었다.

06 산우엉 열매의 가시에서 아이디어를 얻어 만든 물건은 찍찍이(벨크로 테이프)고, 맞아도 아프지 않은 주삿바늘은 모기의 침에서 아이디어를 얻어 만든 물건이다.

6일

누구나 **100점 테스트** 1회 　　　　　| 48~51쪽

| 01 ③ | 02 목적어 | 03 ① | 04 ⑤ | 05 ④ | 06 (1) |

진경 (2) 은아　07 ②　08 ⑤　09 ①　10 쓰기 윤리

01 ⓒ '결코'는 부사어이다.

02 '준호가 치웠다.'라는 문장은 서술어 '치웠다(치우다)'의 대상이 되는 문장 성분인 목적어가 없기 때문에 어색하다. '접시를'과 같은 목적어가 들어가면 문장이 온전하고 의미가 분명해진다.

03 겹문장은 주어와 서술어의 관계가 두 번 이상 나타나는 문장이다. ①은 주어와 서술어의 관계가 한 번만 나타나는 홑문장이다. 준하는−주었다(주다)

오답 풀이

② 정아는−보았다(보다), 달이−뜨는(뜨다) → 관형절을 가진 안은문장

③ 바람이−불어서(불다), 나뭇잎이−떨어진다(떨어지다) → 종속적으로 이어진문장

④ 연태는−말했다(말하다), 나는−좋아해(좋아하다) → 인용절을 가진 안은문장

⑤ 현주는−잘하고(잘하다), 경서는−잘한다(잘하다) → 대등하게 이어진문장

04 '−려고'는 의도를 나타내는 연결 어미로, ⑤는 명수가 소설을 읽는 의도가 숙제를 하기 위함임을 나타내는 종속적으로 이어진문장이다.

오답 풀이

① 관형절을 가진 안은문장으로, 두 번째 문장의 내용이 '명수'를 꾸며 주어 무엇을 한 명수가 숙제를 하는지를 표현함.

② 관형절을 가진 안은문장으로, 두 번째 문장의 내용이 '숙제'를 꾸며 주어 명수가 어떤 숙제를 하는지를 표현함.

③ 종속적으로 이어진문장으로, 명수가 소설을 읽는 이유가 숙제를 하였기 때문임을 표현함.

④ 대등하게 이어진문장으로, 명수가 두 행동 가운데 하나를 하고 있음을 표현함.

05 '형이 도착했음'은 조사 '을'과 결합하여 서술어 '알았다(알다)'의 목적어 기능을 하고 있으므로, 명사절이다.

06 (1) 소미는 자신이 가지 않은 곳에 관한 자료를 찾아 직접 다녀온 것처럼 내용을 꾸며 쓰는 잘못을 하였다.
(2) 소미는 사실이 아닌 것을 사실인 것처럼 썼으므로 사실을 왜곡하지 말고 진솔하게 써야 한다고 조언할 수 있다.

07 이 보고서에서 설문 조사에 참여한 학생들의 이름은 밝히지 않았다.

08 보고서의 '맺음말'은 내용을 요약하고 결론을 맺는 부분이다. (라)의 마지막 문장에 글쓴이의 당부가 나타나 있다. 맺음말에는 이외에도 부족했던 점, 앞으로의 계획 등이 들어가기도 한다.

09 다른 사람의 글이나 자료, 아이디어 등을 인용할 때에는 출처를 정확하게 밝혀야 하고, 표절은 범죄 행위이므로 저작권법에 따라 처벌을 받는다.

오답 풀이

• 지민: 일부라도 다른 사람의 글을 인용할 때에는 출처를 반드시 밝혀야 한다.
• 강하: 자신이 이전에 써서 발표한 글을 새로 쓴 글처럼 다시 발표하는 것은 자기 표절로, 쓰기 윤리에 어긋나는 행위이다.

📺 **자료실** 〈쓰기 윤리에 대하여〉

• 제재 개관

갈래	설명문
주제	쓰기 윤리의 중요성을 알고, 쓰기 윤리를 지키면서 글을 써야 한다.
특징	① 쓰기 윤리를 세 가지로 나누어 설명하고 있음. ② 쓰기 윤리를 지키지 않은 학생의 사례를 들어 흥미를 유발함.

10 민수는 다른 사람이 쓴 독후감을 자신이 직접 쓴 것처럼 꾸며 과제를 제출하였는데, 이는 표절에 해당한다. 표절은 쓰기 윤리에 어긋나는 행위이다.

누구나 100점 테스트 2회 | 52~55쪽

01 ①   02 ④   03 ㉠: 읽기 전, ㉡: 읽기 후   04 ③
05 ④   06 감소해   07 ②   08 ③   09 ⑤   10 ㉠: 주삿바늘, ㉡: 긍정적

01 이 글은 읽기 과정을 읽기 전, 읽기 중, 읽기 후의 세 단계로 나누고, 각 단계에서 주로 수행하는 활동을 설명하고 있다.

02 〈보기〉의 학생은 글의 제목을 바탕으로 하여 글의 내용이 무엇일지 예측하고 있다.

03 (나)에서는 '읽기 전' 단계에서 주로 수행하는 활동을, (라)에서는 '읽기 후' 단계에서 주로 수행하는 활동을 설명하고 있다.

04 (가)에서 식당 손님이 증가할수록 스파게티 1인분 생산비는 점점 감소한다고 설명하고 있다.

오답 풀이

① (가)에서 재료비와 조리비는 변동 비용에 해당한다는 것을 알 수 있다.
②, ④ (가)에서 가게 임차료와 인건비는 하루에 손님이 몇 명 오는지에 관계없이 나가는 고정 비용이라고 설명하고 있다.
⑤ (나)에서 1인분 생산비에 이윤을 더해 스파게티 가격을 정하는 예를 설명하고 있다.

05 글이 어려울 때에는 더 쉽게 쓴 글을 찾아 읽거나 자료를 찾아 읽음으로써 문제를 조정할 수 있다. ④는 문제를 조정하지 않았다.

06 ㉠의 앞에서 식당 손님이 증가할수록, 즉 더 많은 양의 음식을 만들수록 1인분 생산비가 줄어든다는 내용을 확인할 수 있다. '규모의 경제'는 생산량이 증가할수록 개당 생산비가 감소하는 현상이다.

07 7번째 컷에서 연우는 지난번 사회 시간에 발표할 때 너무 떨려서 제대로 못했다고 말하고 있으므로, 이전에도 말하기 불안을 느낀 경험이 있음을 알 수 있다.

08 5번째 컷에서 연우는 친구들이 내용을 이해하는 데 도움이 되도록 생체 모방 기술로 만든 물건의 사진을 준

비하고, 6번째 컷에서 '생체 모방 기술'이라는 말을 '생명체에서 아이디어를 얻어 새로운 제품을 만드는 기술'이라고 쉽게 풀었다.

오답 풀이

- 성재: 4번째 컷에서 연우는 청중인 반 친구들의 관심사를 고려하여 말하기 주제를 정하였다.
- 진우: 이와 관련한 내용은 나타나 있지 않다.

09 이 만화에서 말하기 불안에 대처하는 방법으로 청중과 눈을 마주치지 않고 자료를 보며 말한다는 내용은 나타나 있지 않다. 그리고 말할 때 청중과 눈을 마주치지 않는 것은 적절하지 않은 태도이다.

10 연우는 친구들이 주삿바늘의 굵기를 가늠하지 못한다고 생각하여 주삿바늘의 굵기를 머리카락 굵기와 비교하여 설명하였다. 마지막 컷에서 연우는 친구들이 재미있게 들어 줘서 잘 마칠 수 있었다고 말하고 있는데, 이를 통해 청중의 긍정적인 반응이 화자의 말하기 불안 극복에 도움이 됨을 알 수 있다.

창의·융합·코딩 서술형 테스트 | 56~59쪽

01 ㉠에 해당하는 말은 '이'이고, ㉡에 해당하는 말은 '벌써'이다.

02 너도 떡볶이를 좋아하면 맛집에 같이 가자.

03 해외에서 유명한 그 소설은 영화로도 만들어졌다.

04 조사 결과를 왜곡하거나 과장하는 것은 쓰기 윤리에 어긋나는 일이야./조사 결과를 왜곡하거나 과장하면 안 돼. 등

05 ㉡, 스마트폰 사용을 줄여야겠다고 생각한 까닭으로 '학업 문제'가 가장 많았음.

06 읽기 목적을 정하고 있으므로 '읽기 전' 단계에 있다.

07 ⑴ 읽기 목적을 정한다./제목이나 차례를 훑어보며 글의 내용을 예측한다. 등 ⑵ 예측한 내용이 맞는지 확인하고, 만들어 놓은 질문의 답을 찾는다./각 부분의 중심 내용을 파악한다. 등 ⑶ 글 전체의 내용을 요약하여 정리한다./새롭게 알게 된 내용을 정리한다. 등

08 ㉠은 생명체에서 아이디어를 얻어 만든 물건, ㉡은 머리카락 굵기이다.

09 연습을 많이 해 보세요./긍정적인 생각을 해 보세요. 등

10 화자의 말에 고개를 끄덕이며 듣는다.

01 ㉠에는 체언을 꾸며 주는 문장 성분이 들어가야 하므로 관형어 '이'가 들어가고, ㉡에는 용언을 꾸며 주는 문장 성분이 들어가야 하므로 부사어 '벌써'가 들어간다.

평가 기준

평가 요소	확인
㉠에 관형어가 들어가야 함을 파악하였다.	
㉡에 부사어가 들어가야 함을 파악하였다.	
㉠, ㉡에 들어갈 말을 바르게 파악하였다.	
주어진 문장 형식에 맞추어 서술하였다.	

02 주어와 서술어의 관계가 두 번 이상 나타나는 것은 겹문장이고, 앞 절과 뒤 절의 의미 관계가 종속적인 관계에 있는 문장은 종속적으로 이어진문장이다. 이에 해당하는 문장은 '너도 떡볶이를 좋아하면 맛집에 같이 가자.'이다.

평가 요소	확인
'조건 1'이 겹문장에 관한 설명임을 파악하였다.	
'조건 2'가 종속적으로 이어진문장에 관한 설명임을 파악하였다.	
조건에 맞는 문장을 바르게 찾아 썼다.	

03 ㉠을 '그 소설'을 꾸며 주는 관형절로 만들면 어떤 소설이 영화로 만들어졌는지를 드러낼 수 있다. 따라서 학생이 만든 안은문장은 '해외에서 유명한 그 소설은 영화로도 만들어졌다.'이다.

평가 기준

평가 요소	확인
관형절을 가진 안은문장을 만들어야 함을 파악하였다.	
㉠이 관형절이 되도록 안은문장을 만들었다.	

04 빈칸 앞에서 성민이가 조사한 간판의 수를 늘려 결과를 조작하는 것을 제안하였으므로 해미는 그것이 쓰기 윤리에 어긋난다는 말을 할 수 있다.

평가 기준

평가 요소	확인
성민이가 지키지 않은 쓰기 윤리를 바르게 파악하였다.	
대화체의 한 문장으로 서술하였다.	

05 글에서 스마트폰 사용을 줄여야겠다고 생각한 까닭으로 '학업 문제'가 40.5%, '신체적 문제'가 11.9%라는 내용을 확인할 수 있다. 따라서 ㉡의 '신체적 문제'를 '학업 문제'로 고쳐 써야 한다.

평가 기준

평가 요소	확인
㉠, ㉡ 중 내용이 잘못된 것을 바르게 파악하였다.	
내용이 잘못된 부분을 바르게 고쳐 썼다.	

06 〈보기〉의 학생은 읽기 목적을 정하고 있다. 읽기 목적을 정하는 것은 '읽기 전' 단계에서 수행하는 활동이다.

평가 기준

평가 요소	확인
〈보기〉의 학생이 수행하는 활동을 바르게 파악하였다.	
〈보기〉의 학생이 읽기 과정의 어느 단계에 있는지 바르게 파악하였다.	
주어진 문장 형식에 맞추어 서술하였다.	

07 (1) '읽기 전' 단계에서 수행할 수 있는 활동은 '읽기 목적 정하기, 제목이나 차례를 보며 내용 예측하기, 배경지식 활성화하기, 질문 만들기' 등이다.
(2) '읽기 중' 단계에서 수행할 수 있는 활동은 '예측한 내용이 맞는지 확인하기, 각 부분의 중심 내용 파악하기, 글쓴이의 의도 추론하기' 등이다.
(3) '읽기 후' 단계에서 수행할 수 있는 활동은 '자신의 읽기 활동 평가하기, 글 전체의 내용 요약하여 정리하기, 필요한 글 더 찾아 읽기' 등이다.

평가 기준

평가 요소	확인
읽기 전 활동을 바르게 파악하였다.	
읽기 중 활동을 바르게 파악하였다.	
읽기 후 활동을 바르게 파악하였다.	
활동을 각각 한 문장으로 서술하였다.	

08 화자는 2번째 컷에서 '생명체에서 아이디어를 얻어 만든 물건'을 소개한다고 밝히고 있고, 3번째 컷에서 주삿바늘의 굵기를 머리카락 굵기와 비교해야겠다고 생각하고 있다.

평가 기준

평가 요소	확인
㉠: 화자의 말하기 주제를 바르게 파악하였다.	
㉡: 주삿바늘의 굵기를 무엇과 비교하여 설명하였는지 바르게 파악하였다.	
주어진 문장 형식에 맞추어 서술하였다.	

09 준서는 여러 사람 앞에서 말할 때 실수할 수 있다는 생각에 말하기 불안을 느끼고 있다. 이럴 때에는 실수를 하지 않도록 연습을 많이 하거나, 실수할 수 있다는 부정적인 생각보다 긍정적인 생각을 하면 도움이 된다.

평가 기준

평가 요소	확인
준서가 말하기 불안을 느끼는 까닭이 무엇인지 바르게 파악하였다.	
준서가 말하기 불안에 대처하는 데 도움이 되는 방법을 바르게 파악하였다.	
한 문장으로 서술하였다.	

10 청중이 화자의 말에 집중하며 듣고 있음을 드러내는 긍정적인 반응을 보이면 화자가 말하기 불안을 극복하는 데 도움이 된다. 화자의 말에 고개를 끄덕이며 듣는 것은 긍정적인 반응에 해당한다.

평가 기준

평가 요소	확인
청중이 화자에게 보일 수 있는 긍정적인 반응을 〈보기〉에서 바르게 골라 썼다.	

7일

기말고사 **기본 테스트** 1회 | 60~67쪽

01 ③　02 ㄱ: 모든, ㄴ: 정말, ㄷ: 헌, 많이　03 ③　04 (1) ㄱ, ㄹ (2) ㄴ, ㄷ　05 ④　06 관형절　07 ④　08 ②　09 ⑤　10 ②　11 ④　12 ⑤　13 우주　14 ③　15 ①　16 ④　17 청중인 반 친구들의 지식수준을 고려하였다.　18 ⑤　19 ③　20 머리카락 굵기와 비교

01 문장을 이루는 데 기본적으로 필요한 성분은 주성분으로 주어, 목적어, 서술어, 보어이다. 주성분만으로 이루어진 문장은 ③이다. 주어(경미가)+목적어(수박을)+서술어(먹는다)

오답 풀이

① 주어(달이)+부사어(무척)+서술어(밝다)

② 주어(장미꽃이)+부사어(참)+서술어(예쁘다)

④ 주어(가을은)+관형어(독서의)+서술어(계절이다)

⑤ 독립어(진아야)+주어(너는)+목적어(기타를)+부사어(잘)+서술어(치는구나)

02 주성분의 내용을 자세히 꾸며 주는 역할을 하는 문장 성분은 부속 성분이다. ㄱ에는 체언 '준비'를 꾸며 주는 관형어 '모든'이, ㄴ에는 용언 '예쁘구나(예쁘다)'를 꾸며 주는 부사어 '정말'이, ㄷ에는 체언 '옷'을 꾸며 주는 관형어 '헌'과 용언 '버렸다(버리다)'를 꾸며 주는 부사어 '많이'가 쓰였다.

평가 기준

평가 요소	확인
주성분의 내용을 자세히 꾸며 주는 역할을 하는 문장 성분이 부속 성분임을 파악하였다.	
문장 ㄱ, ㄴ, ㄷ에 쓰인 관형어와 부사어를 바르게 파악하였다.	

03 홑문장은 주어와 서술어의 관계가 한 번만 나타나는 문장이다. ③은 주어와 서술어의 관계가 두 번 나타나므로 겹문장이다. 눈이−와서(오다), 도로가−미끄럽다

오답 풀이

① 친구들이–모였다(모이다)

② 강아지는–귀엽다

④ 나는–만났다(만나다)

⑤ 민수가–마셨다(마시다)

04 ㄱ은 나열을 나타내는 연결 어미 '–고'를 사용한 대등하게 이어진문장이고, ㄴ은 조건을 나타내는 연결 어미 '–으면'을 사용한 종속적으로 이어진문장이다. ㄷ은 원인을 나타내는 연결 어미 '–어서'를 사용한 종속적으로 이어진문장이고, ㄹ은 대조를 나타내는 연결 어미 '–지만'을 사용한 대등하게 이어진문장이다.

05 ㉠의 밑줄 친 부분은 문장에서 목적어의 기능을 하고 있다.

06 안긴문장인 '동생이 노는'이 체언 '모습'을 꾸며 주고 있다. 문장에서 관형어의 기능을 하고 있으므로 관형절을 안고 있다.

07 남학생이 말하기 전 두 여학생은 자료의 출처와 관련하여 이야기를 나누고 있으므로, ㉠에는 출처에 관한 말이 들어가는 것이 자연스럽다. 다른 사람의 글이나 자료를 인용할 때에는 출처를 꼭 밝혀야 한다.

08 (나)에서 스마트폰을 가지고 있는 학생 가운데 68.1%가 스마트폰 사용 시간을 줄여야겠다는 생각을 한 적이 있다고 답하였음을 알 수 있다.

오답 풀이

① (가)~(나)에서 하루에 스마트폰을 몇 시간 사용하느냐는 질문에 평일과 주말의 답변 내용이 다른 것으로 보아 등교 여부에 상관없이 하루 스마트폰 사용 시간이 동일하다는 것은 적절하지 않다.

③ 이 보고서에 나타나 있지 않다.

④ (가)의 [질문 4]에 관한 그래프에서 스마트폰 사용의 장점으로 '새로운 정보를 얻을 수 있다'라고 답한 학생이 24.8%, '사람들과 교류할 수 있다'라고 답한 학생이 14.3%임을 알 수 있다.

⑤ (가)의 [질문 5]에 관한 그래프에서 스마트폰 사용 시간을 줄여야겠다고 생각한 까닭으로 '가족 관계 문제'라고 답한 학생이 8.6%, '친구 관계 문제'가 4.3%임을 알 수 있다.

09 조사자는 맺음말에서 자신의 스마트폰 사용 습관을 점검해 보고, 스마트폰을 적절하게 잘 활용하기를 독자들에게 당부하고 있다.

10 글을 쓸 때 다른 사람이 쓴 글이나 자료, 아이디어 등을 끌어 쓰는 것은 '인용', 출처를 밝히지 않고 다른 사람의 글이나 자료, 아이디어의 일부 또는 전체를 베껴 쓰는 것은 '표절', 두 개 이상의 글을 이리저리 쪼개고 붙여서 마치 자신이 쓴 글처럼 속이는 것을 '짜깁기'라고 한다.

11 선호는 출처를 밝히지 않고 다른 사람이 쓴 글을 자신이 만든 말인 것처럼 썼다. 이런 행위는 표절에 해당한다.

12 (가)에 읽기를 통해 글을 쓰는 능력을 향상시킬 수 있다는 내용은 나타나 있지 않다.

13 (나)의 마지막 문단에서 읽기의 과정별 활동이 반드시 그 과정에서만 이루어져야 하는 것은 아니라고 하였으므로, 우주의 말은 적절하지 않다.

14 〈보기〉에서 독자는 글을 읽기 전 글의 내용과 관련된 지식과 경험을 떠올려 보고 있다. 이는 배경지식 활성화와 관련된 활동이다.

15 제목을 보고 글의 내용을 예측해 보는 것은 '읽기 전' 단계에서 이루어진다.

16 글이 자신의 읽기 수준보다 어려우면 좀 더 쉬운 글을 찾아 읽을 수 있다.

17 6번째 컷에서 연우는 '생체 모방 기술'이라는 말이 친구들에게 어려울 수 있다고 생각하여 쉽게 풀어 말하고자 하였으므로, 청중의 지식수준을 고려한 것이다.

평가 기준

평가 요소	확인
연우가 청중과 관련하여 고려한 바를 바르게 파악하였다.	
주어진 문장 형식에 맞추어 서술하였다.	

18 말할 때 어느 정도 불안을 느끼는 것은 자연스러운 현상이므로 말하기 불안을 자연스럽게 받아들이는 것은 적절한 태도이다. 그러나 연습을 통해 말하기 불안에 대처할 수 있으므로 ⑤의 내용은 조언으로 적절하지 않다.

19 연우는 발표를 시작하기 전 실수해도 괜찮다며 자연스럽게 넘어가면 된다고 생각하고 있다.

20 연우는 친구들이 주삿바늘의 굵기가 어느 정도인지 가늠하지 못한다고 생각하여 주삿바늘의 굵기를 머리카락 굵기와 비교하여 설명하였다.

[평가 기준]

평가 요소	확인
연우가 주삿바늘의 굵기를 머리카락 굵기와 비교하여 설명하고 있음을 파악하였다.	
30어절로 서술하였다.	

04 의도를 나타내는 연결 어미 '–려고'를 활용하면 종속적으로 이어진문장을 만들 수 있다. 이때 앞 절과 뒤 절의 주어가 같으므로, 뒤 절의 주어를 생략할 수 있다.

[평가 기준]

평가 요소	확인
종속적으로 이어진문장을 만들 수 있음을 파악하였다.	
연결 어미 '–려고'를 사용하여 종속적으로 이어진문장을 바르게 만들었다.	

05 ②의 '땀이 나게'는 부사절이다.

06 직접 인용을 하는 경우에는 인용한 말 뒤에 조사 '라고'가 붙고, 간접 인용을 하는 경우에는 인용한 말 뒤에 조사 '고'가 붙는다.

07 이 보고서에는 설문 조사와 인터넷 검색 등을 통해 얻은 자료가 제시되어 있다. 전문가 인터뷰나 견학을 통해 수집한 자료는 제시되어 있지 않다.

[오답 풀이]

① (마)에서 확인할 수 있다.

② (가)와 (나)에는 설문 조사 결과가, (다)에는 설문 조사 결과를 종합 분석한 내용이 제시되어 있다.

③ (가)에서는 학생들의 스마트폰 보유율을 원그래프로, (나)에서 스마트폰 하루 사용 시간을 표로 제시하여 한눈에 파악하기 쉽게 하고 있다.

④ (다)에서 학교 학생의 스마트폰 보유율을 '정보통신정책연구원'이라는 공신력 있는 기관에서 조사한 우리나라 중학생의 스마트폰 보유율과 비교하고 있다.

08 평일의 경우 스마트폰을 '두 시간 이상 세 시간 미만' 사용하는 학생의 비율이 가장 높다.

[오답 풀이]

③ 주말에 스마트폰을 '네 시간 이상 다섯 시간 미만' 사용한다고 답한 비율이 29.1%, '다섯 시간 이상' 사용한다고 답한 비율이 15.2%이므로 네 시간 이상 사용하는 학생의 비율은 44.3%이다.

④ 학교 학생의 스마트폰 보유율은 95.5%이고, 정보통신정책연구원에서 조사한 우리나라 중학생의 스마트폰 보유율은 92%이다.

09 이 만화에는 다른 사람을 비방하는 글쓰기와 관련한 쓰기 윤리가 나타나 있지 않다.

기말고사 기본 테스트 2회 | 68~75쪽

01 ③   02 ㉠: 주어, ㉡: 관형어, ㉢: 목적어, ㉣: 서술어
03 ⑤   04 유민이는 책을 빌리려고 도서관에 갔다.   05
②   06 직접, 간접   07 ⑤   08 ⑤   09 ③   10 ②
11 ⑤   12 ④   13 ㉠: 비판, ㉡: 요약   14 ③   15 ④
16 읽기를 멈추고 잠시 쉬어 봐./가볍게 스트레칭을 하고 다시
읽도록 해. 등   17 ②   18 ①   19 ②   20 연습, 긍정적

01 목적어는 서술어가 나타내는 동작의 대상이 되는 문장 성분이다. 동작, 상태 등의 주체가 되는 문장 성분은 주어이다.

02 '다현이가'는 주어, '큰'은 관형어, '돌멩이를'은 목적어, '들었다'는 서술어이다.

03 '나는 오빠가 선물한 옷을 입었다.'는 주어와 서술어의 관계가 두 번 나타나므로 겹문장이다. 나는–입었다(입다), 오빠가–선물한(선물하다). 나머지는 모두 주어와 서술어의 관계가 한 번만 나타나는 홑문장이다.

[오답 풀이]

① 아기가–웃었다(웃다)

② 비가–내렸다(내리다)

③ 지후는–갔다(가다)

④ 혜리가–되었다(되다)

정답과 해설

10 (다)에서 관찰·조사·실험의 과정과 결과를 사실에 근거하여 기술하여야 한다고 서술하고 있다.

11 관찰 보고서를 쓸 때에는 실제로 관찰한 과정과 결과를 가지고 글을 써야 한다.

12 자신이 미리 만들어 놓은 질문의 답을 찾는 것은 '읽기 중' 단계에서 수행할 수 있다.

13 '읽기 중' 단계에서는 글쓴이의 주장에 공감하거나 비판하면서 글의 의미를 이해해 나가고, '읽기 후' 단계에서는 글 전체의 내용을 간단하게 요약하여 정리한다.

14 마지막 문단에서 스파게티 생산량이 늘어나면 스파게티 1인분 생산비는 더욱 낮아질 것이고, 이에 따라 가격을 더 낮출 수 있다고 서술하고 있다. 이를 통해 물건을 많이 만들면 물건값이 싸질 수 있다는 것을 알 수 있다.

15 스파게티 식당의 고정 비용은 하루에 손님이 몇 명 오는지에 관계없이 발생하는 비용이므로, ④의 내용은 적절하지 않다.

16 〈보기 2〉에서 육체적 피로 때문에 집중력이 떨어졌다면 잠시 읽기 활동을 멈추고 쉬었다가 다시 읽기 활동을 시작하는 방법으로 읽기 과정을 조정할 수 있다고 설명하고 있다.

평가 기준

평가 요소	확인
읽기 활동을 멈추고 쉬었다가 다시 시작하는 방향으로 조언할 수 있음을 파악하였다.	

17 연우는 산우엉 열매의 가시에서 아이디어를 얻어 찍찍이를 개발했다는 이야기에 친구들이 관심을 보였다는 것을 떠올리고 '생체 모방 기술로 만든 물건'을 소개하기로 정하였다. 즉, 청중인 친구들의 관심과 흥미를 고려한 것이다.

18 연우가 발표를 시작할 때 발표 순서를 안내하는 모습은 나타나 있지 않다.

오답 풀이

ⓒ "여러분, 필통의 이 부분을 뭐라 부르는지 아시나요?"라고 질문을 던진 뒤 친구들의 반응을 살피고 그에 따라 반응하고 있다. 그리고 친구들이 주삿바늘의 굵기를 가늠하지 못하자 머리카락 굵기와 비교하여 설명하는 등 말하기 방법을 조정하고 있다.

ⓔ 맞아도 아프지 않은 주삿바늘을 개발 중이라고 하며, 주삿바늘의 시각 자료를 제시하고 있다.

19 4번째 컷 연우의 대사 "실수하면 어쩌지?(ㄱ) 말할 내용을 잊어버리면?(ㄴ) 친구들이 내 말을 집중해서 잘 들어 줄까?(ㅁ)"에 연우가 불안해하는 까닭이 드러나 있다.

20 "부정적인 생각을 하지 말고 긍정적인 생각을 해 봐.", "말할 내용을 잊을까 걱정이라면 연습을 많이 해 봐."라는 언니의 대사를 통해 빈칸에 들어갈 말을 알 수 있다.

기말고사 대비

필수 어휘
모아 보기

단원별 개념어와 핵심 어휘로
어휘력을 길러 보세요!

문장과 글쓰기

(1) 문장의 짜임

짜임

명사 조직이나 ❶ ㄱㅅ .

예 이 글은 짜임이 매우 치밀하다.

구조

명사 부분이나 요소가 어떤 전체를 짜 이룸. 또는 그렇게 이루어진 ❷ ㅇㄱ .

예 이 제품은 구조가 간단하여 가격이 싸고 고장이 적다.

성분

명사 한 문장을 구성하는 요소. 주성분, ❸ ㅂㅅ 성분, 독립 성분이 있다.

예 주어는 동작이나 작용, 상태나 성질 등의 주체가 되는 성분이다.

❹ ㅇㅈ 하다

형용사 ① 본바탕 그대로 고스란하다. ② 잘못된 것이 없이 바르거나 옳다.

예 새로 발견된 유물은 모양이 온전하여 역사적 가치가 높다.

결합

명사 둘 이상의 사물이나 사람이 서로 관계를 맺어 하나가 됨.

예 산소와 ❺ ㅅㅅ 가 만나면서 화학적 결합이 일어나 물이 되었다.

❻ ㄷㄷㅈ

관형사 **명사** 서로 견주어 높고 낮음이나 낫고 못함이 없이 비슷한. 또는 그런 것.

예 두 기업은 대등적 관계에서 협력하고자 노력해 왔다.

❼ ㅈㅅㅈ

관형사 **명사** 어떤 것에 딸려 붙어 있는. 또는 그런 것.

예 종속적 위치에 처하면 상황에 끌려다니기 쉽다.

답 ❶ 구성 ❷ 얼개 ❸ 부속 ❹ 온전 ❺ 수소 ❻ 대등적 ❼ 종속적

의도

명사 무엇을 하고자 하는 생각이나 ❶[ㄱㅎ]. 또는 무엇을 하려고 꾀함.

예 행동에 긍정적인 의도가 있다고 해서 그 결과가 무조건 좋은 것은 아니다.

❷[ㅎㅇ]

명사 ① 부름에 응답한다는 뜻으로, 부름이나 호소 따위에 대답하거나 응함. ② 서로 마음과 뜻이 통함.
③ 앞에 어떤 말이 오면 거기에 응하는 말이 따라옴.

예 이 문장은 주어와 서술어가 호응을 이루지 않는다.

(2) 쓰기 윤리와 보고서 쓰기

관찰

명사 사물이나 ❸[ㅎㅅ]을 주의하여 자세히 살펴봄.

예 해미는 관찰 결과를 빠짐없이 기록하였다.

❹[ㅈㅅ]

명사 사물의 내용을 명확히 알기 위하여 자세히 살펴보거나 찾아봄.

예 지금 조사를 벌이고 있으니 곧 화재의 원인이 무엇인지 알 수 있을 것이다.

실험

명사 ① 실제로 해 봄. 또는 그렇게 하는 일. ② 과학에서, ❺[ㅇㄹ]이나 현상을 관찰하고 측정함.
③ 새로운 방법이나 형식을 사용해 봄.

예 박사님은 과학의 발전을 위해 평생 연구와 실험에만 몰두하셨습니다.

실태

명사 있는 그대로의 ❻[ㅅㅌ]. 또는 실제의 모양.

예 우리 모둠은 청소년의 언어 사용 실태에 관한 보고서를 쓸 것이다.

❼[ㅊㅊ]

명사 사물이나 말 따위가 생기거나 나온 근거.

예 성재는 논문의 출처를 알아보기 위해 인터넷을 검색했다.

답 ❶ 계획 ❷ 호응 ❸ 현상 ❹ 조사
❺ 이론 ❻ 상태 ❼ 출처

① ㅉㄱㄱ

명사 ① 직물의 찢어진 곳을 그 감의 올을 살려 본디대로 흠집 없이 짜서 깁는 일. ② 기존의 글이나 영화 따위를 편집하여 하나의 완성품으로 만드는 일.

예 좋아하던 글이었는데 짜깁기를 했다는 것을 알고 실망하였다.

왜곡하다

동사 사실과 다르게 **② ㅎㅅ** 하거나 그릇되게 하다.

예 지수가 내 말을 친구에게 왜곡해서 전하는 바람에 내 입장이 곤란해졌다.

③ ㄱㄱ 하다

동사 ① 어떠한 곳을 거점으로 삼다. ② 어떤 일이나 의논, 의견에 그 근본이 되다.

예 은아는 실험 결과에 근거하여 보고서의 결론을 다시 썼다.

④ ㄱㄷ 하다

형용사 정도에 지나치다.

예 이번 달에 돈을 과도하게 써서 용돈이 얼마 남지 않았다.

보유율

명사 가지고 있거나 간직하고 있는 **⑤ ㅂㅇ** .

예 우리 학교 학생의 스마트폰 보유율은 95.5%이다.

⑥ ㄱㄹ 하다

동사 ① 근원이 다른 물줄기가 서로 섞이어 흐르다. ② 문화나 사상 따위를 서로 통하게 하다.

예 문제를 해결하려면 대화로 생각을 교류해야 한다.

지장

명사 일하는 데 거치적거리거나 **⑦ ㅂㅎ** 가 되는 장애.

예 야외에서 하는 체육 수업은 날씨에 지장을 많이 받는다.

답 ① 짜깁기 ② 해석 ③ 근거
④ 과도 ⑤ 비율 ⑥ 교류 ⑦ 방해

❶ [○○]하다

동사 남의 말이나 글을 자신의 말이나 글 속에 끌어 쓰다.

예 연설자는 연설 중에 속담을 자주 인용하였다.

분석하다

동사 얽혀 있거나 복잡한 것을 풀어서 ❷ [ㄱㅂㅈ]인 요소나 성질로 나누다.

예 전문가들은 지구 온난화가 더욱 가속화될 것으로 분석하고 있다.

❸ [ㅈㅇ]하다

동사 ① 마음에 새겨 두고 조심하다. ② 어떤 한 곳이나 일에 관심을 집중하여 기울이다.

예 목발을 짚은 환자는 발목 부상이 심해지지 않게 주의하며 걸었다.

❹ [ㅇㄷ]

명사 쓰이는 길. 또는 쓰이는 곳.

예 용도에 맞는 연장을 사용해야 한다.

필수품

명사 일상생활에 없어서는 안 되는 반드시 ❺ [ㅍㅇ]한 물건.

예 컴퓨터는 인터넷을 접하며 살아가는 현대인의 필수품이다.

때우다

동사 ① 뚫리거나 깨진 곳을 다른 조각으로 대어 막다. ② 간단한 음식으로 끼니를 대신하다. ③ 다른 수단을 써서 어떤 일을 보충하거나 ❻ [ㄷㅊ]해결하다. ④ 아주 나쁜 운을 작은 괴로움으로 대신하여 면하다. ⑤ 남는 시간을 다른 일로 보내다.

예 비행기 출발 시간이 조금 남아 나는 근처 상점을 구경하며 시간을 때웠다.

간접적

관형사 **명사** 중간에 ❼ [ㅁㄱ]가 되는 사람이나 사물 따위를 통하여 연결되는. 또는 그런 것.

예 진우는 눈치가 빨라서 간접적으로 돌려서 말해도 금방 알아듣는다.

답 ❶ 인용 ❷ 개별적 ❸ 주의
❹ 용도 ❺ 필요 ❻ 대충 ❼ 매개

01 다음 단어와 뜻을 바르게 연결하시오.

(1) 대등적 •

(2) 종속적 •

• ㉠ 어떤 것에 딸려 붙어 있는. 또는 그런 것.

• ㉡ 서로 견주어 높고 낮음이나 낫고 못함이 없이 비슷한. 또는 그런 것.

02 다음 설명에 해당하는 단어를 쓰시오.

> 둘 이상의 사물이나 사람이 서로 관계를 맺어 하나가 됨.

03 다음 대화의 괄호에서 알맞은 단어를 고르시오.

> **승재:** 가은이를 이번 행사의 진행자로 뽑은 것은 정말 잘한 일이었어.
> **미현:** 맞아. 행사를 아무 말썽도 없이 (허전하게/온전하게) 마무리했어.

04 〈보기〉의 빈칸에 공통으로 들어갈 단어로 가장 적절한 것은?

> ┌ 보기 ┐
> • 주어와 서술어가 (   )을 하도록 문장을 써야 한다.
> • 그의 연설은 대중의 뜨거운 (   )을 불러일으켰다.

① 대꾸   ② 대답   ③ 응답   ④ 호응   ⑤ 호환

05 빈칸에 들어갈 알맞은 단어를 〈보기〉에서 찾아 쓰시오.

> ┌ 보기 ┐
> 구조   성분   의도

(1) 비판적으로 들을 때에는 상대방이 말하는 (   )를 파악해야 한다.

(2) 이야기의 (   )를 촘촘하게 짜면 독자의 흥미를 끌 수 있다.

06 다음 단어와 뜻을 바르게 연결하시오.

(1) 관찰 •

(2) 실험 •

(3) 조사 •

• ㉠ 실제로 해 봄. 또는 그렇게 하는 일.

• ㉡ 사물이나 현상을 주의하여 자세히 살펴봄.

• ㉢ 사물의 내용을 명확히 알기 위하여 자세히 살펴보거나 찾아봄.

07 다음 문장의 괄호 안에서 맞춤법에 맞는 표기를 고르시오.

> 글을 쓸 때에는 두 개 이상의 글을 쪼개고 붙여서 자신이 쓴 글처럼 속이는 일, 다시 말해 (짜깁기/짜집기)를 하지 말아야 한다.

08 빈칸에 들어갈 알맞은 단어를 〈보기〉에서 찾아 쓰시오.

> ┌ 보기 ┐
>
> 분석하여　　　왜곡하여　　　인용하여

(1) 우리 할아버지께서는 속담을 (　　　　　) 말씀하시는 일이 많다.

(2) 다른 사람의 말을 전달할 때에는 (　　　　　) 전달하지 않도록 주의해라.

09 밑줄 친 단어가 〈보기〉와 같은 의미로 쓰인 것은?

> ┌ 보기 ┐
>
> 스마트폰을 보며 시간을 <u>때우다</u>.

① 액운을 <u>때우다</u>.

② 고마움을 말로 <u>때우다</u>.

③ 놀면서 시간을 <u>때우다</u>.

④ 우유로 아침을 <u>때우다</u>.

⑤ 충치를 금으로 <u>때우다</u>.

10 다음 설명에 해당하는 단어를 쓰시오.

> 사물이나 말 따위가 생기거나 나온 근거.

점검과 조정

(1) 읽기 과정을
    점검하며 읽기

❶ [ㅅㅎ] **하다**

〔동사〕 생각하거나 계획한 대로 일을 해내다.

〔예〕 직원들은 직무를 성실히 수행했다.

교양

〔명사〕 ① 가르치어 기름. ② 학문, 지식, 사회생활을 바탕으로 이루어지는 **❷** [ㅍㅇ], 또는 문화에 대한 폭넓은 지식.

〔예〕 책을 많이 읽으면 교양을 쌓을 수 있다.

여가

〔명사〕 일이 없어 남는 **❸** [ㅅㄱ].

〔예〕 공원에는 여가를 즐기는 주민들이 모여 있었다.

---

❹ [ㅊㄹ] **하다**

〔동사〕 미루어 생각하여 논하다.

〔예〕 지수는 연구 주제에 대해 논리적으로 추론하여 결론을 내렸다.

순조롭다

〔형용사〕 일 따위가 아무 탈이나 말썽 없이 **❺** [ㅇㅈ] 대로 잘되어 가는 상태에 있다.

〔예〕 공사가 지금처럼 순조롭게 진행되면 여름에 새 도서관이 완공될 것이다.

---

❻ [ㅈㄹ]

〔명사〕 있는 힘을 다함. 또는 낼 수 있는 모든 힘.

〔예〕 선수들은 경기에서 이기기 위해 진력을 다했다.

본새

〔명사〕 ① 어떤 물건의 본디의 생김새. ② 어떠한 동작이나 버릇의 **❼** [ㄷㄷㅇ].

〔예〕 그의 말하는 본새가 화가 난 말투였다.

답 ❶ 수행 ❷ 품위 ❸ 시간 ❹ 추론
❺ 예정 ❻ 진력 ❼ 됨됨이

❶ [ㅇㄱ]

명사 남자의 웃옷과 갓이라는 뜻으로, 남자가 정식으로 갖추어 입는 옷차림을 이르는 말.

예 할아버지께서는 중요한 모임 때마다 단정한 의관을 갖추셨다.

발막신

명사 예전에, 흔히 잘사는 집의 노인이 신었던 마른신. 뒤축과 코에 꿰맨 솔기가 없으며, 코끝을 넓적하게 하여 거기에 **❷** [ㄱㅈ] 조각을 대고 흰 분칠을 하였다.

예 발막신을 만드는 재료로는 얇고 부드러운 가죽이 쓰였다.

체수

명사 몸의 **❸** [ㅋㄱ].

예 그 사람은 체수가 작지만 목소리는 굵고 낮다.

합죽선

명사 얇게 깎은 겉대를 맞붙여서 살을 만든, 접었다 폈다 하게 된 **❹** [ㅂㅊ].

예 선비는 커다란 합죽선을 펼쳐 부채질을 하였다.

❺ [ㅇㅇ]

명사 일정한 범위의 지역.

예 서울 일원에 많은 비가 내리고 있다.

판막음

명사 그 판에서의 마지막 승리. 또는 마지막 **❻** [ㅅㅂ]를 가리는 일.

예 현아가 멋있게 판막음을 장식하였다.

❼ [ㄸㄲㅁㄹ]

명사 장가나 시집갈 나이가 된 총각이나 처녀가 땋아 늘인 머리. 또는 그런 머리를 한 사람.

예 옛날에는 여자가 결혼을 하면 떠꺼머리를 풀고 머리를 위로 틀어 올려 쪽을 지었다.

답 ❶ 의관 ❷ 가죽 ❸ 크기 ❹ 부채 ❺ 일원 ❻ 승부 ❼ 떠꺼머리

(2) 청중을 고려하며
  자신 있게 말하기

생체

명사 생물의 ❶ [ㅁ]. 또는 살아 있는 몸.

예 모든 동식물은 주어진 환경에 적응할 수 있는 저마다의 생체 적응력을 갖고 있다.

❷ [ㅁㅂ]

명사 다른 것을 본뜨거나 본받음.

예 이 제품이 유행하면서 많은 모방 제품이 출시되었다.

❸ [ㄱㅂ]

명사 ① 토지나 천연자원 따위를 유용하게 만듦. ② 지식이나 재능 따위를 발달하게 함. ③ 산업이나 경제 따위를 발전하게 함. ④ 새로운 물건을 만들거나 새로운 생각을 내어놓음.

예 회사는 기존 제품보다 기능이 향상된 신제품 개발에 힘쓰고 있다.

심호흡

명사 의식적으로 허파 속에 공기가 많이 드나들도록 ❹ [ㅅ] 쉬는 방법.

예 선호는 숲속의 신선한 공기를 마시기 위해 크게 심호흡을 하였다.

반응

명사 자극에 ❺ [ㄷㅇ]하여 어떤 현상이 일어남. 또는 그 현상.

예 회의에서 소미의 의견은 긍정적인 반응을 얻었다.

명칭

명사 사람이나 사물 따위의 이름. 또는 그것을 일컫는 ❻ [ㅇㄹ].

예 우리는 새로운 축제의 명칭을 공모하여 정하기로 했다.

❼ [ㅅㅁㅊ]

명사 생명이 있는 물체.

예 과학자들은 화성에 생명체가 존재하는지를 연구하고 있다.

답 ❶ 몸 ❷ 모방 ❸ 개발 ❹ 숨
❺ 대응 ❻ 이름 ❼ 생명체

가늠

명사 ① 목표나 기준에 맞고 안 맞음을 헤아려 봄. 또는 헤아려 보는 **❶** [ㅁㅍ] 나 기준. ② 사물을 어림잡아 헤아림.

예 튀김을 바삭하게 요리하려면 기름의 온도를 잘 가늠을 해야 한다.

대처하다

동사 어떤 정세나 사건에 대하여 알맞은 **❷** [ㅈㅊ] 를 취하다.

예 진경이는 어려운 질문에 현명하게 대처하는 모습이 돋보였다.

❸ [ㅂㅇ]

명사 마음이 편하지 아니하고 조마조마함.

예 시험을 앞두고 불안에 떨고 있는 동생을 격려해 주었다.

❹ [ㄱㅈㅈ]

관형사 **명사** ① 그러하거나 옳다고 인정하는. 또는 그런 것. ② 바람직한. 또는 그런 것.

예 나는 고개를 끄덕여서 의견을 긍정적으로 생각하고 있음을 드러내었다.

부정적

관형사 **명사** ① 그렇지 아니하다고 단정하거나 옳지 아니하다고 **❺** [ㅂㄷ] 하는. 또는 그런 것. ② 바람직하지 못한. 또는 그런 것.

예 안건에 대해 부정적 견해를 가지고 계신 분은 의견을 말씀해 주십시오.

❻ [ㄱㄹ]

명사 생각하고 헤아려 봄.

예 여행 계획을 짤 때에는 휴식 시간도 고려를 해 줘.

용어

명사 일정한 **❼** [ㅂㅇ] 에서 주로 사용하는 말.

예 이해하기 어려운 용어나 내용은 보충 설명이 필요하다.

답 ❶ 목표 ❷ 조치 ❸ 불안
❹ 긍정적 ❺ 반대 ❻ 고려
❼ 분야

어휘 확인하기

01 다음 단어와 뜻을 바르게 연결하시오.

(1) 발막신 •

(2) 판막음 •

(3) 합죽선 •

• ㉠ 그 판에서의 마지막 승리. 또는 마지막 승부를 가리는 일.

• ㉡ 얇게 깎은 겉대를 맞붙여서 살을 만든, 접었다 폈다 하게 된 부채.

• ㉢ 예전에, 흔히 잘사는 집의 노인이 신었던 마른신.

02 다음 설명에 해당하는 단어를 쓰시오.

> 있는 힘을 다함. 또는 낼 수 있는 모든 힘.

03 괄호 안에서 맞춤법에 맞는 표기를 고르시오.

(1) 그는 아직 상투를 올리지 않고 (더꺼머리/떠꺼머리)를 하고 있다.

(2) 성주의 말하는 (본새/뽄새)가 사람들의 화를 돋운다.

04 '미루어 생각하여 논하다.'라는 뜻으로, 〈보기〉의 빈칸에 들어갈 단어로 적절한 것은?

┌ 보기 ┐
유물과 유적을 통해 삼국 시대의 생활 방식을 (   ) 수 있다.

① 논증할   ② 반증할   ③ 비판할   ④ 비평할   ⑤ 추론할

05 빈칸에 들어갈 알맞은 단어를 〈보기〉에서 찾아 쓰시오.

┌ 보기 ┐
교양   여가   일원

(1) 서울과 경기 (   )에 폭설이 내려 열차가 지연되고 있다.

(2) 민서는 미술관을 방문하고 책을 읽으며 미술에 대한 (   )을 쌓았다.

06 다음 단어와 뜻을 바르게 연결하시오.

(1) 불안 •   • ㉠ 생명이 있는 물체.

(2) 생명체 •   • ㉡ 마음이 편하지 아니하고 조마조마함.

07 빈칸에 들어갈 알맞은 단어를 〈보기〉에서 찾아 쓰시오.

┌ 보기 ┐
고려   명칭   생체   용어

(1) 의사가 환자와 이야기하며 의학 전문 (   )를 사용할 때에는 환자가 잘 이해하고 있는지 살펴야 한다.

(2) 우리 팀 공격수는 잦은 부상으로 은퇴를 (   ) 중이라고 한다.

08 〈보기〉의 빈칸에 공통으로 들어갈 단어로 가장 적절한 것은?

┌ 보기 ┐
• 그 나라는 유전 (   )을 통해 많은 양의 석유를 생산하고 있다.
• 우리는 학생들의 능력 (   )을 위해 노력하고 있다.
• 제약 회사는 통증 치료에 효과적인 신약을 (   ) 중이다.

① 개발   ② 계발   ③ 발견   ④ 발명   ⑤ 제작

09 괄호 안에서 문맥상 알맞은 단어를 고르시오.

(1) 다른 제품을 (창조/모방)만 하지 말고 창의적인 제품을 만들어야 한다.

(2) 진우는 화재가 난 장면을 본 적이 있어서 작은 불꽃에도 예민한 (반응/호응)을 보였다.

10 다음 설명에 해당하는 단어를 쓰시오.

목표나 기준에 맞고 안 맞음을 헤아려 봄. 또는 헤아려 보는 목표나 기준.

3. 문장과 글쓰기

01 (1) ㉡ (2) ㉠ **02** 결합 **03** 온전하게 **04** ④
05 (1) 의도 (2) 구조 **06** (1) ㉡ (2) ㉠ (3) ㉢ **07** 짜깁기
08 (1) 인용하여 (2) 왜곡하여 **09** ③ **10** 출처

02 '둘 이상의 사물이나 사람이 서로 관계를 맺어 하나가 됨.'을 뜻하는 단어는 '결합'이다.

03 '잘못된 것이 없이 바르거나 옳다.'라는 뜻의 '온전하다'가 적절하다.

04 빈칸에는 '앞에 어떤 말이 오면 거기에 응하는 말이 따라옴.' 또는 '부름이나 호소 따위에 대답하거나 응함.'을 뜻하는 '호응'이 공통으로 들어가는 것이 적절하다.

05 '의도'는 '무엇을 하고자 하는 생각이나 계획. 또는 무엇을 하려고 꾀함.'을 뜻하고, '구조'는 '부분이나 요소가 어떤 전체를 짜 이룸. 또는 그렇게 이루어진 얼개.'를 뜻한다.

07 '기존의 글이나 영화 따위를 편집하여 하나의 완성품으로 만드는 일.'을 뜻하는 단어는 '짜깁기'이다. '짜집기'는 '짜깁기'의 잘못된 표기이다.

08 '인용하다'는 '남의 말이나 글을 자신의 말이나 글 속에 끌어 쓰다.'라는 뜻이고, '왜곡하다'는 '사실과 다르게 해석하거나 그릇되게 하다.'라는 뜻이다.

09 〈보기〉의 '때우다'는 '남는 시간을 다른 일로 보내다.'라는 뜻이다. 이와 같은 의미로 쓰인 문장은 ③이다.
  오답 풀이
  ① 아주 작은 운을 작은 괴로움으로 대신하여 면하다.
  ② 다른 수단을 써서 어떤 일을 보충하거나 대충 해결하다.
  ④ 간단한 음식으로 끼니를 대신하다.
  ⑤ 뚫리거나 깨진 곳을 다른 조각으로 대어 막다.

10 '사물이나 말 따위가 생기거나 나온 근거.'를 뜻하는 단어는 '출처'이다.

4. 점검과 조정

01 (1) ㉢ (2) ㉠ (3) ㉡ **02** 진력 **03** (1) 떠꺼머리 (2) 본새
04 ⑤ **05** (1) 일원 (2) 교양 **06** (1) ㉡ (2) ㉠ **07** (1) 용어 (2) 고려 **08** ① **09** (1) 모방 (2) 반응 **10** 가늠

02 '있는 힘을 다함. 또는 낼 수 있는 모든 힘.'을 뜻하는 단어는 '진력'이다.

03 '장가나 시집갈 나이가 된 총각이나 처녀가 땋아 늘인 머리. 또는 그런 머리를 한 사람.'을 뜻하는 단어의 바른 표기는 '떠꺼머리'이고, '어떠한 동작이나 버릇의 됨됨이.'를 뜻하는 단어의 바른 표기는 '본새'이다.

04 '미루어 생각하여 논하다.'라는 뜻을 지닌 단어는 '추론하다'이다.
  오답 풀이
  • 반증하다: 어떤 사실이나 주장이 옳지 아니함을 그에 반대되는 근거를 들어 증명하다.

05 '일원'은 '일정한 범위의 지역.'을 뜻하고, '교양'은 '학문, 지식, 사회생활을 바탕으로 이루어지는 품위. 또는 문화에 대한 폭넓은 지식.'을 뜻한다.

07 '용어'는 '일정한 분야에서 주로 사용하는 말.'을 뜻하고, '고려'는 '생각하고 헤아려 봄.'을 뜻한다.

08 빈칸에는 '토지나 천연자원 따위를 유용하게 만듦.', '지식이나 재능 따위를 발달하게 함.', '새로운 물건을 만들거나 새로운 생각을 내어놓음.'을 뜻하는 '개발'이 공통으로 들어가는 것이 적절하다.
  오답 풀이
  • 계발: 슬기나 재능, 사상 따위를 일깨워 줌.

09 '모방'은 '다른 것을 본뜨거나 본받음.'을 뜻하고, '반응'은 '자극에 대응하여 어떤 현상이 일어남.'을 뜻한다.

10 '목표나 기준에 맞고 안 맞음을 헤아려 봄. 또는 헤아려 보는 목표나 기준.'을 뜻하는 단어는 '가늠'이다.